Игорь Шумейко

Романовы
Ошибки великой династии

АСТ
Москва

УДК 94(47+57)(092)"1613/1918"
ББК 63.3(2)-8
Ш 96

Шумейко, И. Н.

Ш 96   Романовы. Ошибки великой династии/ И.Н. Шумейко. – Москва: АСТ, 2014. – 480 с. – (Все тайны истории).

ISBN 978-5-17-081668-2

Династии Романовых уже 400 лет.. Ее роль в истории России приобрела глянцевый блеск. В этой абсолютно честной, но очень субъективной книге – новый взгляд на историю, конфликты, достижения, парадоксы и причины гибели Империи и династии Романовых. «Перезагрузочный подход», принятый в историко-публицистических книгах Шумейко, позволяет и истории Романовых найти множество недооцененных, недопонятых фактов.

УДК 94(47+57)(092)"1613/1918"
ББК 63.3(2)-8

ISBN 978-5-17-081668-2

Глава 1

Апокалиптическая идиллия

В годы строгой ревизии царского наследия большевики придирчиво среди прочего переслушали Золотой фонд русской музыки — великие симфонии, оперы. Сюжет «Чайковский, Бородин, Мусоргский перед лицом Ревтрибунала» имеет трагикомический смысл, и музыкальные комиссары пропасть ему не дали. Какой простор для сатириков, юмористов — «борьба за новый музыкальный репертуар»! Опера Глинки «Жизнь за царя», в 1924 году поставленная как «За серп и молот», вызывала овации одесской, бакинской публики, на поклон выходили новые герои: красноармеец Гребенюк, красные партизаны, заведшие в *дремучий лес* (этот сохранялся)... отряд интервентов и белогвардейцев.

Секретный циркуляр Главлита от 14 мая 1925 года, подписанный Павлом Ивановичем Лебедевым-Полянским, возглавлявшим эту организацию в 1922–1931 годах, оставлял из русского и мирового наследия примерно 40 опер, но с условием непременной переделки сюжетов. Циркуляр неувядаемо колоритен:

«...Оперы "Снегурочка", "Аида", "Демон" идеологически неприемлемы: демократически-монархическая тенденция в "Снегурочке", империалистический душок "Аиды", мистическая библейщина "Демона"...

"Хованщина" — трактовка в постановке оперы должна быть такой, чтобы сочувствие зрителя было не на стороне старой, уходящей "хованщины", а новой молодой

жизни, представленной Голицыным, преображенцами и молодым Петром...»

Прогрессисты! Пётр и Хованский — что! Они и в Войне Алой и Белой розы, Антиоха с Птолемеем точно знали, кто на тот момент был прогрессивнее (особенность тогдашнего восприятия истории).

«"Пиковая дама" — вычеркнуть заключительное явление сцены на балу: от слов "Её величество сейчас пожаловать изволит" и до конца картины.

"Царская невеста" Римского-Корсакова — устранить излишества по части славления царя.

"Русалка" Даргомыжского — вычеркнуть заключительный апофеоз.

"Евгений Онегин" — опустить из первой картины фальшивый эпизод крепостнической идиллии...»

Нет, недаром и в годы строгой цензуры к нам прорывался сей сюжет, наш почти «архетип»: комиссар, руководитель просматривает «художественные номера» и раздаёт указания товарищам-артистам. Бывалов — *«Волга-Волга»*, Огурцов — *«Карнавальная ночь»*, даже Дынин — *«Добро пожаловать, или Посторонним вход воспрещён»*... Нельзя показать руководство на уровне Жданова... но Бывалов — в самый раз. Они, комиссары, и сами больше любили поуправлять «искусством-культурой-пропагандой», чем, например, сельским хозяйством, куда «бросали» проштрафившихся. Да и публике было как-то... интереснее наблюдать процесс руководства комаппаратчикамузами, харитами нежелистадами, посевами.

Но в том циркуляре Главлита, практически готовой юмореске, меня крайне поразил, навёл на самые тяжкие размышления один пункт... Выражаясь языком оперных программок, «вдруг Тема Насмешки уходит, сменяется Темой Неожиданной Развязки, тяжёлой Поступи Судьбы».

Мысль мою приковал тот краткий революционный суд над «Евгением Онегиным»: *«Фальшивая крепостническая идиллия в первой картине...»*

Действительно ведь — идиллия. Золотой век, «наше всё». Кто мы без Пушкина? Припомнился давний вечер в опере с подругой в Большом театре. На её коленях развёрнута программка: *«В саду Лариных девушки с песнями собирают ягоды...»* Татьяна и Ольга Ларины, няня Филипьевна выводят знаменитое: *«Привычка свыше нам дана, замена счастию она».*

Идиллия в «исходнике» Чайковского: пушкинский «Евгений Онегин» — золотое равновесие мягкой иронии, безбрежного любования, острой проницательности и... умиления:

> В саду служанки, на грядах,
> Сбирали ягоды в кустах
> И хором по наказу пели
> (Наказ, основанный на том,
> Чтоб барской ягоды тайком
> Уста лукавые не ели,
> И пеньем были заняты:
> Затея сельской остроты!).

Да, это наш, весь отмеренный нам русской историей Золотой век... И вдруг посреди пасторального хора словно встревает некий бородатый, жёсткий, колючий чтец:

«Библия. Книга Второзаконие, глава 23, стих 24. Когда войдёшь в виноградник ближнего твоего, можешь есть ягоды досыта, сколько хочет душа твоя, а в сосуд твой не клади...

Глава 24, стих 21. Когда будешь снимать плоды в винограднике твоём, не собирай остатков за собою: пусть остаётся пришельцу, сироте и вдове...»

И с небольшим перескоком — самое скребущее, жестокое и скорбное:

«Глава 25, стих 4. Не заграждай рта волу, когда он молотит».

Что ж получается? *Наш* православный помещик был жаднее, меркантильнее и суровей к своим крестьянам, чем «древнееврейский» к пришельцам и волам? И пересчитывал свои ягоды более тщательно и скупо, чем даже современный ему еврей где-нибудь в «черте оседлости», который исполнял требования *нашей русской Библии* как своей *еврейской Торы,* соблюдал все те 613 запретов и *не заграждал рта?*

Эта крестьянско-барская ягодная коллизия, впрочем, в России была хорошо известна и помимо Пушкина, давшего пример поэтического чуда, божественной гармонии, взгляда, превращающего в шедевр, в золото (поистине *Золотой век*!) всё вокруг, в том числе явления почти гадкие. Которые и остались таковыми после снятия поэтического наркоза. И особенно коробит именно серединность, обыденность, «нормальность» того порядка. Это не пятисотое обличение «крепостничества» на примере гнусной маньячки Салтычихи — тупой приём нигилистов, революционных разночинцев, статистически разоблачённый, высмеянный даже известным критиком России, главным американским советологом Ричардом Пайпсом. В книге *Россия при старом режиме* он по сути методично защищал Россию от Радищева и последующих наших обличителей «рабства». Пайпс, помнится, говорил, что судить о русской деревне по Салтычихе, всё равно что о викторианском Лондоне по Джеку Потрошителю.

Та «критическая» тенденция и сегодня хорошо иллюстрируется самой структурой подаваемой исторической информации. Например, современная текстовая программа позволяет практически факсимильно отобразить куст статей Википедии:

Крепостное право. Материал из Википедии — свободной энциклопедии:

Первой в статье ***Крепостничество... См. также:*** идёт Салтычиха. Конечно, никто не обвинит... хозяина Википедии, периодически так проникновенно и грустно смотрящего на нас с экранов ноутбуков, намекая на необходимость прислать пожертвования на содержание *Свободной энциклопедии*. Нет, как раз *Вики* — прекрасное зеркало сложившихся тенденций и стереотипов. Не надо (для решения этого частного вопроса) пересматривать сотни книг. Загляни в Вики и сумма многих их десятков, господствующая тенденция видна сразу...

Но выше был пример того, как библейские заповеди преступали — нормальные, средние, хорошие помещики, *православным* царём поставленные в управители над *крестьянами — «христианами»*, если уж дотошно вчитываться в происхождение термина. У Пушкина настоящая Идиллия, и... сей камень, перелетая ягодный сад помещиков Лариных, летит гораздо далее, прямо в *священный огород наших архетипов*, где стоят, как высеченные в камне: «русский дворянин» (широта, богатство натуры, снисходительное добродушие), кроткий незлобливый крестьянин, и... в том числе «еврей» (торгаш, зануда, скупердяй)... Ведь и крайние юдофилы, вроде одного из героев этой книги Владимира Соловьёва, перечисляя достоинства еврея (цепкость, живучесть, приспособляемость, трезвая расчётливость...), не порывались включить в сей список щедрость и широту натуры, по справедливости оставляя это нам.

Значит, то самое *крепостничество* не только *тормозило социально-хозяйственный, промышленный прогресс России*, о чём нам целый век твердили и либеральные и революционные учителя, а полстраны при этом про себя вздыхало: «Да и чёрт бы с ними со всеми!» (имея в виду и *Прогресс*, и самих учителей).

Значит, дело не только в каком-то дурацком, возможно, и выдуманном *Прогрессе*, а в незаметном, но фатальном двухвековом искажении самой душевной подосновы, самой *русскости* русского дворянства. В дальнем следствии этого искажения: бывший русский крепостной в обнимку с братишкой-комиссаром... Левинсоном (возьмём наудачу хоть фадеевского, но понятно, что имя им — легион) резали и стреляли Лариных, Оболенских и Салтыковых, ничуть при том не тревожимые своей, крестьянской долей, русскости.

Признаю, подобное библейско-оперно-историческое сопоставление покажется несколько неожиданным. Может, даже подыгрыванием, подбрасыванием аргумента для революционеров и того самого Комиссара по музыкальным делам? Хотя для него, наверное, и Библия была бы столь же сомнительной белогвардейщиной, как и пушкинская «фальшивая крепостническая идиллия».

Но всё же. Сто раз смиряясь с *крепостнической*, всеми силами души споришь с *фальшивой*. Не желаешь признать, что «тупица-комиссар», пусть нечаянно, невольно, но угадал. Даже зная наизусть всё содержание следующего акта оперы *Русская история*, начинающегося словно с театральной ремарки: *Прошло сто лет...*. То есть и пред всеми кровавыми подробностями Революции,

Гражданской войны всё равно некая часть душевного строя остаётся недоступной законам «строя общественно-политического». Золотой век Пушкина, наша Идиллия на грани (как потом выяснилось) Гибели... успела, однако, сформировать менталитет нации.

И подтверждение можно найти, даже не выходя за пределы сего случайного музыкального сюжета 1925 года. Да-да, ведь всесильный комиссар, кромсая как угодно, хоть самым диким образом беззащитные оперы, НЕ мог их отменить. Получив «добро» какого-нибудь Луначарского, легко произвёл бы Онегина в декабристы, петрашевцы, народовольцы, наконец, в большевики... но просто вычеркнуть, лишить нацию пушкинского Романа, Оперы — НЕ мог. Потому и возился, правил. Чувствовал ведь (скорей всего безотчетно): вот на *Этом* месте должно что-то быть, стоять нечто, но с нашим, правильным знаком, печатью «исторического материализма»... А что это за *место*, кем, чем оно очерчено?

Примеры вроде выше приведённого некоторые патриоты отодвигали, потому что оппоненты-русофобы стремились их использовать уже вовсе некорректно, исполнить настоящий фокус, распространив эти «рабские примеры» на всю историю России. Но в действительности те эксцессы крепостничества напрямую связаны (и хронологически точно совпадают!) с одним особым периодом истории России, с её ускоренной модернизацией. Рассматривая чуть шире — с периодом Романовых.

Пишущие о русской истории как-то не заострили внимания на этом парадоксе: именно в период, когда Россия собирала искренние (и не очень) приветствия Европы, как наиболее быстро цивилизуемая страна, тогда, собственно, и появилось настоящее крепостничество, «радищевское рабство». Бывшее в итоге Платой за ускоренную Модернизацию, Цивилизацию, «приближением к Европе».

Официально крестьяне закрепощены Соборным уложением 1649 года Алексея Михайловича, царствование которого и полагают началом российской модернизации. Критики Петра, славянофилы, сторонники «народной монархии» типа Ивана Солоневича даже утверждают, что настоящая, правильная модернизация была при Алексее Михайловиче, а не в шараханьях его сына.

А «ягодный» пример, которым открылось моё исследование, относится к периоду 1762–1861 годов, назовём его «развитое крепостничество». По условной шкале приближения к Европе то был следующий этап: теперь не только Россия стала полноправной европейской страной, но и российские дворяне признаны цивилизованными европейцами. Впервые россияне — частные лица, не дипломаты, госчиновники свободно разъезжают по Европе, живут, приобретают там недвижимость, заключают браки с иноподданными. И именно в это время освобождение дворян от обязательной службы, их просвещение дало толчок процессу, в результате которого крепостничество в отдельных случаях уподоблялось рабству. Это очень осторожно, опровергая радикальных «обличителей рабства», признаёт и Ричард Пайпс, о книге которого *Россия при старом режиме* ещё будет идти речь.

Высший взлёт просвещённости, гуманизма — ценою дохристианского, и, как выяснилось выше, даже — **до**библейского рабства (по тем ягодкам отступили аж до древневавилонского Хаммурапи или даже далее).

В заключительных главах будет рассмотрена история царствования последнего Романова с нескольких, может, и неожиданных точек зрения. Первоначально я думал назвать книгу о Николае II *Антицарь*, но после некоторых размышлений, пересмотра всех привлечённых обстоятельств, решил оставить это название только за одной главой.

Анти... — не стилизация под средневековых Анти-
пап (Антипапа Бенедикт XIII и т. д.) или под известный
памфлет Энгельса «Антидюринг» (значение которого
было — против Дюринга). *Антицарь* — не лозунг «против царя Николая II», а скорее напоминание о некоторых
свойствах царя, делавших его некой... античастицей монархии. Античастицы, как известно, вкупе со своими
противоположностями, обычными частицами дают
мгновенную аннигиляцию. Картина февраля 1917 года,
потрясшая всех современников, *мгновенность* исчезнове-
ния тысячелетней монархии и трёхсотлетней династии
как раз и напоминает аннигиляцию.

Но «короля играет свита», и гораздо больше, чем о
личных свойствах Николая II будет рассказано о его окружении, сподвижниках и оппонентах, исторических условиях.

И... о предшественниках...

Глава 2

Три парадокса
династии Романовых

Удивительно, насколько тотально и тщательно разложили на противоположные полочки два важнейших царствования в истории России: *«Реформы»* Александра II Освободителя и *«Контрреформы»* Александра III Миротворца. Это периодически прорывается бессмыслицей исторического сюжета, и — характерная примета — появляющимися в повествованиях бесчисленными *«но вдруг»... масоны, декабристы, народовольцы, большевики...*

Важно показать внутреннюю связность всего периода 1856–1894 годов, времён правления Александров II и III. Предлагаемый мной термин «ДвуАлександрие» (некое фонетическое подражание, например, «Междуцарствию») нарочито неуклюж в расчёте на привлечение к нему волн критики, которые, надеюсь, оставят всё же некий рисунок, идею или хоть просто подозрение в неправоте прежних классификаций. Выпячивание и наивное внимание к малосущественным деталям, противопоставление Отец (Реформы) — Сын (*Контр*реформы) затушёвывало несколько важных подробностей истории России. Приводило к забвению главного смысла двух царствований, того, что и даёт основание для их объединения в период **«ДвуАлександрие»** (1856–1894) или, если угодно, «Излечение России».

Непонимание сути работы отца и сына более всего и подвело внука, Николая II. Правда первую треть его, Николая, царствования ещё работала команда Александра III во главе с лучшим его министром Сергеем Витте, и его можно считать продолжением «ДвуАлександрия» примерно до 1902–1903 годов. Пуск Транссиба — пожалуй, последнее великое их свершение. Далее — уже собственно Николаевский выдвиженец Безобразов, война, революция, ещё война, ещё революция. Тут-то как раз и воцаряется это вводное слово *«вдруг»*: «Япония в 1905 году была близка к полному истощению ресурсов, но **вдруг** революция... В 1916 году Россия наладила военное производство, снабжение армии и была близка к победе... но **вдруг** Гучков с Родзянко, сговорившись в феврале с начальником штаба Алексеевым...»

В случае Александра II Освободителя вообще странная симметрия: писатели, лепящие из его отца, Николая I, величественную колонну, нещадно ругают сына за все реформы, потачки либералам и демократам. И вдобавок играют на противопоставлении Александра II не только его отцу, но и сыну — Александру III. Особенно напирают на список назначенцев отца — Лорис-Меликов, Милютин... действительно быстро изгнанных сыном, и на подборку фактов, якобы укладывающихся в строгую схему «Реформы — Контрреформы». Самые кричащие, доходящие до абсурда примеры этого противопоставления я приведу позже.

Это пример доктринёрства, причём обоюдного, либерального и псевдопатриотического. «Либералы»: наш — Александр II и Реформы. «Патриоты»: наш — Александр III и Контр-реформы. Чья в таком случае вся Россия с её Историей — непонятно. И главное, забывается, что при всей внешней разнице их царствований, отец и сын сделали одно Великое Дело.

В любых образах, уподоблениях я готов это пояснять. Например, Историю часто сравнивают с Дорогой, движением по «историческому пути». Хорошо. Тогда представьте Великое историческое препятствие, громадную Историческую Яму, которую пришлось объезжать царям Александрам II и III. Но... чтобы объехать, надо сначала повернуть руль влево (реформы, «Царь-Освободитель»), а затем, чтоб остаться на Дороге — вправо (контрреформы, «Царь-Миротворец»). По-другому не ездят, чтобы только влево-влево или вправо-вправо, нет таких дорог, путей в природе. За исключением... да-да, правильно — *кольцевых*, на которых исторический путь — бег по кругу.

Или ещё уподобляют Государство Телу, Организму... Ладно. В теле страны была громадная, смертельно опасная опухоль, один разрезал-удалил (Александр II), другой зашил (Александр III).

И смена министров Лорис-Меликова, Милютина Игнатьевым, Ванновским не более чем откладывание скальпеля и взятие хирургической иглы. Тут показателен пример бессменного военного министра Александра II генерала Дмитрия Алексеевича Милютина, творца первой послекрепостнической, послерекрутской армии. Да, в 1881 году он был сменён Ванновским, но в память его заслуг, в 1898 году, он, будучи много лет отставным, был произведён (уникальный случай!) в генерал-фельдмаршалы, став в итоге *последним фельдмаршалом* России.

Именно для привлечения внимания к единству действия этих императоров я и ввожу термин «ДвуАлександрие» — 1856–1894 годы, снимая пласты примитивных сопоставлений, группирующих, например, Александра III («правого») с Николаем I (уж точно «суперправому») — против, конечно, Александра II (либерала). Постараюсь показать и почти комичные следствия таких ложных группирований, когда в плену тенденций промахиваются даже с внешним портретированием.

Но все эти образы, сравнения будут бессильны без признания всей величины проблемы («Ямы», или «Опухоли»), ненормальности, неестественности государственной жизни в течение 99 лет, с 1762 по 1861 год. А с этим, с признанием, всегда были большие трудности.

Наша пропаганда в некоторые обманные, ложные периоды часто разрывалась между желанием указывать на Великие Шаги, Преодоления, Решения Великих проблем и... страхом признать, что эти Проблемы были, что они вообще могли быть в напомаженной, выглаженной как на парад Истории. Например, сусловско-горбачёвские газетные мастерские пыталась маскировать подобное противоречие формулами вроде: «Ещё более полное, ещё более всемерное удовлетворение...». Помня из Маркса, что конфликты — двигатели истории, пытались нарисовать конфликт Идеального с чем-то... сверхсуперидеальным.

А уж тяжёлую болезнь того периода, 1762–1861 годы, маскировать ещё проще: Победа над Наполеоном, Золотой век культуры, несомненные достижения...

Но главная болезнь (а богословы, кстати, всегда их увязывают), которую пришлось лечить в период «Дву-Алексáндрия», отнюдь не в отступлении, отходе от каких-то западных или «общемировых» принципов развития, нет, период 1762–1861 годов — это национальное самопредательство, искажение русскости.

Что то была за болезнь, Препятствие на российском историческом пути? Ответ «Крепостничество» — не совсем полный. До 1762 года, до «Манифеста о вольности дворянской» русское государство держалось на балансе *служилого и тяглового сословий*, на простой смысловой связке: крестьяне принадлежат дворянам, дворяне — государю. Просто великолепна строка из манифеста Петра I 1717 года по случаю рождения сына: *Благословил меня Бог ещё одним рекрутом!* (это о втором сыне, от Екатерины, увы, недолго жившем).

Служба «служилого», простите за тавтологию, сословия в основном заключалась в военной службе, как выражаются французы — «налог крови». Что тяжелее — «пахота» или война? Косвенный ответ: в Судебниках 1497 и 1550 годов несколько статей посвящены *воспрепятствованию служилым (помещикам) отдаваться в холопы, чтобы избежать государственной службы.*

Для краткости приведу цитату Ричарда Пайпса (с его трудом *Россия при старом режиме* мне пришлось много полемизировать в своей предыдущей книге) — в данном случае Пайпс хорош как сумматор 5–6 ведущих русских историков: *Крестьяне чувствовали связь своего крепостного состояния с обязательной службой дворян*. Разорвала эту связь Екатерина. «Манифест о вольности дворянской» 1762 года она выпустила ещё вместе с Петром Третьим, но весь новый статут дворянина создавался пятнадцать последующих лет, это ещё дюжина актов вплоть до 92 статейной «Жалованной грамоты 1785 года», подписанной ею самолично. С «вольностью дворянской» совпало и закрепощение украинских крестьян. Власть дворян и возможность мобилизации (выжимания из деревни) дополнительных средств выросла существенно. Именно этот период можно считать классическим, «развит*ым* крепостничеством». Треть наших «Историй» это трактует как ошибку, треть — как усиление эксплуатации крестьянства правящим классом. Ещё треть просто закрывает на это глаза — им как раз для продолжения исторического повествования и требуется больше всего оборотов *вдруг*, *но тут...*, *но эти...*.

Я бы назвал период 1762–1861 «Большой заём». У крестьянства конечно же. Под этот «Всероссийский заём» Екатериной было:

— выиграно 5 войн — 2 турецких, 1 шведская, 2 польских (Барская конфедерация, восстание Костюшко),

— достигнута одна из важнейших «естественных границ»: Чёрное море,

— воссоединены все 3 ветви русского народа.

Скопилась уже целая библиотека «критик» Екатерины Великой, начиная с «аналитической записки» её сына Павла до Герцена (*«историю Екатерины просто неприлично читать»*) и многолетней усмешки интеллектуала над *«забытыми газетами времён Очаковских и покоренья Крыма»*. Но только вспомнить результаты её царствования, её войн: русские крестьяне, горожане поселились там, где 900 лет они бывали только в качестве угнанных пленников-рабов! Освоены берега Чёрного моря, южная, «Новая» Россия. И сравнить *это* с походами армий её несчастных сына и обоих внуков: одалживания европейским монархам по 150 000 «оловянных» солдатиков в русской форме, поиграть, порешать свои проблемы...

Кроме того, дворянство, бывшее тогда, если продолжать финансовые аналогии, «распорядителем кредита», заложило основу новой русской культуры. Была такая краткая формула, Герценом в частности, часто повторяемая: *«Русская культура, литература, Золотой век — это два поколения непоротых дворянских спин»*... И при том дворянство успевает служить, уже «из чести» (качество офицерского, дипломатического, чиновничьего корпуса в общем-то растёт), и успешнее мобилизовывать (эксплуатировать) крестьянство.

Равно, кстати, и «коллективизация» 160 лет спустя — тоже Большой Всероссийский заём. Источник тот же: русская деревня.

Гораздо реже вспоминают, что в те периоды было ещё одно сословие, если не сказать «ограбленное», то в любом случае сословие, гигантские накопления которого были экспроприированы и использованы. Это — духовенство, Русская православная церковь. Я бы обратил внимание на интересную закономерность: в обоих случаях удар по церкви предшествовал кампаниям «нажима» на крестьянство. В XX веке церковь ограбили примерно за 8–10 лет до Коллективизации. А в XVIII екатеринин-

скому веку «развитого крепостничества» предшествовал
период Петра (монахов — в солдаты, попов — на госслужбу, колокола — на пушки, а церковь — кубышка, по
счастью достоявшая до «нужного момента»).

Этот дополнительный ресурс (возможность принуди-
дительного «займа» у крестьянства и церкви) оставался
в руках Екатерины и последующих трёх императоров —
Павла, Николая, Александра, но... исчезло понимание
его временности, *заёмности*, необходимости его отдачи
и, главное, необходимости направления этого ресурса на
решение национальных целей! Обустраивать этими
средствами (и кровью) целую Европу, да ещё по совершенно нелепым планам вроде Священного союза было
непростительной (и **непрощённой!**) исторической
ошибкой.

И даже не крестьяне, но сама История предъявила
этот вексель к оплате. Да и пени, и жестокие проценты
насчитали тоже не сами крестьяне, а словно специально
для этого народившийся новый класс: интеллигенция.

Я на лекциях постоянно повторяю студентам один
апокрифический сюжет: в тот «подвешенный» период
русской истории (1762–1861 гг.) каждый император,
умирая, завещал наследнику самый сокровенный свой
план, что-то вроде: *«Мне не дали. Но уж ты — освободи
крестьян!».*

Сюжет красивый, успокоительный, некий «исторический димедрол», но с каждым новым пластом подымае-
мых исторических фактов всё тяжелее и тяжелее мне его
повторять. Да и когда это «политическое завещание», на-
каз умирающего могло иметь место? Кто, где, кому сказал? Екатерина — на стульчаке, сделанном, как известно,
из бывшего польского королевского трона, докричалась
до запертого в Гатчине наследника? Или Павел, прячу-
щийся в камине Михайловского замка за мгновения до

«апоплексического удара... табакеркой в висок»? Или мятущийся Александр в Таганроге?

Ну разве Николай I, умирая на своей солдатской койке, мог прошептать этот завет сыну Александру — тот-то и освободил!

Смысловой баланс государства был восстановлен 99 лет + 1 день спустя *Манифестом 19 февраля 1861 года* Александра Освободителя. Но пени, проценты были насчитаны действительно громадные, и забрать по ним у дворян и землю, и саму жизнь по *«к топору зовущим»* планам — это был ещё минимум, по мнению революционной интеллигенции.

Два великих царствования, Александров II и III, вернули стране справедливое равновесное национальное устройство, нарушенное закрепощением крестьян и освобождением дворян. Ещё раз на фоне известной тенденции противопоставления этих монархов — книг на эту тему порядочно — подчеркну: это **единое** историческое усилие. А свои образы, уподобления — объезд ямы (влево-вправо), хирургическая операция (удалил-зашил) — я подкреплю словами Константина Леонтьева из книги «Восток, Россия и Славянство»: *«Два государственных акта, 19 февраля 1861 года* (освобождение крестьян) *и 29 апреля 1881 года* (Манифест Александра Третьего) *дополняют друг друга».*

Недорешён земельный вопрос, но главное — «пациент» должен был жить. За крестьянской реформой с абсолютной необходимостью следовал список почти столь же тяжёлых реформ: военная (крестьяне теперь не поставщики рекрутов, всеобщая воинская повинность), местного самоуправления (дворяне и их собрания теперь не правители на местах и не судьи) и, наконец, судебная — введение мировых судов и судов присяжных.

Вспышка истерического террора эпохи Александра II с огромным трудом, но была подавлена.

Второй парадокс Романовых

...или, скорее, нашего восприятия Романовых. Среди всех исторических разборов вечно забывался, да практически никогда и не был должно отмечен, осознан важный факт, или, применяя популярный ныне лексикону, абсолютный рекорд: *Романовы — самая успешная династия монархов во всей европейской истории*. Вот и вышеперечисленные обвинения (?) из файла «Крепостничество», и краткое предварение главы *«Антицарь»*, и само название книги — *«На дне династии»*, возможно, настраивает читателя на «памфлетное» восприятие.

«Дно» к несчастному Николаю II относится как образ (испитой до *дна* чаши) и конкретно топографически как имя города *Дно* Псковской губернии, связанного с 1917 годом, отречением от престола. Ну, может, ещё и с названием самой популярной пьесы самого модного тогда автора Максима Горького... Но само наличие этого «Дна», финала династии, не может отменить означенного «европейского рекорда».

Понятна большая условность межгосударственных, междинастических соревнований, замеров Успеха, но именно в данном случае есть на что опереться замеряющему историку. И объективно уточнить: Романовы — династия, при которой государство Россия за 140 лет вышла в Европе с *предпоследнего* места на первое.

Дело в том, что как раз в период, когда едва не погибшая в Смуте Россия с первым Романовым, Михаилом Фёдоровичем, только-только отползала от края пропасти, в Европе прошла Тридцатилетняя война, 1618–1648 годы.

Особенность той войны не только в тотальности (воевала вся Европа, даже нейтральная в обе мировые войны XX века Швеция была чуть не главным действующим лицом). Например, для Германского рейха (тогда ещё «первого») по проценту разрушений и гибели населения Тридцатилетняя война была гораздо тяжелей, чем обе мировые, взятые вместе, Германия и Чехия потеряли примерно 3/4 населения. Но главное для нас в том, что особая, столь ужаснувшая выживших участников война и закончилась совершенно по-особому, а именно *Вестфальским миром 1648 года.* От всех прочих мирных договоров он отличался системностью, новой философией (тут пошла в дело новая на тот момент теория естественного права Гуго Гроция). Сама идея «государственного суверенитета» была впервые сформулирована в Вестфальских трактатах, и с точки зрения международного права мы до сих пор живём в *Вестфальской системе.* Правда, иногда специалисты уточняют, что Версальская 1918 года и Ялтинская 1945 года системы международных отношений стали развитием, модификациями Вестфальской системы.

А непосредственное отношение к «рекорду Романовых» имеет та часть Вестфальского трактата, в которой Европа впервые в истории была *кодифицирована*, то есть страны — обладатели того самого «государственного суверенитета» впервые были учтены и записаны в... порядке убывания международного влияния, силы. То есть это был первый европейский рейтинг, причём составленный НЕ журналистами (хотя подобие газет тогда уже появилось), НЕ, как ныне выражаются, *«экспертным сообществом»,* а самими монархами, дипломатами, полководцами, армиями. Собственно говоря, за место в этом рейтинге и шла война! Вестфальский конгресс шёл параллельно с ещё продолжавшимися сражениями, примерно как и представители Объединённых Наций собрались в Сан-

Франциско и образовали ООН в 1944 году, ещё под грохот орудий Второй мировой войны. И кроме всех территориальных приобретений/потерь армии в 1640-х годах бились за то: Кто, с Каким титулом, после Кого и перед Кем подпишет тот Вестфальский мир. Кстати, ещё одна аналогия: в 1944 году странами (будущими) победителями тоже составлялся свой рейтинг. И тогдашнее попадание в «первую пятерку», в число пяти Постоянных членов Совета Безопасности ООН с прилагавшимся «Правом вето» до сих пор приносит наследнице СССР, России, вполне объективные выгоды.

НО... в Рейтинге Европы 1648 года Россия стояла на... *предпоследнем* месте, а последним шёл князь Трансильвании.

Вот именно для чего я уделил почти страницу этим вестфальским подробностям. Я ещё со времени выхода книги «Вторая мировая. Перезагрузка» стараюсь опираться на косвенные свидетельства, оброненные как бы мимоходом. Прямые высказывания, конечно, более подробны, развёрнуты, но реалии века пропаганды-контрпропаганды приучили не доверять таким оценкам. И здесь важно, что Вестфальский конгресс собирался отнюдь не из-за России, не для её вящего унижения.

Я почти вижу возмущенного оппонента: *«Что?! Россия предпоследняя?! В самом конце, вместе с этими упырями, с этой... Дракуловской Трансильванией! Да это ж — русофобия!!».*

Но нет, в Вестфалии 1648 года европейские нации собрались не по Россиеочернительной повестке дня, а по более важным для них поводам: завершение самой страшной на тот момент войны в истории человечества и конструирование новой модели международных отношений (действующей по сей день). Кстати, историки, потом случалось, спорили: можно ли Россию посчитать участницей Тридцатилетней войны? Если «да», то в какой мере и на чьей стороне? Здесь имеет смысл припомнить нашу 10-томную *Всемирную историю* 1958 года издания, тогда все формулировки, оценки тщательно взвешивались, выверялись, словно на суде или на Ассамблее ООН. Самая выверенная оценка гласит: Россия была заинтересована в победе Антигабсбургской лиги, но прямо в войне не участвовала, но продавала по льготным ценам хлеб и селитру протестантским Голландии, Дании, Швеции, и... планировала кормить и оплачивать шведскую армию в её кампаниях против Польши... И та форма нашего «участия» в Тридцатилетней войне (наём и кормление шведской армии), привычные уже, если вспомнить, как при царе Василии Шуйском за отдачу части территории позвали на помощь шведскую армию Делагарди. Это упомянуто здесь совсем не случайно, это тоже существенный кирпич в здание Истории Романовых, иллюстрация тупиковости, беспомощности тогдашней России. Того, что вовсе не по прихоти Романовы стали модернизаторами.

А в Тридцатилетней войне, напомню, сражались и крупно проиграли: Габсбурги, Испания, все католические страны мира за исключением Франции. Победили: Антигабсбургская лига, все протестанты мира плюс Франция. И так как наш злейший враг, Польша, была, естественно, на католической стороне, России была в итоге выгодна победа протестантов. Каковая, собственно, и случилась, и была зафиксирована в 1648 году. Правда, внутри этой Тридцатилетней войны Россия успела и открыто повоевать, с Польшей, разумеется. В войне за Смоленск 1632–1634 годов: русская армия практически исчезла, растворилась в грязи, главком князь Шеин был судим и казнён. Так что Россия тогда успела проиграть — проигравшей стороне.

Вот от этих самых точек тянется исследуемая в этой книге история: Смоленск-1632 и Смута-1612, когда *«Ли-

совчики» — польские зондер-команды доходили аж до Перми и Холмогор... (Никогда не устану напоминать «польским товарищам» сей факт. Уже в трёх книгах, в нескольких статьях, по самым разным внешним поводам от рецензии на фильм Владимира Хотиненко *«1612»* до памфлета по поводу расследования смоленской авиакатастрофы...) Вот с того предпоследнего места Россия Романовых вышла в абсолютные лидеры Европы, за время...

А второй точкой замера этого единственного в мировой истории рывка можно посчитать Венский конгресс 1814 года, когда лидирующее положение России было бесспорно. Фраза «Первое место в Европе и мире» может и выглядит залетевшей из спортивного репортажа, но если бы «Вестфальский список государств» составляли в 1814 году, а не в 1648-м, Россия, безусловно, общепризнано стояла бы первой, а не предпоследней. А приведя дополнительную аргументацию, можно предложить и более раннюю точку замера российского, романовского броска: примерно 1788 год, когда после раздела Польши нам вернулось громадное наследие Киевской Руси, а «ближайший соперник» Франция погружалась в воронку кризиса и погибели.

Правда, вскоре наполеоновская империя стала невероятно могущественна, но с точки зрения многовековых тенденций, именно с точки зрения **династий**, Бурбонов, Габсбургов, Романовых (если уж вести речь об успехах/провалах *Династий*) Бонапарты были краткой вспышкой. И если бы тогдашние политики посмотрели сегодняшние фильмы, они, наверно, сравнили бы наполеоновскую Францию с *зомби*: столь же необычная сила, но и недолгое существование.

Для нас же важней отметить: уже в конце XVIII века Россия Романовых стала самой могущественной страной, именно к ней побежали за помощью испуганные Габсбурги, Гогенцоллерны, Бурбоны и... наша страна, увы, включилась в работу, закончившуюся созданием **Второго рейха**, столетним мировым лидерством Великобритании, но об этом позже.

В целом ни один добросовестный критик не может отрицать заслугу династии Романовых, самодержавного образа правления в этот период небывалого в мировой истории стремительного развития. В удивительной галерее Романовых выбрать себе «любимца», кумира-Романова мог каждый: и утончённейший поэт, и философ-просветитель, даже революционер, даже самый ограниченный историк, даже Маркс, даже марксист, типа М. Покровского — здесь к услугам, конечно, Пётр I.

Чуть по-новому расставить акценты, по другому сгруппировать царей, царствования, «царедворцев», показать несколько иное прохождение границы между русскими консерваторами и либералами, между государственной работой и государственной изменой — цель этой книги.

Не к грядущему 400-летию Дома Романовых, а гораздо ранее начался, как у нас водится через некоторых политологов вроде Станислава Белковского, зондаж общественного мнения по поводу возможного возвращения монархии в России, сравнения шансов и прав сегодняшнего английского принца Гарри (уже есть сайт «Гарри — русский царь»), английского же дальнего родственника Романовых герцога Майкла Кентского и Георгия, сына Леониды, конкурентами обзываемого как Гога Гогенцоллерн...

И третий парадокс Романовых...

Итак, недобросовестное жульничество — переносить «примеры рабства» на всю историю России. А настоящий парадокс в том, что эксцессы крепостничества напрямую связаны и хронологически точно совпадают с периодом, когда Россия получала самые высшие в её истории оценки именно от Европы, от большинства гуманистов мира, просветителей, философов-энциклопедистов. Этот малоосвещаемый факт важно рассмотреть по нескольким причинам. Во-первых, очень жаль, что многие патриоты на примере русофобских кампаний в Европе XIX века записали всех просветителей, европейских демократов в изначальные, вечные враги России, что совсем не так. Во-вторых, важно показать ещё, что те симпатии-антипатии — отнюдь не пустой газетный шелест, голый пиар и т. п.

Например, то, что в Северной войне России со Швецией Англия в 1719–1720 годах занимала антироссийскую позицию, высылала даже на Балтику флот с грозной демонстрацией, это всем хорошо известно, есть уже популярная фраза: *«англичанка гадит»*. В комбинации с другой популярной фразой, внешнеполитическим кредо: *«У Англии нет постоянных союзников, у Англии есть постоянные интересы»* это наверно будет выглядеть так: *«Англичанка гадит постоянно»*.

Но... что в 1715–1716 годах Англия действовала на российской стороне, и флоты — свой и Голландии (шедшей тогда в английском фарватере) — высылала на Балтику и даже передала под командование Петра — это помнят меньше. Однако... была такая морская кампания 1716 года, когда под началом Петра шёл Англо-голландско-датско-русский флот, 69 судов (русских — 22). Особых побед, кроме того, что заставили шведский флот на год укрыться в Карлскроне, не достигли, но это другой вопрос. Кампания та всё ж была, и разница между ней и годами английской враждебности только в успехах/неудачах, дипломатии и... пиара (английский вектор уже тогда зависел от Парламента, общественного мнения).

В книге «Большой подлог, или Краткий курс фальсификации истории» (2010) я подробно рассматривал историю европейского восприятия России, начиная с миссии папского посланника Антония Поссевино (1581–1582). Для рассмотрения нынешнего парадокса ограничимся рамками XVIII века.

Начнём с Монтескье, который иллюстрирует свою теорию зависимости истории от географии российским примером: *«Лишь деспотическое насилие соединяет сегодня вместе все эти обширные пространства».* Зафиксируем нюанс Монтескье: не природное, «генетическое рабство», а следствие размеров государства. Далее важная фигура — Лейбниц, рвавшийся на русскую службу, забрасывавший Петра кипами «проектов». Его лозунг прост, достоин уважения, прям и честен: **«Где к искусствам и наукам лучше всего относятся, там будет моё отечество!»**

Сравним. Лейбниц в книге-памфлете *«Образец доказательств»* 1669 года по случаю выборов короля в Польше пишет, почему московский кандидат не должен быть избран: «Москва... вторая Турция. Варварская страна. Московиты ещё хуже турок! Ужасы лифляндской войны (Ливонская, Ивана Грозного. — *И. Ш.*) клятвенно подтверждались и ставят вопрос, можно ли вообще допустить, что подобные люди являются христианами. Горе нам, если мы откроем им путь в Европу, срыв наш форпост, Польшу!»

Далее начинаются исторические преобразования Петра, крестьян, как известно, приписывают к заводам, людей тысячами швыряют со стройки на стройку.

А Лейбниц — горячий (и авторитетный в Европе) сторонник России: «Наша обязанность и счастье состоят в том, чтобы, насколько это в нашей власти, способствовать царству Божьему, которое — у меня нет сомнений —

заключается в широчайшем распространении настоящей добродетели и мудрости... Одному подобному человеку (речь о Петре. — *И. Ш.*) влить усердие к славе Божьей и совершенствованию людей значит больше, чем победа в сотне сражений... Европа находится сейчас в состоянии перемен и в таком кризисе, в котором она не была со времён империи Шарлемана». (Шарлеман — император Карл Великий).

Это уже *1712* год. Отдадим должное интуиции Лейбница — феерический финиш XVIII века и крах феодальной Европы он предвидел раньше всех. Сам Лейбниц в итоге в Россию не переехал, зато переехал Эйлер, и ещё десятки полезнейших людей, для которых мнение Лейбница много значило.

Вместе с введением европейского образования и культуры в Россию у Лейбница появляется политическая задача — сохранить политическое равновесие, сбалансировать чрезмерное французское влияние немецко-русским союзом... «Царь должен основать русскую Академию». В октябре 1711 года они встречаются.

«Я ни в чём не испытывал такой нужды, как в великом человеке, который достаточно хотел бы приняться за такое дело... Ваше Царское Величество подобными героическими проектами принесёте пользу и благодеяния несчётному числу не только современных, но будущих людей... Кажется особым промыслом Божьим, что науки обходят земной круг и вот теперь должны прийти в Скифию и что Ваше Высочество на этот раз избраны в качестве инструмента, ибо Вы, с одной стороны, из Европы, а с другой, из Китая берёте себе наилучшее; и из того, что сделано обоими посредством хороших учреждений, можете сделать ещё лучше. В вашей Империи большей частью ещё всё, относящееся к исследованию, внове и, так сказать, на белой бумаге, можно избежать бесчисленных ошибок, которые постепенно и незаметно укоренились в Европе. Известно, что дворец, возводимый совершенно заново, выходит лучше, чем если над ним работали многие столетия, возводя, улучшая и многое изменяя... Я считаю небо своим отечеством, а всех людей доброй воли его согражданами, поэтому мне лучше сделать много добрых дел у русских, чем мало у немцев или других европейцев...»

Благородные слова. А если использовать математический термин, симпатии Европы тогда определялись — Градиентом Просвещения. Т. е., где уровень Просвещения рос быстрее, туда и устремлялись их надежды и усилия.

Россия меж двух главных «Просветителей»

Но самые громкие дебаты о России разгорелись с выходом к трибуне двух главных ораторов того века — Вольтера и Руссо.

В России в то время, напомню, крепостничество растёт вглубь и вширь, закрепощаются украинцы, отчасти и новоприобретённые белорусы. Но когда — важный, часто забываемый момент! — разделываемая Польша попробовала склонить на свою сторону европейское общественное мнение, симпатии и поддержка Просветителей остались на стороне Екатерины. Поляки получили из Франции, от энциклопедистов только проект Конституции. По сути, инструкцию: займитесь-ка, поляки, собственным цивилизовыванием, в усечённых размерах это вам будет легче.

Лишая себя удовольствия описать все оттенки их поистине великого Диспута о России, о реформах Петра, я ограничусь здесь кратким пунктиром.

Руссо: Русские никогда по-настоящему не будут цивилизованы просто потому, что они цивилизовались слишком рано. Пётр обладал подражательным гением; у него не было того настоящего гения, который создаёт и творит всё из ничего... Он видел, что у него народ варварский, но он совершенно не понял того, что этот народ не созрел для культуры; он захотел его цивилизовать, тогда как его следовало только закалять для войны... Он помешал своим подданным стать тем, кем они могли бы быть, убеждая их, что они таковы, какими не являются.

Вольтер: Поразительные успехи императрицы Екатерины и всей русской нации являются достаточно сильным доказательством того, что Пётр Великий строил на прочном и долговременном основании.

Демократ **Руссо** — видит народ, естественное развитие которого перечеркнул Пётр.

Собеседник монархов **Вольтер** — видит (на месте руссовова народа) материал для планов просвещённого властителя.

Руссо: царь помешал русским стать тем, чем они могли бы быть.

Вольтер: военные успехи русских просто поразительны.

Но если вдуматься, не так и просто решить, кого записать в «наши», кого в «русофобы».

Один видит великую славу, а другой **(пред)видит!** великую ошибку России. Одно можно сказать точно: для политического руководства России в XIX веке *прогноз Руссо был бы полезнее*. Если бы был учтён. Он ведь говорит от лица *будущей* реальной и победительной силы: революционной демократии.

Фронты этого будущего великого противостояния тогда, в середине XVIII века, только-только прочерчивались. И Россия на два века попадёт в злейшие враги... революционеров, демократов, прогрессистов (?) — названия не суть, главное — **Россия попала во враги тех, кто безоговорочно выиграл.**

И в целом пс стоит пренебрегать оценками евроэкспертов, научная точность, результативность их оценок должна почитаться. Губерт Лангет ещё в сентябре 1558 года писал о России Кальвину: *«Если какое-либо царство в Европе должно возрастать, так только это».*

И ладно XVIII век, где, как выясняется, и сам Вольтер углядел меньше, чем углядел Руссо. Но инерция этой ошибочной политики занесла Россию уже и в XIX веке в такую пропасть, что если добросовестно проследить все следствия, все пружины истории, то надо признать: фанфаронство (на уровне загулявших ротмистров) Александра Первого и обоих Николаев бьёт по России и до сих пор.

Далее необходимы цитаты из самой значительной книги среди касавшихся истории России в XIX веке, настоящей энциклопедии русского патриотизма.

Данилевский Н. Я. «Россия и Европа»:

«Но как бы ни была права Россия при разделе Польши, тспсрь она владеет уже частью настоящей Польши и, следовательно, должна нести на себе упрёк в неправом стяжании, по крайней мере наравне с Пруссией и Австрией. Да, к несчастью, владеет! Но владеет опять-таки не по завоеванию, а по тому сентиментальному великодушию, о котором только что было говорено. Если бы Россия, освободив Европу, предоставила отчасти восстановленную Наполеоном Польшу её прежней участи, то есть разделу между Австрией и Пруссией, а в вознаграждение своих неоценимых, хотя и плохо оценённых заслуг потребовала для себя восточной Галиции, частью которой — Тарнопольским округом — в то время уже владела, то осталась бы на той же почве, на которой стояла при Екатерине, и никто ни в чём не мог бы её упрекнуть. Россия получила бы значительно меньше по пространству, не многим меньше по народонаселению, но зато скольким больше по внутреннему достоинству приобретённого, так как она увеличила бы число своих подданных не враждебным польским элементом, а настоящим русским народом...

Что же заставило императора Александра упустить из виду эту существенную выгоду? Что ослепило его взор? Никак не завоевательные планы, а желание осуществить свою юношескую мечту — восстановить польскую народность и тем загладить то, что ему казалось проступком его великой бабки. Что это было действительно так, доказывается тем, что так смотрели на это сами поляки. Когда из враждебного лагеря, из Австрии, Франции и Англии, стали делать всевозможные препятствия этому плану восстановления Польши, угрожая даже войной, император Александр послал великого князя Константина в Варшаву призывать поляков к оружию для защиты их национальной независимости. Европа, по обыкновению, видела в этом со стороны России хитрость — желание, под предлогом восстановления польской народности, мало-помалу прибрать к своим рукам и те части прежнего Польского королевства, которые не ей достались, — и потому соглашалась на совершенную инкорпорацию Польши, но никак не на самостоятельное существование Царства в личном династическом союзе с Россией, чего теперь так желают. Только когда Гарденберг, который, *как пруссак, был ближе знаком с польскими и русскими делами, разъяснил, что Россия требует своего собственного вреда* (курсив мой. — *И. Ш.*), согласились дипломаты на самостоятельность Царства. Последующие события доказали, что планы России были не честолюбивы, а только великодушны. Восстание (поляков) не чем другим не объясняется, как досадой поляков на неосуществление их планов к восстановлению древнего величия Польши, хотя бы то было под скипетром русских государей. Но эти планы были направлены не на Галицию и Познань, а на западную Россию, потому что тут только были развязаны руки польской интеллигенции — сколько угодно полячить и латынить. И только когда, по мнению польской интеллигенции, стало оказываться недостаточно потворства или, лучше сказать, содействия русского правительства, — *ибо потворства всё ещё было довольно к ополячению западной России* (курсив мой. — *И. Ш.*), тогда негодование поляков вспыхнуло и привело к восстанию 1830-го, а также и 1863 года. Вот как честолюбивы и завоевательны были планы России, побудившие её домогаться на Венском конгрессе присоединения Царства Польского!»

Весь этот государственный бред (*«сентиментальный»*, что, по мнению Данилевского, извиняет царя Александра), кроме прочего, ещё одно доказательство факта актуального даже и для 2010 года. Сегодняшнее отчуждение украинцев от русских вышло из того века держания при себе Польши. В книге *«10 мифов об Украине»* я подробнее и доказательнее рассматриваю этот процесс... «вторичной "украинизации" Юго-Западной Руси». Есть серьёзные свидетельства, откуда взялись первые «самостийники» в эпоху Александра I. Однако продолжим цитировать Данилевского:

«Не из-за Европы ли, следовательно, не из-за Германии ли в особенности, приняла Россия на свою грудь грозу двенадцатого года? Двенадцатый год был, собственно, великой политической ошибкой, обращённой духом русского народа в великое народное торжество.

Что не какие-либо свои собственные интересы имела Россия в виду, решаясь на борьбу с Наполеоном, видно уж из того, что, окончив с беспримерной славой первый акт этой борьбы, она не остановилась, не воспользовалась представлявшимся ей случаем достигнуть всего, чего только могла желать для себя, заключив с Наполеоном мир и союз, как он этого всеми мерами домогался и как желали того же Кутузов и многие другие замечательные люди той эпохи. Что мешало Александру повторить Тильзит с той лишь разницей, что в этот раз он играл бы первостепенную и почетнейшую роль? <...>

Настал 1848 год. Потрясения, бывшие в эту пору в целой Европе, развязывали руки завоевателя и честолюбца. Как же воспользовалась Россия этим единственным положением? Она спасла от гибели соседа (Австрию). <...>

Обращаюсь к другому капитальному обвинению против России. Россия — гасительница света и свободы, тёмная мрачная сила... У знаменитого Роттека высказана мысль, — которую, не имея под рукой его "Истории", не могу, к сожалению, буквально цитировать, — что всякое преуспеяние России, *всякое развитие её внутренних сил, увеличение её благоденствия и могущества есть общественное бедствие, несчастье для всего человечества.* Это мнение Роттека *есть только выражение общественного мнения Европы* (курсив мой. — *И. Ш.*). И это опять основано на таком же песке, как и честолюбие и завоевательность России. Какова бы ни была форма правления в России, каковы бы ни были недостатки русской администрации, русского судопроизводства, русской фискальной системы и т. д., до всего этого, я полагаю, никому дела нет, пока она не стремится навязать всего этого другим...

Итак, состав Русского государства, войны, которое оно вело, цели, которые преследовало, а ещё более — благоприятные обстоятельства, столько раз повторявшиеся, которыми оно не думало воспользоваться, — всё показывает, что Россия не честолюбивая, не завоевательная держава, что в новейший период своей истории она большею частью жертвовала своими очевиднейшими выгодами, самыми справедливыми и законными, европейским интересам.

Откуда же и за что же, спрашиваю, недоверие, несправедливость, ненависть к России со стороны правительств и общественного мнения Европы?..

После Венского конгресса, по мысли русского императора, Россия, Австрия и Пруссия заключили так называемый Священный союз, приступить к которому приглашали всех государей Европы. *Этот Священный союз составляет главнейшее обвинение против России и выставляется заговором государей против своих народов* (курсив мой. — *И. Ш.*). Но в этом союзе надо строго отличать идею, первоначальный замысел, которые одни только и принадлежали Александру, от практического выполнения, которое составляет неотъемлемую собственность Меттерниха. В первоначальной же идее, каковы бы ни были её практические достоинства, конечно, не было ничего утеснительного. Император Александр стоял, бесспорно, за конституционный принцип везде, где, по его мнению, народное развитие допускало его применение. Он был противником и врагом Партий, насильственно вынужденных бунтом и революцией...

Корнем всех реакционных, ретроградных мер того времени была Австрия и её правитель Меттерних, который, опутывая всех своими сетями, в том числе и Россию, заставил последнюю отказаться от её естественной и национальной политики помогать грекам и вообще турецким христианам против их угнетателей, — отказаться вопреки всем её преданиям, всем её интересам, всем сочувствиям её государя и её народа. Россия была также жертвой Меттерниховой политики; почему же на неё, а не на Австрию, которая всему была виновницей и в пользу которой всё это делалось, взваливается вся тяжесть вины? <...>

Не влиянию ли Меттерниха приписывается перемена образа мыслей, происшедшая в императоре Александре после 1822 года? Не это ли влияние было причиной не-милости Каподистрии, враждебного отношения, приня-того относительно Греции и вообще относительно наци-ональной политики, наконец, не это ли влияние было причиной самой перемены в направлении общественно-го образования во времена Шишкова и Магницкого? А после не в угоду ли Австрии считалась всякая нравст-венная помощь славянам чуть не за русское государст-венное преступление?»

Ну и как вам? Ощущение: медленный, торжествен-ный въезд в Жёлтый дом... Или — замедленный киноповтор процесса захождения ума за разум.

Относительно новым для читателя здесь будет, навер-но, последний пассаж, что, оказывается, наш самодержец Александр, натянутый как кукла на руку того самого Меттерниха, не только русскую внешнюю политику сло-жил к ногам Австрии — это ещё соответствовало бы хоть какой-то смысловой реальности. Удавшийся заговор всё же — реальность: ведь выгодно же, одурачив вражескую державу, заставить её провести несколько войн целиком в свою пользу и во вред ей самой! НО... ТАК использо-вать эту «насаженность на Меттернихову руку — куклы-монарха», чтобы ещё и встрять в содержимое **их**, **россий-ских** школьных учебников, расписание занятий в **их** уни-верситетах?!

Но сколько ни заостряй этот пункт у Данилевского, грустный парадокс в том, что другого объяснения тем Александровым... действиям (слово «политика» тут сложно применить) и вовсе нет.

Вот отчего я особо выделил экспертную оценку именно Жан-Жака Руссо, предсказавшего, что Россия втянется в конфликт с демократической Европой (которая на тот мо-мент, в середине XVIII века, была ещё только в дальнем-

дальнем проекте!). И век спустя Данилевский возмущённо констатирует: *«Общественное мнение Европы: Россия — бедствие, несчастье для всего человечества».*

И 250 лет спустя мы разве не убеждаемся каждый день: в чьих руках *общественное мнение Европы?* Ставка-то — Священный союз — была сделана на евромонархов — и вот...

«А упало, Б пропало — кто остался на трубе?»

Может, сегодня князья Лихтенштейна и Монако вспомнят о принесённых Россией жертвах евромонархам и помогут?

Глава 3
ДвуАлександрие

(взлёт 1856–1894 гг. и сползание в Серебряный век)

Итак. Период заёмного могущества, поступления значительного ресурса в распоряжение Екатерины, Павла, Александра и Николая после решения (Екатериной) важнейших геополитических задач России завершился почти безумным, беспрецедентным в истории забвением национальных интересов, полувековым служением Священному союзу, прислуживанием Мальтийскому ордену, Пруссии, Англии, Австрии и в итоге катастрофой Крымской войны.

Но далее история России даёт пример Великого Преодоления. Два выдающихся царствования, Александров II и III, вернули стране справедливое, равновесное национальное устройство, вслед за чем закономерно вернулась и национальная внешняя политика. Это, ещё раз подчеркну, *единое историческое усилие*, мной уподобленное объезду глубокой ямы: руль влево (Александр II) — руль вправо (Александр III), со сложнейшей хирургической операцией: один разрезал, удалил, второй — зашил. Но, опять же: «пациент» должен был жить.

Историк Василий Ключевский писал об императоре Александре III:

«Наука отведёт Императору подобающее место... в истории России и всей Европы... скажет, что Он одержал победу в области, где всего труднее добиться победы, победил предрассудок народов и этим содействовал их сближению, покорил общественную совесть во имя мира и правды, увеличил количество добра в нравственном обороте человечества, обострил и приподнял русскую историческую мысль, русское национальное сознание и сделал всё это так тихо и молчаливо...»

Долгожданный рост материального могущества страны превзошёл самые оптимистические прогнозы. Великий русский учёный и администратор, глава созданной им метрологической службы Дмитрий Иванович Менделеев вместе с соратниками близким знакомым министром Сергеем Юльевичем Витте, адмиралом Чихачёвым вводили новый бездымный порох, новые типы кораблей, водку-«монопольку», сети казённых заводов. Дмитрий Иванович Менделеев ко всем заслугам ещё и крупнейший учёный-экономист определил царствование Александра III как лучший период в истории русской промышленности.

С 1881 по 1896 год промышленное производство в России выросло в 6,5 раза. Выработка на одного рабочего — на 22%. (Та самая *производительность труда*, о необходимости роста которой всё время говорили большевики.) С 1890 по 1900 год мощность паровых двигателей в промышленности России увеличилась с 125 100 л. с. до 1 294 500 л. с. — рост 300%.

«Российская империя буквально содрогалась от тяжкой поступи промышленного прогресса: сейсмическая станция в Риге фиксировала двухбалльное землетрясение, когда на Ижорском заводе в Петербурге второй в Европе по мощности после крупповского в Германии пресс усилием в 10 000 тонн гнул броневые листы» — сей выразительный штрих я нашёл в книге В. Лапина «Петербург. Запахи и звуки». И буквально в ту же строку, как автор книги о Голицыных, я добавил бы, что и сам сейсмограф, работающий поныне, был создан тогда же князем Борисом Борисовичем Голицыным, изобретение, признанное миром, по счастью, безоговорочно.

Менделеев из царей-современников более всего уважал Александра III:

«Миротворец Александр III предвидел суть русских и мировых судеб более и далее своих современников. (Это пишет человек, сам провидевший элементное строение вселенной. — *И. Ш.*) Люди, прожившие его царствование, ясно сознавали, что тогда наступила известная степень сдержанной сосредоточенности и собирания сил, направленных от блестящих, даже ярких преобразований и новшеств предшествующего славного царствования — к простой обыденной внутренней деятельности. Мир во всём мире, созданный покойным императором, как высшее общее благо, и действительно укреплён его доброй волей в среде народов, участвующих в прогрессе. Всеобщее признание этого ляжет неувядаемым венком на его могилу и, смеем думать, даст благие плоды повсюду...»

Из *Заветных мыслей* Д. И. Менделеева: «Шуму и блеску не было, а совершались же дела важные и трудные».

Достойный венец эпохи «стальной России», всего «ДвуАлександрия» — крупнейшая в истории человечества железнодорожная магистраль — Транссиб.

Но именно в то время, пока Россия мощно обрастала стальной бронёй, по её «духовной броне» пробежали невидимые, но фатальные трещины. Процесс, закончившийся гибелью страны, выразительно показал связь и даже зависимость прочности *стальной брони* от *духовной*. Этот процесс и привёл, кроме многого прочего, ещё и к тому, что русский **броне**носец «Император Николай I» спустил флаг в Цусимском бою и дослуживал как японский учебный, закончив свой век как корабль-мишень...

Глава 4

Русский истерический террор

Вернёмся к периоду — 35 лет до гибели империи.

Вспышка истерического террора эпохи Александра II с огромным трудом, но была подавлена. «*Истерическим*» (т. е. «*маточным*») российский террор я здесь назвал не только в пику его героизаторам, но и для привлечения внимания к несомненному феномену — громадной удельной доле женщин в террористических организациях. Если задастся целью, просчитать долю женщин во всех тогдашних органах, корпорациях, социальных группах: армия, медицинский персонал, студенчество, контрабандисты, артисты... уверен, что самой большой окажется их доля в революционных организациях. В самом знаменитом террористическом списке — «первомартовцы», убийцы Александра II — из шести приговорённых к повешению две женщины, Перовская и Гельфанд (помилована из-за беременности).

Внушаемость, подражательность, низкая способность критического восприятия... — конечно да. Желаете несколько неожиданное сопоставление? — Средневековые процессы над: ведьмами и... *ведьмаками* (здесь как раз подавляющая статистика заставила почти забыть, что в преследуемых были и мужчины, *ведьмаки* — но гораздо меньше!). Не только пытками, но, как доказали многие исследователи, и — подражанием, истеричными самооговорами умножалось тогда число ведьм...

Два громких судебных процесса — «Дело Засулич» 1878 года и убийство Александра II 1881 года и, главное, общественная на них реакция во многом подорвали течение государственной жизни, свели к бессмыслице работу поколений. По первому делу я добавлю один новый акцент, но вначале, извините, порция известных фактов.

Вера Засулич — знакомая, сотрудница самого Сергея Нечаева (главного «беса» нашей истории). Правда, ретушёры её облика твердят о разногласиях с Нечаевым и весьма ограниченном их сотрудничестве. Потом в группе «Бунтарей-бакунистов» она с помощью фальшивых царских манифестов пыталась поднять крестьянское восстание в Чигиринском уезде Киевской губернии.

В июле 1877 года после бунта в тюрьме петербургский губернатор Трепов приказал высечь непокорного арестанта Боголюбова, в январе 1878-го, через полгода, Вера Засулич стреляет в губернатора.

Министр юстиции граф Пален, имея множество вполне законных вариантов вплоть до передачи дела Военному суду, отдаёт его суду присяжных. Председатель Петербургского окружного суда — 33-летний, в будущем знаменитый А. Ф. Кони...

Победоносцев: *Идти на суд присяжных с таким делом, посреди такого общества, как петербургское, — не шуточное дело*.

Адвокат Александров внушал и внушил присяжным: «Сочувствие наказанному Боголюбову оправдывает террористку»... Оглашение вердикта оборвалось на словах: *Не винов...*» — Крики радости, истерические рыдания, отчаянные аплодисменты, топот ног, возгласы «Браво! Ура! Молодцы!». Обнимали друг друга, целовались, лезли через перила к Александрову и Засулич, поздравляли. Адвоката качали, а затем на руках вынесли из зала суда и пронесли до Литейной улицы. Когда Засулич вышла из дома предварительного заключения, то попала в объятия толпы. Под радостные крики её подбрасывали вверх.

Русский юрист Н. И. Карабчевский: *«Защита Веры Засулич сделала адвоката Александрова всемирно знаменитым. Речь его перевели на иностранные языки».* Газеты Франции, Германии, Англии, США, Италии, всего цивилизованного мира в восторге: *в России победили Закон и Гуманность.*

Засулич, адвокат Александров, председатель суда Кони — герои дня. На следующий день после освобождения приговор был опротестован, издан приказ об аресте Засулич, но она скрылась на конспиративной квартире и вскоре, чтобы избежать повторного ареста, была тайно переправлена в Швецию. В 1880 году Засулич в Париже. Сотрудничает с Плехановым, Лениным...

Я предлагаю задуматься над тем, что всё время казалось простым и естественным: переход Засулич на нелегальное положение, эмиграция в Европу... упреждая *повторное рассмотрение* её дела. Вроде всё правильно, привычное тогдашнее коловращение: теракт, суд, эмиграция, подполье.

НО... ведь Европа и США тогда приветствовали — Торжество Закона в России! Каковое «Торжество» во всём мире предполагает рассмотрение дела *в нескольких* инстанциях. Чего, кажется, проще: районный суд решил, областной может перерешить, далее Верховный суд... Но Европа вместе с нашими революционерами и либералами, получив нужное решение первой инстанции, Петербургского окружного суда... *выкрадывает и укрывает* Засулич от последующих *столь же законных* судебных инстанций.

Вот картина, несколько утрирующая эту логику: выдавили европейские либералы нужное им решение на первой инстанции, вынесли под истеричные вопли на руках из здания суда адвоката и подсудимую, вывезли их подальше, и... — атомную бомбу на весь этот Петербург, чтоб там прокуратура не опротестовала и чтоб «Торжество Закона» вышло уж точно окончательным. Смысл карикатуры: и бомба на Петербург, и выкрадывание, укрывательство обвиняемой — факторы, одинаково нарушающие законное течение судебного дела. И поразительно (я проверял): все 130 лет (!) история засуличского дела именно с *этой* стороны никем до сих пор не рассматривалась. Что затемняет суть и начальные условия спора с либералами.

Это смелое сочетание *любых мер* напомнило мне историю борьбы Ленина с **ликвидаторами и отзовистами** в РСДРП. Первые говорили: «Мы прошли в Государственную Думу. У нас теперь какая-никакая фракция: пять человек! (Считая, как потом оказалось, агента полиции.) Значит, надо **ликвидировать** подпольную лавочку». Вторые: «Нет, надо **отозвать** товарищей из Думы и продолжать заниматься честным террором». **Ликвидаторы** с **отзовистами**, споря о дальнейшей судьбе партии, тянули Ленина в свою сторону. Решение вождя было очень симптоматичным, по-настоящему революционным, неожиданным. По-моему, именно оно проложило дорогу, если вспомнить зазубренную формулировку, к *«партии нового типа»*.

Он решил оставить и то и то. Новый уровень морали, всемогущество «Сочетания»: днём, допустим, спорить в Думе, цитируя Платона, Монтескье, а ночью заложить бомбу под оппонентскую кровать...

Засулич была в партии Ленина, в редакции газеты «Искра» (правда, потом перешла к меньшевикам). Может, задумчиво оглядывая потёртую личность старой террористки, вспоминая «казус Засулич», овации мира Торжеству Закона с одновременным выкрадыванием, укрывательством террористки, вождь как раз и продумал то решение, столь удивившее и *ликвидаторов и отзовистов*. Как знать!

А в 1878 году на домашнем балу у графа Палена громадный успех имели «принесённые с работы», т. е. вытащенные им из папки «Дела № ...», фотокарточки *романтической преступницы, из-за любовники чуть не зистрелившей градоначальника*. Вот и министр Пален словил «свои 5 минут славы».

Она стала кумиром молодёжи. Курсистки, гувернантки, наверное, и модистки мечтали повторить «подвиг Засулич». Теперь *русских* градоначальников можно было стрелять безнаказанно. Французских, немецких, английских, разумеется, нет. Их Закон *горячим сочувствием толкнувшим на теракт...* не обойти, гильотины и виселицы в Европе как работали, так и работали. А вот дикари получили в руки сразу две игрушки: многозарядный револьвер и Суд присяжных, теперь они точно разнесут своё государство.

Князь Мещерский, издатель журнала «Гражданин», писал: «Оправдание Засулич проходило будто в каком-то кошмарном сне, никто не мог понять, как могло состояться в зале суда самодержавной империи такое страшное глумление над государственными высшими слугами, столь наглое торжество крамолы».

Перед своим увольнением министр юстиции Пален долго убеждал Кони уйти в отставку: уволить не мог! «Независимость суда» — ещё одна игрушка. Но Кони не ушёл, ещё 20 лет собирая лавры либерала, борца с самодержавием. Засулич умерла в 1919 году, похоронена на Волковском кладбище, участок «Литераторские мостки», рядом с Плехановым. Позже на «Литераторских мостках», недалеко от могилы Засулич, перезахоронили прах Кони, перенесённый с Тихвинского кладбища Александро-Невской лавры.

Что ж, очищение территории Лавры можно, конечно, приветствовать, но... грустно всё это, господа.

Философическая истерия

Прошло три года, террор стал светской модой, и в 1881 году убили царя Александра II. Идёт суд над террористами, и накануне вынесения приговора в Петербурге в зале Кредитного товарищества во время своей публичной лекции модный философ Владимир Соловьёв вдруг сказал о цареубийцах: *«Царь должен простить. Если он христианин, он должен простить. Если он действительный вождь народа, он должен простить. Если государственная власть вступит на кровавый путь, мы отречёмся от неё».* Свидетели: *«Невозможно передать, что творилось в зале. Какой-то массовый экстаз. **Восторженная молодёжь вынесла оратора на руках...»***

Не думайте, что тот спич был единичным всплеском: ну, захотелось философу проехать на «руках восторженной молодёжи» метров тридцать от кафедры до гардероба, или чуть далее, по маршруту Засулич и её адвоката... Нет, вся многолетняя, даже удивительно, насколько ещё неоценённая работа Соловьёва — это разрушение смысла русской государственности. Именно он протянул бикфордов шнур от эпохи терроризма, Нечаева, Засулич, их истеричных подражателей к двум последним царствования императорской России.

Признание громадного значения философа Соловьёва можно найти в работах его последователей: Бердяева, Булгакова, Франка, Андрея Белого, Блока... в общем, тех, кто этому значению придавал другой, противоположный знак. Соловьёв *«стоял у истоков русского «духовного возрождения» начала XX века, «русского духовного ренессанса»* (Н. Бердяев). В другом месте Бердяев этот «ренессанс» назвал Серебряным веком. Хотя точное авторство термина «Серебряный век» ещё обсуждается (называют и Маковского, и Оцупа), более-менее доказано, и «Сменовеховцами» особенно убедительно, что этот «ренессанс» духовно подготовил катастрофу 1917 года. Выяснение роли влияния Соловьёва — это как раз зачёркивание одного *«вдруг»* в истории России, а именно: «Почему-то во время Русско-японской войны 1904–1905 годов... *вдруг* оказалось, что значительная часть российской публики яростно болеет за японцев, аплодируя, передают каждое известие об их победах, постоянно преувеличивают потери русских войск, создавая определённое давление на правительство».

Как-то эксперты Ширяев и Смирнов в одной передаче «Исторического канала» убедительно раскрывали лже-арифметику, механику искажения цифр наших и японских потерь в 1905 году... Но откуда *вдруг* взялась сама прослойка российского общества, энергично распространявшая эти ложные цифры? Это же и вправду странно, особенно если сравнить с общественным мнением в России 1812 или 1878 годов (Русско-турецкая война). Всего **за 25 лет** такие *вдруг* радикальные изменения! Или почему в 1915–1917 годах многие россияне стали *вдруг* желать поражения своей армии и действовать по принципу «чем хуже — тем лучше»? Это всё вопросы к властителям дум Серебряного века, «соловьёвцам».

Историческая важность, действенность соловьёвского ультиматума: *Царь должен простить* террористов, *если он христианин и действительный вождь народа*, иначе *мы отречёмся от него*, — сконденсировалась, как в химической реакции, по формуле:

Желябов + Соловьёв = общественное мнение.

Сергей Кравчинский об образе революционера-террориста писал: «*Он прекрасен, грозен, неотразимо обаятелен, так как соединяет в себе оба высочайших типа человеческого величия: мученика и героя*».

Л. Мирский покушался на шефа жандармов Дрентельна, чтобы привлечь внимание любимой девушки, у которой «*был чисто романтический восторг перед Крав-*

чинским», ранее зарезавшим среди бела дня на людной улице предшественника Дрентельна — Мезенцева».

Аполлинария Суслова, экс-пассия Достоевского, а потом и Розанова, доказывала Фёдору Михайловичу, что за нанесённое ей когда-то мужчиной оскорбление «*...не всё ли равно, какой мужчина заплатит за надругательство надо мной. Почему бы и не сам царь? Как просто, подумай только, — один жест, одно движение, и ты в сонме знаменитостей, гениев, великих людей, спасителей человечества*».

Видите, ещё за 80 лет до рождения термина PR, «Пиар», Аполлинария ухватила самую суть: всё равно на ком сорвать старую обиду, но... если на царе, то ты ещё окажешься и... *в сонме знаменитостей, гениев...* Английский термин marked people, дословно «маркированные люди», пиарщики используют в смысле обозначения категории людей уже marked, отмеченных обществом, рынком (в данном случае это схоже: общество = рынок потребителей новостей). Войдя в какое угодно отношение marked people, можно и самой стать marked people, как Засулич и Соловьёв. Как Марк Чепмен — убийца Джона Леннона...

Да, второй, наверно, каторгой была для Фёдора Михайловича эта феминистка-террористка. В случае Пиар-Аполлинарии — это образ мыслей, характерный, но не ставший образом действий. А может, это моя психологическая гипотеза: вместо царя она использовала как marked people Достоевского, а потом и Василия Розанова. Здесь появляется ещё один интересный полуабсурдный сюжет: Фёдор Михайлович принял на себя психопатический удар Аполлинарии, тем самым грудью заслонил царя. Вроде *Жизнь за Царя*-2.

Герцен в своём «Колоколе» писал: «Есть мгновения в жизни народов, в которые весь нравственный быт поколеблен, все нервы подняты, и жизнь и своя жизнь человеку так мало стоит, что он делается убийцей».

Статистически зафиксированную волну самоубийств молодёжи начала XX века В. М. Бехтерев объяснял как социальную болезнь, помимо угнетающего личность аффекта, связанного с процессами модернизации общества, силу примера и общее пессимистическое настроение умов.

Сборник «На помощь молодёжи» (Киев, 1910): «...В молодом поколении растерянность и подавленность, ослабление воли к жизни, отчаянная разочарованность и гнетущее одиночество... Бывают в истории такие периоды и условия, когда разочаровываться жизнью становится особенно легко и удобно, а может быть, и модно».

Примеры Веры Засулич, Соловьёва и его ошалевших слушателей, «Пиар-Аполлинарии», Софьи Перовской, Каляевых и прочих Л. Мирских... это переплетение психиатрии с политикой привлекало внимание не только корифея Бехтерева. По «истерическому террору» я добавлю пару замечаний.

В случае Веры Засулич какая деталь осталась, увы, недооценённой? Лично, на мой взгляд, в её «истории болезни» самое важное: полугодовой разрыв, интервал между внешней Причиной (поводом) и Поступком.

13 июля 1877 года губернатор Трепов приказал высечь непокорного арестанта Боголюбова. 24 января 1878-го Засулич стреляет в губернатора. Срок, по-моему, достаточный, чтобы напрочь отбросить подхваченные общественным мнением басни адвоката Александрова о «благородном порыве», о том, что она *вдруг* «ощутила оскорбление арестанту — как себе лично».

Эти полгода — некий «инкубационный период» её болезни. «Заводилась», примерялась, примерно как Аполлинария Суслова примерялась всю жизнь. Интересная разница: Аполлинария всё же не выстрелила. По-моему, повлияло то, что, имея *таких* слушателей, собеседников, как Достоевский, Розанов, она выговорилась, спустила напряжение на партнёров. А одинокой уродине Вере Засулич не так повезло.

Справочник: «**Истери́я** (др.-греч. *Ηοτέρα (hystera)* — «матка»); **бе́шенство ма́тки** — устаревший медицинский диагноз, на данный момент соответствующий ряду психических расстройств лёгкой и средней степени тяжести».

Платон: «Истерия — бешенство, в которое впадает матка женщины, не имея возможности зачать».

Современная психиатрия: «Истерическое расстройство личности. Ему присущи поверхностность суждений, внушаемость и самовнушаемость, склонность к фантазированию, неустойчивость настроения, стремление привлечь к себе внимание, театральность поведения».

Истеризм русского террора, который всего одна опечатка может превратить в «историзм» особенно ярко виден, если перешагнуть через штампы наших учебников, где всегда по отдельным главам разведены *«Внешняя политика»* и *«Революционно-демократическое движение»*.

Последнее — это как всегда: Желябов Перовская, Засулич, их адвокаты Александров (в узко-судебном смысле), Вл. Соловьёв (во всероссийско-идеологическом).

А вот под *«Внешнюю политику царизма»* того периода подпадала Русско-турецкая война. Что была это за война?

Мучительно реформируясь, вслед за освобождением крестьян, Россия сломала и многовековую «рекрутскую» армию. Военный министр Милютин недавно приступил к созданию армии на основе всеобщей воинской повинности. Но очередные вести о турецкой резне христиан на Балканах заставляют забыть о реформах. Страна (предпоследний раз в истории!) объединяется в общем порыве. Славянские комитеты собирают пожертвования, добровольцами на войну уходят врачи Склифосовский, Пирогов, Боткин, писатели Гаршин, Гиляровский, художник Поленов. Шестидесятилетний Тургенев говорил: «Будь я моложе, я бы туда пошёл». Герой Крымской войны, будущий великий оппонент царского правительства пятидесятилетний Лев Толстой тоже собирается: «Вся Россия там, и я должен идти».

И, сближая изначально «разведённые темы»: революционеры, народовольцы С. М. Кравчинский, Д. А. Клеменц, М. П. Сажин, В. Ф. Костюрин, А. П. Корба тоже пошли добровольцами на Балканы. Несколько из них: А. Г. Ерошенко, Д. А. Гольдштейн, К. Н. Богданович — погибли на той войне.

Взятие Плевны 28 ноября 1877 года надломило турок — единственным спасением была зимняя пауза и надежда на вмешательство Англии. Друг и кумир Вл. Соловьёва папа римский *Лев XIII* собирает антироссийскую коалицию, благословляя турецкое оружие: «*Чем скорее будет подавлена схизма* (православие), *тем лучше... рука Божия может руководить и мечом башибузука* (главные головорезы турецкой армии)». Россия балансировала на грани новой «Крымской» войны, с новой коалицией. Громадные усилия русской дипломатии Горчакова (конвенция с Австрией...) могли обеспечить относительный, недружественный, но всё же нейтралитет примерно на один год войны. Далее, как было рассчитано, сила возмущения британской публики — турецкой резнёй начала уступать геополитическим резонам, и Британия планировала «Крымскую войну-2». Отпущенный год истекал в апреле 1878-го, а зимой Балканские перевалы, по оценке военных специалистов всего мира, непроходимы. Начальник Генерального штаба Германии Мольтке разрешил немецким военным наблюдателям уехать на зиму в отпуск. Канцлер Бисмарк, ревниво следивший за успехами России, сложил у себя в кабинете карту Балканского полуострова, сказал, что до весны она ему не понадобится.

Военный министр Милютин рекомендовал решиться на зимний бросок, «чтобы предупредить вмешательство западных держав в защиту Турции». И переход стал одним из самых трудных в истории войн. Солдаты с невероятными усилиями втаскивали по ледяным скалам орудия. Часто они срывались в пропасти вместе с людьми и лошадьми.

Историк Троицкий писал: «Генералу Гурко донесли, что на один из перевалов артиллерию даже на руках поднять нельзя. Гурко приказал: "Втащить зубами!" — и втащили... Перевалив через Балканы, русские войска пошли на Константинополь. Турки в последней попытке остановить наших дали сражение под Филиппополем (нынешний Пловдив) 15–17 января 1878, но были разгромлены. 11 февраля Скобелев занял местечко Сан-Стефано в 12 верстах от Константинополя. Русские офицеры уже разглядывали в подзорные трубы достопримечательности турецкой столицы...»

В Сан-Стефано и был подписан мирный договор с Турцией. Но Англия и Австро-Венгрия грозят новой коалицией и войной. Учтя это и внутриполитическую обстановку (всплеск террора!), Россия соглашается в Берлине подписать совсем другой мир, существенно обесценивший подвиги её армии...

Далее я предлагаю рассмотреть события этого года — в едином потоке, словно листая страницы дневника внимательного современника событий. Без комментариев (ну, почти без комментариев):

20 февраля 1877. Премьера балета П. И. Чайковского «Лебединое озеро».

4 марта 1877. Первый выпуск женщин-врачей в России.

24 апреля 1877. Начало Русско-турецкой войны.

1 июля 1877. Первый Уимблдонский теннисный турнир.

13 июля 1877. Бунт в тюрьме, после которого губернатор Трепов приказал высечь арестанта Боголюбова.

9 августа 1877. Начало героической обороны Шипки в Русско-турецкой войне.

28 ноября 1877. Взятие русскими Плевны. Перелом в ходе войны.

9 января 1878. После пятимесячной осады победа русских у Шипки-Шейново, взятие в плен турецкой армии.

11 января 1878. Торжественные похороны русского поэта Н. А. Некрасова. *(Тут тоже не без истерии. Когда один писатель в траурной речи поставил Некрасова рядом с Пушкиным, толпа студентов заорала: «Выше! Выше! Некрасов выше Пушкина!»)*

14 января 1878. На Батумском рейде русские катера «Чесма» и «Синоп» самодвижущими минами (торпедами) топят турецкий корабль. Первая в истории торпедная атака.

20 января 1878. Русская армия занимает Адрианополь.

24 января 1878. Революционерка Вера Засулич стреляет в Петербургского градоначальника Ф. Трепова, объявляя это местью за порку арестанта Боголюбова.

19 февраля 1878. Подписание Сан-Стефанского предварительного мирного договора России с Турцией.

13 июля 1878. Завершился Берлинский конгресс, где Россия вынуждена подписать трактат, существенно менявший (в худшую для нас сторону) условия Сан-Стефанского договора.

Как и всегда в подобных ситуациях, «уравнение мирного договора» решалось с учётом значения главных переменных: военные результаты, дипломатическое давление, внутренняя стабильность = способность страны к продолжению войны. Блестящие военные успехи (армия стоит у Стамбула), отчасти уравновешивались дипломатическим давлением Англии, Австрии, Германии, но мощным фактором, «выворачивающим руки» нашей стороне на переговорах, стало внутреннее положение России, разгул террора, вдохновлённого победой в «Деле Засулич». Вот и связь между разными «полочками»: тот выстрел Засулич был через три дня после взятия Адрианополя, достижения русской армией высшей точки за все (строго считая) 300 лет турецких войн.

Глава 5
История и истерия

Но в какой мере Соловьёв и его адепты, серебряновековые декаденты, были виновниками, а в какой только пассивными воспевателями общественного кризиса? Вопрос трудноразрешимый, по сути это — проекция более общих, «вечных» вопросов о... «соотношении субъективных и объективных причин», о «роли личности в истории», «о первичности духа или материи... курицы или яйца». Одно известно наверняка: идейно-философским источником, от которого тянулись лучи влияния вплоть до самого заурядного кабацкого декадентского концерта, скандальной акции, был философ Соловьёв. Его влияние со временем и организационно оформилось в виде *Московского религиозно-философского общества имени Вл. Соловьёва* (Бердяев, Булгаков, А. Белый, Вяч. Иванов, Е. Н. Трубецкой, Эрн, Флоренский...).

А уж общественное мнение, синтезировавшееся по формуле *Желябов + Соловьёв*, сформировало и новое поколение правящего класса, политиков, чиновников, точнее, их критическую массу, прорвавшую, смывшую Российскую империю. Люди этой формации, если они попадали на госслужбу, то действовали без внутренней убеждённости, без любви к государству. А если они были — в Земствах, Госдуме, в блоках и партиях, то сумели запомниться всему миру. «Отрекли» царя, поделили портфели (самое смешное, что они называли это «ответственный кабинет министров», лозунг был такой), в несколько месяцев развалили государство, сбежали и в эмиграции признались: «А мы-то думали, что нас по-прежнему должны были охранять царские жандармы».

Декадентам, Серебряному веку, «соловьёвцам» (так, кстати, называли и Блока, и он гордо носил сей титул) будет посвящена отдельная глава — **«Мельхиоровый век»**, а здесь уделю внимание собственно философу Владимиру Соловьёву.

Среди трудностей спора о его философии первая, на поверхности лежащая основная идея религиозной философии, *София, Душа Мира,* Соловьёву открылась «в мистическом видении». Вот и Википедия приводит слова Даниила Андреева, что *«Соловьёв — единственный русский философ, заслуживающий этого наименования безо всякой натяжки».* Да, Даниил Андреев, конечно, тайнозритель (визионер) авторитетный, у него самого есть *«Роза Мира».*

Соловьёвым и его клакой замешаны до консистенции клейстера философские системы, мистические откровения и... спиритические сеансы. При том, что в целом это модное поветрие, спиритизм, «столоверчение» (эдакий **«Дом-2»** XIX — начала XX века) уже давно изучено и помещено, как и следовало, рядом с цирковым, ярмарочным «чревовещанием» и всем прочим, однако соловьёвские «медиумические записи» публикуются, изучаются.

Возражать Соловьёву на соответствующем уровне сложно. Например, у меня, сразу признаюсь, не было каких-либо мистических контрвидений, в которых какая-нибудь дама мне сказала бы: «София Соловьёва — блеф, случайная пустая выдумка». И манипуляции с открывающимися книгами, дрожащими поворачивающимися ножницами, вертящимися столами — я видел только в кино.

Вторая сложность спора в том, что я, опять же признаюсь, читал отнюдь не все работы Соловьёва. Это напоминает мне старую институтскую постановку вопроса. Когда-то я азартно опровергал Карла Маркса: «Ведь он из своего "Капитала" вывел *относительное и абсолютное обнищание пролетариата*. А из двойного обнищания вывел мировую революцию, главенствующую роль пролетариата. Это же ерунда!» Интеллигентный профессор Мурзов вздыхал: «Игорь, ну ты же не читал весь "Капитал", как ты можешь опровергать?» Я в азарте грыз первый том, там, где есть ещё формулы и некая логическая цепочка, и вдруг вижу, понимаю: ещё остаётся 3 (три)! Возмущённо возражаю профессору: «А если я написал бы 44 тома заведомой ерунды, был бы ещё более неуязвим, требуя от критиков сначала прочесть всё это и принимая *предварительно* зачёт по знанию всех моих 44 томов! Вряд ли бы кто потратил жизнь на «опровержение меня»! Нет! Это философ сам обязан предоставить на общее обозрение свои краткие выводы! Как Мартин Лютер на дверь виттенбергской церкви прибил свои 95 тезисов!»

Главные, актуальные тезисы Соловьёва в общем известны, я воспользуюсь суммированием идей истерио-философа очень благожелательным к нему Константином Леонтьевым в статье «Владимир Соловьёв против Данилевского»:

«У России нет и не должно быть никакого особого культурного призвания. Назначение русской (и вообще славянской) цивилизации одно: служить почвой для примирения православия с папством. Под главенством папы римского. "Пади пред ним (пред папой), о царь России! И встань, как всеславянский царь"! У нас, восточных, веры ещё много; но власть церковная слаба. Я возьму с собой всё, что у нас есть хорошего: теплоту веры в народе, ещё не иссякшую. Я отнесу всё это в Рим и повергну к стопам западного первосвященника. Восток всегда давал содержание, Запад — форму...»

Замечаете сегодня сбывание соловьёвских «пророчеств»? Эту неотложную горящую потребность объединения католиков с православными, столь великую, что за подчинение нашего Кирилла их Бенедикту не жалко и Россию на распыл бросить!

Для вящей точности узнать бы, может, с той, римской, стороны сегодня остро чувствуют потребность принятия вассальной присяги православных патриархов?.. Как-то я прочитал статью католического журналиста о главных сегодняшних проблемах Рима. Столь пронзительная боль, что искренне пожалел: Бразилия теряет более чем по полмиллиона католиков в год. Это ж их оплот — красавицы-мулатки с распятиями, великие футболисты, смиренно стоящие в очереди к папе римскому, стометровый Христос над Рио-де-Жанейро... Бразилию другой и представить нельзя. И оказывается, католичество там стремительно сокращается из-за этих американских сект, расползающихся по законам сетевого маркетинга. (Похоже на исчезновение бразильских экваториальных лесов.)

И на фоне схожих проблем в Италии (ещё оплот!), скандалов со священниками-педофилами попробуйте представить их кардиналов, тревожно и бессонно поджидающих прихода в Рим с повинной «православных схизматиков»... Мягко говоря: не очень правдоподобная картина.

Окиньте мысленным взором всю бездну наших и католических сегодняшних проблем, и кем тут предстанет Великий Конструктор Объединения Церквей под властью папы, легко платящий за это существованием России Вова Соловьёв?!

Просто омерзительно, откуда вообще эта поза командира роты на утреннем разводе, уверенно раздающего задания целым нациям, ставящего задачи Церквям и государствам? У меня есть версия, выскажу позже.

Он волен был выбирать объект для своего праздно-мыслия? Соловьёв-физик (если бы этого умственного шатуна подпустили к кафедре физики) изрёк бы: великая миссия России — пожертвовать собой для вселенского объединения Корпускулярной и Волновой теорий света. Инженер-электронщик В. Соловьёв: историческая задача России — пожертвовать собой для вселенского объединения стандартов ПАЛ и СЕКАМ.

Прошу прощения, если покажется унизительным такое пародирование высокой темы, но, господа католики, настоящее унижение — это быть объектом заботы таких людей, как В. Соловьёв.

Тут и следующая сложность возни с Соловьёвым. Он не только «защитник» желябовских террористов и католиков, он ещё и крупнейший якобы защитник евреев. Написавший множество писем и известную *Декларацию против антисемитизма*, прогремевшую за границей.

«В письмах Ф. Гецу Соловьёв обличал погромы и заверял, что его перо всегда готово к защите бедствующего Израиля. На смертном одре молился за еврейский народ и читал псалом на иврите. Смерть Соловьёва вызвала глубокое горе всего русского еврейства. В синагогах читались молитвы за упокой души Соловьёва, одного из "праведников народов мира"» (Википедия).

Что ж, уважаемые евреи, упокойная молитва за Соловьёва — это 1900 год. Но если окинуть хоть беглым взглядом всю чудовищную *Мистерию XX века*, сколько раз поменялись условия, места покровителей и гонителей! Вспомнить хоть «главного врага» евреев 1940-х годов, против кого шёл основной поток их терактов? — Британия с её палестинским Мандатом! Или середина 1950-х: СССР и США дружно вместе идут против... Британии, Франции, Израиля. А 1970-е? А сегодня?

С персонами и партиями ещё более перевёртышей. Живи сегодня Соловьёв в Израиле — 200%, что он «поставил бы своё перо на защиту» «Аль-Каиды». Это прямо вытекает из его аргументации: «Если евреи — наши враги, поступайте с ними по заповеди: любите врагов ваших! Если они не враги — незачем их преследовать». Сегодня в известном политкорректном хоре сдающих Израиль он был бы запевалой, подставив только в свою «формулу» Усаму... Нафлудил бы дюжину томов, наверное, не о *Софии,* а о *Саре* Соловьёвой, но сдал бы точно.

И его (якобы) польза евреям XIX века была отнюдь не пропорциональна его вреду России — гораздо, гораздо меньше.

В. Г. Короленко в статье «Декларация» вспоминает В. С. Соловьёва: «В октябре 1890 года я получил от покойного Владимира Сергеевича Соловьёва письмо, в котором говорилось между прочим:

"Посылаю вам прилагаемое заявление литераторов и учёных с просьбой подписать его, считаю лишним распространяться о том, насколько подпись необходима. Уезжая на днях в Петербург, покорнейше прошу подписанное вами заявление прислать мне туда по следующему адресу: "Европейская" гостиница на Михайловской улице. С совершенным почтением, готовый к услугам Владимир Соловьев"...

Для него (Короленко продолжает о Соловьёве) ...христианство было источником абсолютной морали. Из этого источника он извлёк и формулу по еврейскому вопросу, отличавшуюся необыкновенной лёгкостью и простотой. Он говорил: "Если евреи — наши враги, поступайте с ними по заповеди: любите врагов ваших. Если же они не враги (он думал, что не враги), тогда незачем их преследовать". Многие догматические взгляды Соловьёва окутаны густыми, иной раз почти непроницаемыми метафизическими туманами. Но когда он спускался с этих туманных высот, чтобы прилагать те или другие основные формулы христианства к текущей жизни, он был иной раз великолепен по отчётливой ясности мысли и по уменю найти для неё простую и сжатую формулу...»

Шумная трескотня возымела обычное действие. Последовал циркуляр главного управления, и затеянная Соловьёвым декларация в то время в России так и не появилась. Как настоящая «крамола» она была напечатана за границей (одновременно в Париже и Вене). Для европейцев, разумеется, заявление русскими писателями признанных культурным миром аксиом могло иметь значение разве в качестве курьёзной иллюстрации русских цензурных порядков. Но для нас даже и теперь есть нечто поучительное в этом маленьком эпизоде. Употребляя столь героические усилия, чтобы задушить попытку Соловьёва в зародыше, тогдашний антисемитизм как бы отдавал своим противникам некоторую дань страха и уважения.

«...Кое-какие детали редакции вызывали меня на некоторые замечания, но из-за оттенков я не считал нужным отклоняться от дела. Так же, очевидно, смотрел и В. С. Соловьёв... Относительно одной поправки, сделанной его рукой (германское происхождение русского антисемитизма), он сообщил мне, что вписал это по требованию некоторых из подписавших, считая эту вставку излишней, но и не желая затягивать дело спорами о редакции...»

Характерна следующая пара пунктов воспоминаний Короленко:

1) *«Шумная трескотня возымела обычное действие»* — это ведь секрет действенности и всех подобных деклараций, акций, скандалов. «Запрет» в России — лучшая реклама для зарубежного издания.

2) Декларация Соловьёва заканчивалась абзацем: *«На основании всего этого мы самым решительным образом осуждаем антисемитическое движение в печати, пере-*

шедшее к нам из Германии, как безнравственное по существу и крайне опасное для будущности России».

Соловьёв хотел убрать *«германское происхождение русского антисемитизма»*, но не сумел, в чём, собственно, и извинялся перед Короленко. Считал: нечего оправдывать Россию такой оговоркой, но *«вписал это по требованию некоторых подписавших»*, собирая массовку побольше.

Впрочем, было бы несправедливо оценивать вклад Соловьёва в обсуждение еврейского вопроса только по той «Декларации», в сущности, обычного «коллективного письма протеста» — полторы странички текста плюс евроскандал. Его большая статья «Еврейство и христианский вопрос», вышедшая в «Православном обозрении» (1884 г.), работа действительно солидная, вдумчивая. Обширные цитаты из Каткова, епископа херсонского и одесского Никанора. Соловьёв доказывает: настоящие русские патриоты антисемитами ни в коем случае не были. Особенно выразительно это показано Соловьёвым на примере Каткова, но, увы, по законам скандальной журналистики, чёрного Пиара, вышедшая «в Европах» (Париже и Вене) страничная «Декларация» совершенно забила и перечеркнула добротные статьи — «Еврейство и христианский вопрос» и «Новозаветный Израиль» (1885 г.), тоже внутрироссийского хождения.

В еврейских работах нескандального Соловьёва видна его замечательная последовательность, принципиальность. Положительное решение еврейского вопроса Соловьёв, как и всё вообще, увязывает со своим любимым «Богочеловечеством», объединением всех ветвей христианства и иудеев во вселенской теократической державе:

«Признавая только такое религиозное разрешение "еврейского вопроса", веруя в грядущее соединение дома Израилева с православным и католическим христианством на общей им теократической почве, я имел случай выска-

зать это своё убеждение с кафедры (в 1882 г., лекция на Высших женских курсах). Теперь решаюсь дать более обстоятельную обработку этому взгляду на иудейство...»

Небольшое комическое отступление. Гипотеза: если поручить Соловьёву на его Высших женских курсах прочитать лекцию по любой другой «актуальной проблеме»: аварии на железных дорогах, распространение венерических заболеваний, аборты, «обманутые вкладчики», жертвы частых в ту эпоху банкротств акционерных компаний... вывел бы он в трёх-четырёх абзацах решение тех проблем к своему любимому объединению церквей под властью римского папы?!

Формулировка Соловьёва в общем справедлива: «Иудеи всегда относились к нам по-иудейски. Мы же, христиане, напротив, доселе не научились относиться к иудейству по-христиански... Главный интерес в современной Европе — деньги; евреи мастера денежного дела, естественно, они господа в современной Европе».

Единственно что: сурово обвиняя европейцев в 2000-летнем неумении решить еврейский вопрос по-христиански, я бы на месте Соловьёва всё же не забыл выделить из этого списка виновных европейцев — Россию, впервые получившую «на баланс» евреев с их вопросом менее чем за 100 лет до Соловьёва. По-моему, 2000 и 100 лет — разница уже достойная некоторого обособления! Плюс Россия получила «еврейский вопрос» отягощённым ужасным и кровавым «польским вопросом» (был известный образ, термин: «Отравленный поцелуй Польши»).

Что забылось Соловьёвым–Короленко в... *шумной трескотне, возымевшей обычное действие*

В 1772 году по первому разделу Польши Россия вернула часть Белоруссии и Украины со 100-тысячным еврейским населением, выросшим там за время Речи Посполитой. Общее количество евреев в разделяемой стране насчитывалось в 900 000.

Из известных россиян на поприще решения еврейского вопроса вспомним Державина, который пытался разобраться с причинами голода в Белоруссии, подсчитать число евреев-арендаторов и... до сих пор упрекается в антисемитизме. А вот польских королей Болеслава, Казимира и Мечислава, позволивших евреям жить в частности на Украине, почитают за великих гуманистов. (*Мешко, круль, благословенный, справедливый*» — сохранились эти еврейские надписи.)

Еврейский историк Гессен писал: «*Общий баланс жизни в Польше был, очевидно, евреям благоприятен, еврейское население в Польше значительно возросло... евреи приняли широкое участие в сельском хозяйстве помещиков, развив занятия арендой... между прочим, винных промыслов*».

Еврейская энциклопедия: «*Служа интересам землевладельцев... евреи навлекли на себя ненависть населения... Злоба крестьянина... направлялась и на католика-пана, и на еврея-арендатора... и когда разразилось восстание казаков под предводительством Хмельницкого, евреи, наравне с поляками, пали жертвой*».

Вот в чём дело: польский пан приглашал еврея на новозахваченную Украину-Белоруссию только как инструмент! Выполнявший к тому же самую грязную и опасную функцию. И «ключевыми по теме» здесь будут не привилегии Казимира Справедливого, не грамоты круля Лешка Белого, а пропинация и аренда церквей.

Надо признать, что и представители любых других национальностей, занимавшие место в этом «разделении труда», вели себя примерно так же. Доказательство, как сказали бы классики., «социальной детерминированности»: захватившему некую территорию нужен агент по её эксплуатации. Вот яркий пример. В 1495 году великий князь литовский Александр Ягеллон приказал: *«жидову з земли вон выбити»*. Но через несколько лет избранный на польский престол он тут же позволил евреям вернуться в ту же Литву. То есть как польское «должностное лицо» он увидел необходимость в когорте подвижных финансовых агентов на Востоке.

Но всего более губила евреев именно *шаткость* польской власти над Украиной. Отсюда частые восстания, а чем они грозили арендаторам, знает не только выше процитированная Еврейская энциклопедия...

А сами евреи? Они пришли и объявили королю Казимиру:

— *Мы тут две тысячи лет странствовали, мечтали, искали именно такую грязную, гнусную и опасную работу, как держание шинков, спаивание в долг и конфискация у крестьян средств их выживания — коров, лошадей, инвентаря! Как сдирание платы за крестины ребёнка, за отпевания родителя?*

Выделенное курсивом — ни в коем случае не утверждение. Это гипотетический, «заостряющий» вопрос.

Правь, Британия, морями... лжи!

Действительно, а почему евреи так массово пошли арендовать у поляков шинки и церкви, взимать с украинцев деньги за питьё, крещения, венчания, отпевания?..

А потому, что у них, евреев, просто не осталось другого выхода.

Например, англичане «культурно» изгнали всех — абсолютно всех! — евреев в 1290 году, а впустили обратно через... 355 лет. Кстати, получается, в Англии тоже, значит, была *черта осёдлости*, только у них она *совпадала с береговой линией Британских островов!* (То бишь — евреев или за море, или в море.) После этого, чтобы критиковать Российскую черту осёдлости, нужно было запастись мерой как раз знаменитого британского лицемерия. Но сегодня можно с полным правом вернуть англичанам некоторые заслуженные ими права и приоритеты. Например, получается, на каждой известной гитлеровской табличке «Юденфрай» («Свободно от евреев») можно в уголке ставить значок — R в кружочке. Авторские права на сей лозунг принадлежат англичанам: тут и 645-летний приоритет перед фюрером, и факт хождения, действия — 355 лет против 8!

Та самая Британская черта осёдлости, совпадающая с береговой чертой Британских островов, и те самые прахолокосты — сжигание гетто с их обитателями в Западной Европе вызвали новый Исход евреев.

Германский император считался правопреемником древнеримского императора Тита, который после разрушения Иерусалима якобы приобрёл евреев в качестве *личного имущества* (Kammergut). На этом основании император владел всеми евреями, жившими на территории бывшей Римской империи, как императорскими крепостными (Kammerknechte), которых дарил, продавал или закладывал.

Но то была хоть какая защита, о статусе Kammerknechte евреи мечтали! — на фоне поголовного истребления (например, в Силезии в 1453 году).

И это не «контрпропаганда»...

...не парирование в духе известного: «У вас колбасы нет! — А зато у вас негров линчуют!» Английское *окончательное решение* и прочие факты выше приведены именно для выяснения: *откуда* на Русь пришла *эта проблема*.

Тут связь — прямее не бывает. Именно *те* люди, *те* уцелевшие остатки английских, немецких, французских этнических чисток дошли, добрели до Украины-Белоруссии! И согласились на единственную предложенную поляками работу.

А какой ещё факт доказывает, иллюстрирует даже само наличие в сегодняшнем Израиле Управления абсорбции? Тот, что поток, волна иммиграции это огромная и совершенно отдельная проблема. Столько-то тысяч евреев, живших в Европе столетия, — это одно, а столько-то вновь пришедших, ставших табором у границы, — это совсем другое. Тут даже поляки не столь виноваты, как...

Одна из факультативных задач этой книги — разрешение вопроса с «русско-украинским антисемитизмом». Ожидание, что кто-нибудь, имеющий больше информации и больше средств её широкого распространения, скажет или опубликует что-нибудь, вроде...

— Таки-да. Были на Украине погромы. Работа там была уж очень рискованная: церкви арендовать — это вам не морковку растить! Но другой работы не было. А вот в Англии—Германии перед зачистками мы же вроде тамошних кирх, церквей и не арендовали — вот что характерно и обидно! А евреи, приехавшие в Россию НЕ арендаторами, имели сразу вполне-таки культурные условия. Вон Шафировы стали баронами ещё за 130 лет до Ротшильдов!

Средневековый Исход евреев в Восточную Европу — факт, давно и абсолютно установленный, но редко поминаемый. А в нижеследующем, «пропинационно-погромном» контексте — не упоминаемый, к сожалению, вообще. Сегодня политкорректность, как хорошо известно, дошла до извинений за Крестовые походы, но сих событий, случившихся гораздо позднее (на 300—400 лет позже!), этого узла, завязанного на шее России, политкорректная Европа пока не касалась!

Итак, Англия: 355 лет респектабельной тишины... и уж точно ни одного антисемитского инцидента! А поляки за это время раз 15 убегали от украинских восстаний и возвращались. И вновь убегали, бросая своих агентов на растерзание, тем самым создавая украинцам репутацию буйных антисемитов...

Вообще это большая, отдельная тема рассматривалась мной ранее, в книге «10 мифов об Украине» Зарождение вопроса — евреи, тотально истреблённые по всей Европе: «окончательные решения» в масштабах Силезии (уничтожение), Англии (казни и высылка — ни одного еврея на острове в течение 300 лет), и евреи, приглашённые поляками на свежезахваченные украинские земли для организации их эксплуатации (арендаторство).

Да в России была черта осёдлости, но ведь и русские крестьяне в некотором смысле имели свою черту осёдлости, проходившую по... околицам их деревень. Это я о крепостном праве, только-только к тому времени отменённом. Так же медленно, неуклюже Россия решала (это признавали) и решила бы вопрос с «еврейским крепостным правом».

Россия первая в мире начала давать евреям землю в лучших местах юга страны (миссия князя Александра Голицына), откуда и вышли «помещики Бронштейны», родители Троцкого. Эта тема хорошо рассмотрена в работах современного историка Дмитрия Фельдмана. Начало XIX века: лучшие земли, добровольный бесплатный переезд, «подъёмные». Но даже и к тем благословенным щедрым землям еврейские крестьяне *не прикреплялись,* у них ничего не было, кроме необходимости возврата подъёмных. Понятно, что русские крепостные тогда о таких сказочных условиях и мечтать не могли. В общем, то был не антисемитизм, а скорее — бюрократизм со всеми его плюсами и минусами...

И (проверьте!) Шафировы таки стали в России баронами, на 130 лет раньше Ротшильдов...

Но в итоге все объективные русские плюсы в «еврейском деле» Соловьёв забывает, увлекаясь общей всехристианской 2000-летней виной, своим... «быстрорастворимым» покаянием. А русские минусы: черту осёдлости, погромные статьи, ровно наоборот — выпячивает своей «Декларацией». Такая, получается, может, и невольно, двуххходовка.

И что американские банкиры-евреи посчитали именно Россию главным врагом еврейства (и вследствие этого предприняли некоторые известные меры), это:

1) большая *их* ошибка (*см. Германия, Гитлер,* и вся история XX века);

2) личная заслуга В. Соловьёва, одно из наиболее значительных, реальных следствий его лекций, писем, деклараций.

Апостол курсисток

Умственный кризис Серебряного века виден не только в этих соловьиных трелях, истеричной готовности нести «философа» с кафедры на руках вдогон за Засулич и её адвокатом. Хотя и это, конечно, симптом. Да вы только попробуйте, подставьте мысленно на *то* место, на поднятые потные ладони толпы-сороконожки каких-либо ещё «коллег-философов», допустим, Паскаля, Гегеля, отшельника Диогена, Ницше... Или представьте носимого на руках Шопенгауэра... — разрыв мозга! Сейчас уж, кажется, и Жанну Фриске, и Бориса Моисеева после концертов не уносят со сцены на руках...

А уж как колоритен был бы в этой роли Иммануил Кант, особенно если «поклонники философии» были бы настолько любезны, что понесли бы его лицом вверх, и он мог, устремив взор, продолжать наблюдать... *звёзды на небе и нравственный закон внутри*.

Общественный кризис проявлялся в симметричной пошлости «философа» и аудитории. И если кто думает, что Соловьёв на трибуне-сцене был серьёзен, как Гегель — просто это публика почему-то **вдруг** повела себя как на концерте «Ласкового мая», — то вот свидетельство очевидца (и зачёркивание ещё одного *«вдруг»* в русской истории):

«Он *(Соловьёв)* явился с своей диссертацией и своими публичными чтениями как талантливый, впечатлительный человек, конечно, научно подготовленный. Защищая в Петербурге свою диссертацию, он весь был проникнут спиритизмом, он бредил или верил в видения и рассказывал с воспалёнными очами о "чудесах" спиритов, которых он видел в Лондоне. По самой натуре своей он был противник "грубого материализма" и "узкого позитивизма". В его чтениях виден был не столько философ и учёный, сколько лирик, действовавший преимущественно на впечатлительность женщин. В его аргументации постоянно видна именно лирика, не особенно глубокая, но всегда напряжённая. Он был хорош только там, где являлся самим собой, со своей впечатлительностью и наивностью, например, в своих юмористических стихотворениях. Маска учёного только вредила ему. Под этой маской он чувствовал себя не совсем удобно, она тяготила его и связывала его талантливость». (Статья «Два пророка», Новое время, 1888.)

И главный апологет, Бердяев, в статье «Основная идея Вл. Соловьёва» вторит:

«Все более или менее признают, что Вл. Соловьёв был величайшим русским мыслителем. Но в современном поколении нет благодарности к его духовному подвигу, нет понимания и почитания его духовного образа. Да и нужно признать, что образ Вл. Соловьёва остаётся загадочным. Он не столько раскрывал себя в своей философии, богословии и публицистике, сколько прикрывал противоречия своего духа. Есть Вл. Соловьёв дневной и ночной. И противоречия Соловьёва ночного лишь по внешности примирялись в сознании Соловьёва дневного. Про Вл. Соловьёва с одинаковым правом можно сказать, что он был мистик и рационалист, православный и католик, церковный человек и свободный гностик, консерватор и либерал. Пророчество — интимная тема всей духовной жизни Вл. Соловьёва. Он сознавал себя призванным к свободному пророчествованию. Он одинок и не понят, потому что несёт пророческое служение...»

Вглядитесь в эту кляксу декаданса, расползавшуюся на русской истории! Безумные требования к власти, покровительство террористов, заливистый пересказ с кафедры содержания своих спиритических сеансов, поток бессвязной лирики, и всё это выносится за скобки возможной критики: «*Свободное пророчество*», «*Интимная тема*». Понятно, здесь «*интимный*» значит: глубоко личный, лирический момент, в ущерб аналитическому, объективному. Но в сотый раз столкнувшись в соловьевиане с этим термином, невольно вспомнишь объявление: «*Интим не предлагать!*»

Потрясающая безответственность оборачивается даже забвением основ Священной истории, которую Соловьёв, Бердяев наверняка знали лучше всех нас. Богословы всех направлений христианства давно зафиксировали: были в свои времена Патриархи, потом Судьи (Шофетим), потом Пророки, были Апостолы. И всё... Библия закончена, *закрыта*, — это не альманах, не ежемесячный «Вестник Европы»! И после формирования Канона даже Отцы Церкви, уж не говоря о последующих философах... больше не «подпирали» свои книги, системы, учения ярлыком: «*Осторожно. Свободные Пророчества. Обращаться с почтением*».

Нет, Бердяев не требует прямо приравнять Соловьёва к пророку Илие, Исайе, Иеремии... но он требует той же меры безответственности (Пророки ответственны только пред Богом) для *интимного свободного пророчествования.*

А почему бы тогда этого бездетного, бессемейного, вечного бобыля, приживальщика у Трубецких и в семействе поэта Алексея Константиновича Толстого не вписать ещё и в Патриархи? (*Типа Авраама, Иакова с потомством — «как песок морской»*).

Нет! Куда более точен свидетель — корреспондент «Нового времени»:

«*Не особенно глубокая лирика, действующая преимущественно на впечатлительность женщин*». В общем... **истерия,** как и было сказано.

Кстати, и основной площадкой выступлений Соловьёва, как известно, были Петербургские Высшие женские курсы. Главные толпы «любителей философии» собирали лекции (со свободным доступом) Соловьёва именно с кафедры Высших женских курсов. То есть немалая его доля вины и в появлении этого известного социального явления второй половины XIX века: *«Курсистка».* Взвинченная, радикальная, под самую шляпку набитая примитивными цитатами, потенциальная «ходительница в народ» и террористка.

Если кому-то покажется, что личная неприязнь автора к Соловьёву лишает общую картину объективности, например в этой оценке его учениц, «курсисток», я могу предложить ещё пару оценок сего явления. Правда, чуть под другим именем. Дело в том, что Женских курсов в России было открыто 5–7. Но главными, безусловно, являлись: Петербургские Высшие женские курсы, чаще называемые Бестужевские по имени первого руководителя, профессора К. Н. Бестужева-Рюмина. Именно на них и подвизался Соловьёв. В итоге «бесстужевка» в словесном обороте потеснила «курсистку» и вошло даже в толковый словарь начала XX века, где указано два значения.

«Бестужевка»: 1) слушательница курсов, открытых Бестужевым; 2) идеалистка.

В романе «Распадъ» известного бытописателя эпохи Петра Боборыкина есть строки: *«Для всехъ нихъ я "шалая" идеалистка. Однимъ словомъ — "бестужевка!" У нихъ это нечто въ роде юродивой...»*

Так что вполне корректно синонимическое употребления слов «курсистка» и «бестужевка». Первое мне приглянулось чисто фонетически: *«апостол курсисток»* звучит как-то лучше.

И ведь не только я, пытающийся на этих страницах определить Вл. Соловьёва как **тяжёлую и «нехорошую» болезнь русского духа**, оперирую преимущественно его краткими тезисами... А мне, допустим, возразят, что полный подробный разбор его книг, всей *«соловьёвской теургии»*, более близкое знакомство с «Софьей Соловьёвой» дали бы совсем иное толкование. Но вот же и горячий поклонник, сотрудник, можно сказать, «приводной ремень Соловьёва», весьма влиятельный журналист, общественный деятель В. Короленко резюмировал в истории с их «Декларацией»:

«Многие догматические взгляды Соловьёва окутаны густыми, иной раз почти непроницаемыми метафизическими туманами. Но когда он спускался с этих туманных высот, чтобы прилагать те или другие основные формулы христианства к текущей жизни, то был иной раз великолепен по отчётливой ясности мысли и по умению найти для неё простую и сжатую формулу...»

И если говорить только о формулах, о конечных выводах, то какая удивительная аберрация XIX века тут выявляется! Ведь всё поражавшее современников «великолепие соловьёвских формул» заключено в простом смешении, переносе евангельских заповедей, обращённых к отдельной личности — *«Возлюби врагов своих»*, *«Не убий»*, — на государство, правительство, политику, государственную церковь. Во имя провозглашённого им «Богочеловечества», всемирного объединения людей, христиан и иудеев для жизни по евангельским законам, о современных законах Российской империи можно просто забыть! Своим требованием к власти в 1881 году он показывает именно такое, отменяющее российскую государственность истолкование своих идей, и толпа подхватывает его и его идею.

Примитивный фокус, рассчитанный на забвение простого факта. Христианство ещё за 1600 лет до Соловьёва стало государственной религией и не только оправдывало, но и благословляло уходившие на войну армии и монархов, казнящих своих подданных. И православные, и католические, и протестантские государства с одобрения своего священства все 1600 лет продолжали... — да, просто продолжали оставаться государствами, что предполагает наличие суда и армии. Но вот, повторим, появляется «великолепная соловьёвская формула», его ультиматум Александру III: *«Царь должен простить* (цареубийц). *Если он христианин, он должен простить. Если он действительный вождь народа, он должен простить. Если государственная власть вступит на кровавый путь, мы отречёмся от неё».*

Тотальное торжество формулы: **Желябов + Соловьёв = общественное мнение** ...можно выявить даже в таком сопоставлении фактов. Как известно в марте 1881 года царь Александр III на соловьёвский ультиматум ответил: *«Помиловал бы, если бы покушались на меня, но убийц отца помиловать не могу».* Однако так же хорошо известно (но под этим углом зрения пока не сопоставлялось), что через несколько лет следующую группу террористов, с Александром Ульяновым, покушавшуюся уже на него лично, царь всё же не помиловал. О каком-то двоедушии царя Александра III речь заходить не может. Он действительно — скала, на которой держалась

Россия. Монолитность, благородную цельность и прямодушие характера царя признавал весь мир, в том числе и его противники. А то, что он сказал в марте 1881 года — отражение того потрясающего общественного давления, тотального господства общественной мысли, сформулированной Соловьёвым Так что даже сам великий царь тоже тогда полагал, что террористов можно бы и простить, если бы...

Понимаете? Он, Александр, только пару недель как принял власть (и громадную ответственность), ещё не полностью сформировал систему взглядов, решений, которая его и сделала оплотом России. И в какой-то мере сам ещё подвержен влиянию убогой болтовни, не может пока выключить этот фон, закадровос зудние. Как же! «Всё общество говорит», «Соловьёв формулирует, грозит отречением от кровавой власти», а отец того Соловьёва ранее учил будущего царя предмету «Русская история»... И сквозь всё это невиданное давление: теракты, отец в гробу, величайшая ответственность, свалившаяся в один миг на голову, и этот «голос общественности», который ещё надо будет научиться отличать от «гласа народа», царь делает свой первый шаг...

Можно было бы уделить гораздо меньше внимания истеричному «философу», но соловьёвская тенденция внеисторичного, внереалистичного отношения к государству, да и вообще к окружающей действительности постоянно проступает и сегодня.

Тут уже могу поделиться личными впечатлениями. Нынешние, начала XXI века студенты, точнее, самые искренние из них, интересующиеся часто подступают к своему преподавателю истории с вопросами (да ещё и со своими закадровыми готовыми ответами). Можно сказать: не вопрошают, а сверяются. Типичнейший «вопрос», тема мини-диспута: наша Православная церковь проповедует «не убий», а сама окропляет святой водой атомные подводные лодки, бомбардировщики и танки!

И всегда рядом заготовленная антитеза этому «двуличию», — я уж научился угадывать её с полуслова, полуслога. *«Вот Далай-лама, у него самое нелицимерное, настоящее "не убий"»!* Иногда называются и другие проповедники, духовные лидеры, но Далай-лама, безупречный, известный всему миру человек — действительно, самая «сильная» карта в колоде. С неё и заходят, в 95% случаев.

Начинать приходится издалека. Да, безусловно, сегодня последователи Далай-ламы в Лондоне, Париже, Нью-Йорке, Москве — люди кроткие, незлобливые, истинный образец гуманизма на словах и на деле. И кришнаитам тоже можно жить в Лондоне, Москве, буквально каждый свой день являя пример кротости, ненасилия, тотального вегетарианства и т. д.

Но ведь был период, когда и на Далай-ламах лежала вся мера ответственности государственной церкви, и им доводилось благословлять и напутствовать тибетскую армию. Которая, например, при царе Сонгцэн Гампо и его преемниках практически покорила пол-Китая. Однажды 200-тысячная тибетская армия дошла до китайской столицы, заставив императора бежать. При царе Тисонг Децэне буддистам приходилось бороться с другой тибетской религией — бон, сторонников которой во главе с боннским министром Машангой как-то заживо замуровали в пещере. А царя Ландарму, сторонника бон, буддийский монах Лхалун Пэлги Дордже убил точным выстрелом из лука, как сказано в буддийских летописях, «преисполнившись сострадания к (заблудшему) царю». И день *убийства* царя-гонителя стал *Праздником* тибетских буддистов.

А ещё была известная дискуссия в тибетском монастыре Самье (792–794) между сторонниками индийской и китайской версий буддизма по вопросу, кстати, методов духовного совершенствования и достижения состояния просветления. И победившим в это диспуте так же довелось казнить неправильно трактовавших нирвану...

И нынешний Далай-лама XIV действительно образец подлинного гуманизма XX–XXI веков, самый, пожалуй, достойный из лауреатов Нобелевской премии мира... — от Далай-лам *того* периода не может отречься, например, как Хрущёв от Сталина, по той простой и совершенно замечательной причине, что *Он — и есть Они* в новом воплощении! Это такой же фундаментальный догмат буддистов, как существование Рая, Ада, Чистилища у католиков.

И каждый Далай-лама — всегда является реинкарнацией предыдущего, что я бы выразил формулой: *Далай-лама (N) = ReincarnДалай-лама (N-1)*.

И главное в этих диспутах с пытливым сегодняшним студенчеством — поверьте! отнюдь не вытаскивание вышеперечисленных фактов, а в том, чтобы излагать их и отнюдь не тоном злорадного контрпропагандиста. И все свои скромные успехи в тех послелекционных диспутах я отношу только на счёт своего искреннего почтения к нынешнему Далай-ламе, достойнейшему из политиков и религиозных деятелей современности.

Как-то, запомнилось, на улице Рождественке я встретил эдакий «буддийский патруль», четырёх приятных молодых людей, протянувших мне листок со столбиком подписей: требование разрешить въезд Далай-ламе в Калмыкию. Скорее всего то была самодеятельность. Я тогда подписал, и теперь, во время сих диспутов, когда мои студенты *заходят с «карты»* «А вот Далай-лама...», я в ответ выкладываю им историю Тибета и более всего желаю, чтобы к нам именно в этот момент по институтскому коридору подошёл бы тот «буддийский патруль», собирающий подписи в пользу приезда Далай-ламы, допустим, теперь в Бурятию. И я бы тогда под испытующими взглядами своих юных спорщиков продемонстрировал бы всю «правильную» последовательность действий: медленно взял бы листок, внимательно бы прочитал, заглянул бы в глаза нашим ламаистам и... перекрестившись, подписал бы...

А уж сколько за тысячелетия своего бытования в качестве государственной религии довелось свершить деяний индуистам, абсолютно противоположным нынешним раздатчикам бесплатного риса в европейских столицах!

Сострадательное понимание — вот, по-моему, правильный взгляд на историю религии, которой довелось нести бремя государственной!

Конечно, от самого Соловьёва грех этого требовать, но хоть кто-нибудь из руконосильщиков философа попробовал бы просто задуматься. Вместе с царём желябовцы в тот день ранили несколько десятков и убили трёх людей: казака царского конвоя Малеичева, случайную прохожую Евдокию Давыдову (двое детей стали сиротами) и 14-летнего мальчика Николая Захарова. В предыдущих попытках убиты ещё сотни. Относительной их неудачей был только взрыв царского поезда: тогда вообще — кошмар! — не погиб ни один человек. (Больше таких провалов они не допускали.)

И если царь Александр простил бы желябовцев, что тогда делать с их соседями по Петропавловке? Там вон — убийца, зарезавший одного только сторожа и укравший 15 рублей. А там — отравившая из любви и ревности. По справедливости на них лежит меньший грех. Не простить их — тут суперхристианским либералам соловьёвцам надо тоже возмутиться.

(Хотя что-то мне подсказывает, что повешения «этих» они бы и не заметили: на уголовниках навар пиара не тот. Помните вышеприведённую «Теорему Аполлинарии Сусловой» о *попадании в сонм гениев и знаменитостей*?)

Но, допустим, Соловьёв оказался бы честен, принципиален — вспомнил бы и убийц-уголовников. И если Желябова—Перовскую просто простили, то перед этими надо ещё и извиниться... Далее: воры, контрабандисты, фальшивомонетчики, на ком нет крови, — по той же мере справедливости, пропорционально их надо простить, извиниться перед ними и выпустить с выходным пособием...

То есть попугай-фигляр лишает страну правоохранительной системы. Далее: «Врагов надо возлюбить», то есть не должно быть у России и армии.

А в какой исторической, военно-политической обстановке проходило это передёргивание, подмена личных заповедей и основ государственной жизни? Колониальные войны по всему миру, подавление Восстания сипаев, дальняя подготовка к Мировой войне. Уже достиг полковничьего чина и готов взойти на трон настоящий монстр милитаризма, будущий кайзер Вильгельм Второй. Это будни глав христианских государств. Но и папа римский, которому Соловьёв намерен вручить стадо православных в дни Русско-турецкой войны, войны за спасение от резни балканских христиан, как уже упоминалось, выступает в Риме с призывом новой общеевропейской войны против России — «Крымской войны-2».

Как-то один из поклонников Соловьёва, некто Н. Кортелев, отыскал и опубликовал анкету, заполненную «философом», где тот в числе *любимых иностранных прозаиков* называет *Гофмана и папу Льва XIII* (журнал «Наше наследие» № 55, 2000 г.), — сия публикация типична для соловьёвских последователей и будет ещё затронута. Котрелев так поясняет сей удивительный рейтинг: «*Он* (Соловьёв) *возлагал огромные надежды на*

Льва XIII, Папу Римского, знаменитого своим латинским стилем...»

Ну не может выбранный историчский сюжет не замкнуться, показав, что вовсе не случайно из сонма истерических личностей к близкому рассмотрению взят именно этот!

Итак, солдаты лейб-гвардии Финляндского полка *все — ветераны* только что закончившейся Русско-турецкой войны 1877–1878 годов! Спасавшие христиан от башибузуков (и их пастыря, Папы Римского Льва XII) несут новую службу: охрана царских резиденций. Взрыв Зимнего дворца: организатор — Желябов, исполнитель — Степан Халтурин. Из героев, уцелевших в недавней войне, 56 человек ранено, 11 погибло:

фельдфебель Кирилл Дмитриев,
унтер-офицер Ефим Белонин,
горнист Иван Антонов,
ефрейтор Тихон Феоктистов,
ефрейтор Борис Лелецкий,
рядовой Фёдор Соловьёв,
рядовой Владимир Шукшин,
рядовой Данила Сенин,
рядовой Ардалион Захаров,
рядовой Григорий Журавлёв,
рядовой Семён Кошелев.

Несмотря на сильный мороз и опасность нового покушения, Государь был на церемонии похорон героев на Смоленском кладбище 7 февраля 1880 года, за год до...

И «русский католик» и спирит Соловьёв довершает рисунок жизни тех солдат и казаков (жертв других попыток) общей амнистией их убийц...

Как я подозреваю, нормальному человеку столь же тяжело воспринимать в значительном объёме, «залпом», эти факты «соловьёвского файла» — как и мне их сейчас вытаскивать. Вредное производство. Хочется хоть на миг прерваться, вдохнуть другой атмосферы, прежде чем продолжить.

Нечто совсем иное

Важно показать совсем другое, но столь же общественно значимое отношение к событиям русской поворотной эпохи. Выбрав при этом не заведомого оппонента Соловьёва вроде Константина Победоносцева, а такую персону, как, например, Елена Блаватская. Родная, кстати, тётка Сергея Юльевича Витте, героя нескольких следующих глав этой книги.

Давно покинувшая Россию основательница Теософского общества, чья обширная преимущественно англо-американская паства враждебна России, идее самодержавия, Блаватская выпускает весенний 1881 года номер своего журнала «Теософист» в траурной обложке. Убийство Александра II, потрясло её настолько, что она заболела. Вот отклик русской души:

«Господи! Что ж это за ужас? Светопреставление, что ли, у вас?.. Или Сатана вселился в исчадия земли нашей русской?! Или обезумели несчастные русские люди?.. Что ж теперь будет? Чего нам ждать?! О, Господи! Атеистка я, по-вашему, буддистка, отщепенка, республиканская гражданка, а горько мне! Горько! Жаль царя-мученика, семью царскую, жаль всю Русь православную!.. Гнушаюсь, презираю, проклинаю этих подлых извергов — социалистов!» «Пусть все смеются надо мной, но я, [теперь] американская гражданка, чувствую к незаслуженной мученической смерти царя-самодержца такую жалость, такую тоску и стыд, что в самом сердце России люди не могут их сильнее чувствовать...»

Придя в себя от горя и болезни, она написала статью о царе Александре II. Международная известность Блаватской способствовала тому, что многие газеты мира её перепечатали.

Из письма Елены Петровны сестре:

«Я отдала туда всё, что могла вспомнить, и представь себе, они не выбросили ни одного слова и некоторые другие газеты перепечатали это. Но всё равно, первое время, когда я пребывала в скорби, многие спрашивали меня: "Что это значит? Разве вы не американка?" Я так разозлилась, что послала что-то вроде отповеди в "Бомбей газетт": "Не как русская подданная надела я траур, — написала я им, — а как русская родом! Как единица многомиллионного народа, облагодетельствованная тем кротким и милосердным человеком, по которому вся родина моя одела траур. Этим я хочу высказать любовь, уважение и искреннее горе по смерти Царя моих отца и матери, сестёр и братьев моих в России!.." Эта моя отповедь заставила их замолчать... Теперь они знают причину и могут отправляться к дьяволу...»

Ей прислали портрет царя в гробу. «Как посмотрела я на него, — пишет она своей тётке Н. А. Фадеевой, — верь не верь, должно быть помутилась рассудком. Неудержимое что-то дрогнуло во мне, да так и подтолкнуло руку мою и меня саму: как перекрещусь я русским большим крестом православным, как припаду к руке его, покойника, так даже остолбенела... Это я-то — старину вспомнила, рассентиментальничалась. Вот уж не ожидала...»

Далее необходимо процитировать прекрасную работу Александра Владимирова *Русская Блаватская* («День литературы», апрель 2011 г.).

«Масштаб её деятельности, свободомыслие, страстность в отстаивании идеалов, абсолютная свобода от стяжания и материальных интересов, самоотверженная любовь к людям без различий веры и расы выразили суть всеохватного русского сердца.

Все свойства её характера отличались решительностью и более подходили бы мужчине, чем женщине. Она никогда не признавала авторитетов, шла самостоятельно, презирая условия света. Так, переодетая в мужскую одежду, 3 ноября 1867 года она в качестве добровольца приняла участие в битве при Ментане на стороне гарибальдийцев, желая вместе с Гарибальди освободить Рим от власти пап. В этой битве левая рука Блаватской была дважды перебита ударами сабли, кроме того, она получила два тяжёлых пулевых ранения в правое плечо и в ногу, а также удар стилетом под самое сердце, оставивший заметный рубец. Она истекала кровью, сражённая пятью ранами, когда её извлекли из канавы, посчитав уже умершей...

Проведя основную часть жизни за рубежом, среди иностранцев, Блаватская не растворила свою уникальность в чужих идеях и традициях, а оставалась неизменно русской и по характеру, и по направленности всего своего дела. Учреждая Теософское общество в Лондоне, ведущую роль в котором играла английская аристократия, а та отличалась известным неприятием России, Блаватская постоянно заявляла: "Да, я русская". Она развернула широкую деятельность в английской колонии — Индии. И это при остром геополитическом соперничестве Британии и России в Азии и на Востоке. Находясь в Индии, она могла почти публично, в обществе высказывать полушутя, что было бы хорошо, если бы генерал Ермолов со своими полками вторгся бы в Индию и освободил бы индусов от колониального гнёта Британии. Своему английскому другу, Синнетту, она, например, когда ей было уже 55 лет... с нарочито мужицкой грубостью продолжала писать об извечном споре Запада и России за Балканы:

"Мой дорогой м-р Синнетт, говорю с Вами серьёзно, так как Вы не принадлежите к числу тех психопатов, которые вечно принимают меня за русскую шпионку. Вы так же слепы в своей преданности и восхищении вашей [английской] консервативной политикой, как муж любимой женой. Вы не видите её недостатков, а Учителя видят... И если Вы продолжите в том же духе, что и он (я имею в виду вашего старого идиота Солсбери), и заткнёте Болгарию перед носом у России, то, уверяю Вас, она (Россия) подложит вам свинью в Индии и через Афганистан. Я знаю от Учителей то, что неизвестно Вам...

Ах, милый господин моего сердца! Если бы не [Теософское] Общество и Учителя, которым я каждодневно приношу в жертву свою кровь и честь, если бы те немногие, похожие на Вас англичане, которых я научилась любить как свою собственную плоть и кровь (метафорически, ибо свою плоть и кровь я ненавижу), — если бы не всё это, с какой колоссальной силой я ненавидела бы вас, англичан! В самом деле, поведение и политика вашего нынешнего кабинета министров бесчестны, презренны, достойны Иуды и в то же самое время восхитительно глупы! Один Черчилль ведёт себя как разумный человек и удивляет меня. Я вижу, что он вовсе не глуп и у него неплохое чутьё. То, что он бросил вашего Солсбери на произвол судьбы, возможно, спасло Англию от внезапного налёта России на вас да ещё и с союзниками, дорогой мой, — такими союзниками, о которых ваши дипломаты никогда и не помышляли, — и даже не с вашей поганой Турцией".

Когда Россия вступила в войну с Турцией, Блаватская писала в американские газеты... публично выступая не только против турков, но и против таких серьёзных духовных и всемирных противников России, как иезуиты. Она делает великолепный перевод на английский язык тургеневского стихотворения "Виндзорский крокет", и его публикуют сразу в нескольких газетах. Ей не дают покоя нью-йоркские поляки своими антироссийскими выходками...

Даже на страницах своих монументальных трудов, написанных для англоязычных читателей, Блаватская продолжает защищать Россию. В "Разоблачённой Изиде" она пишет:

"Верная своей политике быть чем угодно и для кого угодно, лишь бы в пользу своих интересов, Римская церковь, пока мы пишем эти строчки (1876 г.), благожелательно взирает на зверства в Болгарии и Сербии и, вероятно, маневрирует с Турцией против России... Ватикан рад ухватиться за любой союз, который обещает если и не восстановления его власти, то хоть ослабления своего противника (России)".

Она пребывала в постоянном беспокойстве за исход войны, за воевавших дядю, двоюродного брата и племянника. Несказанно радовали Елену Петровну победы русского оружия, за которыми она пристально следила. Она ещё долго продолжала, как и во всё время войны, присылать деньги на русских раненых, и даже первые выручки, полученные за "Изиду", пошли на ту же цель. Всё, что получала она в то время за статьи в русских газетах, всё шло целиком на Красный Крест и на бараки кавказских раненых.

Революционерка по своим духовным устремлениям и в ориентации на сакральный Восток, она парадоксальным образом была близка к охранительным позициям, в чём-то перекликающимися с воззрениями Константина Леонтьева. Поддерживая право народа на восстание в случае его иноземного угнетения, как в Индии, *она совсем иначе смотрела на поднимавших голову нигилистов и народовольцев с их террором и насилием* (курсив мой. — И. Ш.), которого органически не переносила.

Блаватская посвятила интереснейшую статью роману Тургенева "Отцы и дети", в которой пророчески утверждала, что созданный писательской силой мысли образ разрушителя Базарова способен в будущем принести России неисчислимые бедствия. Она сотрудничала как автор с известным русским публицистом Катковым... Книги Блаватской "Из пещер и дебрей Индостана", "На голубых горах. Племена гор" можно было встретить в личных библиотеках Льва Толстого и даже Ленина (!), на неё ссылались Владимир Соловьёв (больше критически) и Николай Лесков (весьма позитивно).

Воспринимая царя как помазанника Божия, Блаватская не принимала республиканских форм правления и видела в самой фигуре самодержца персональное претворение Божественной Воли.

Один из биографов Блаватской, миссис Джонстон, сообщает: "Несмотря на отсутствие учтивости со стороны русских газет по отношению к Е. П. Б., она всегда подписывалась на многие русские журналы и газеты и, не имея возможности прочесть их за день, отрывала время от пяти-шестичасового ночного отдыха, желая знать, что происходило в её родной стране". Сколько могла, со страниц теософских журналов, имеющих влияние на западную интеллигенцию, она защищала Россию от клеветы и наветов. Русский дух, русская правда, русская справедливость, по большому слову — Православие, столь ярко отображённые великой русской культурой, воплощали и воплощают идею мирового Универсума. На алтарь служению этому Идеалу отдала свою жизнь наша соотечественница Елена Петровна Блаватская. И кто может сказать, где большая служба вершится для России: в её пределах и в битвах с внутренними врагами, или же за её пределами, с врагами внешними?

К сожалению, в России, на родине Блаватской, распространялась и распространяется клевета о её антиправославии. Но необходимо подчеркнуть, что во всех её работах, большинство из которых написано на английском языке, в критике "церкви" подразумевалась именно Западная церковь, господство и иезуитство папистов. Блаватская никогда не критиковала искреннюю, православную веру в Христа.

Неверные сведения, печатавшиеся о ней тогда в России, сильно огорчали Блаватскую:

"Ну что это они всё врут?.. Откуда они взяли, что я собираюсь упразднять христианство и проповедовать буддизм? Если б читали в России, что мы пишем, так и знали бы, что мы проповедуем чистую христоподобную теософию — познание Бога и жизненной морали, как её понимал сам Христос... Уж если репортёры их городят пустяки, так имели бы мужество печатать возражения. Уж, кажется, я нимало необидное, самое добродушное письмо написала, а у N и его поместить добросовестности не хватило?.. Ну, Бог с ними, милые соотечественники!.."

Блаватскую иногда обвиняли в масонстве. Но ни в какое масонство она не вступала, если только не причислить к таковым самых великих духовных учителей Индии — гималайских Махатм...

Потому, когда за свой двухтомник "Разоблачённая Изида" она получила послание от неизвестного ей масонского общества, где говорилось, что она в благодарность за глубокие исследования принята в него, то этот факт по свидетельству современников вызвал у неё приступ неудержимого хохота.

Блаватская обладала особыми, как их называют сегодня, "паронормальными" способностями, за которые одних в прочие века сжигали, а других возводили в ранг пророков и святых. Желиховская, сестра Блаватской, описывает православное благословение, данное молодой Елене Петровне одним из будущих иерархов Православной церкви, узнавшим об этих её способностях:

"По дороге, именно в Задонске, у обедни её узнал преосвященный Исидор, бывший экзарх Грузии, который впоследствии стал митрополитом Киевским, а затем Новгородским, Санкт-Петербургским и Финляндским... Он знал её ещё в Тифлисе и прислал служку звать её к себе. Преосвященный расспрашивал её ласково, где и как она странствовала, куда едет и пр. Заметив вскоре окружавшие её феномены, владыка обратил на них внимание. С большим интересом расспрашивал, задавал вопросы мысленно и, получив на них толковые ответы, был ещё более изумлён...

На прощание он благословил:

"Нет силы не от Бога! Смущаться ею вам нечем, если вы не злоупотребляете особым даром, данным вам... Мало ли неизведанных сил в природе? Всех их не дано знать человеку, но узнавать их ему не воспрещено, как не воспрещено и пользоваться ими. Он преодолеет и, со временем, может употребить их на пользу всего человечества... Бог да благословит вас на всё хорошее и доброе"..."

Елена Петровна тихо отошла в лучший мир весной 8 мая 1891 года в Лондоне в возрасте 60 лет в своём рабочем кресле. Последними строками, написанными её рукой, были строки статьи о России...»

Три причины подвигли на столь подробное цитирование работы Александра Владимирова.

Во-первых, некоторым соотечественникам мало известна эта сторона жизни Блаватской — русской патриотки, сотрудницы Каткова. И с моей стороны это ни в коем случае не агитация в пользу теософии, не намёк на какую-то реальность всех её фантазмов — *Великих Учителей, махатм* и прочих тибетских страстей. Но как же трогательно она грозит **ими** врагам России, что делает картину ещё более умилительной, даже пронзительной!..

Понимаете? Милая, благородная девочка грозит обидчикам своей страны игрушечными рыцарями, нарисованными богатырями, слепленными ею песочными куличиками!

Впрочем, эта девочка, завоевала на Западе самую большую в то время известность. В её Теософском обществе 100 000 членов. Её статьи перепечатывали газеты всего мира в течение многих лет, причём абсолютно вне зависимости от каких-то разовых сенсаций. Это Вере Засулич и её адвокату надо устроить теракт и выйти освобождённой из развалин российского суда, чтобы получить свою разовую порцию рекламы, внимания западных газет. Дальше — шабаш! Давайте следующий скандал, выстрел, взрыв!

В книге *«Вторая мировая. Перезагрузка»* я уже присматривался к обиде диссидента Володи Буковского на потерявших к нему пиетет *«западных интеллектуалов-конформистов»* (в его эссе, предисловии к книге Суворова-Резуна «Ледокол»). Однажды на своём скандале он получил такую разовую порцию плюс лицензию на пять лет лекторского «чёса», а потом — увы: «До нового скандала, милый друг!»

И порции известности на Западе его тёзки Соловьёва (крупицы в сравнении с Блаватской) так же были одноразовы, связаны с российскими скандальчиками — то «Ультиматумом о прощении террористов», то «Декларации», так удачно подставившейся под запрет царской цензуры.

Во-вторых, говоря о духовном, интеллектуальном кризисе, поразившем Россию на «дне династии», приблизившем это «дно», стоило упомянуть и о всеобщем характере кризиса XIX века. Европа и США столь же жадно вцепились в теософию Блаватской, как и наши декаденты в Софию Соловьёву.

И ещё отметим важное: памфлет Еленой Блаватской против Базарова активное неприятие «базаровщины». Ведь этот тургеневский персонаж, предтеча народовольцев, как известно, был в идейном смысле прямой проекцией «вульгарных материалистов» Бюхнера, Молешота, чьи книжки он таскал и зачитывал на протяжении всего романа. Блаватская искренне ненавидит «вульгарный материализм», это есть и во всех её работах. Но и Соловьёв критикует тех же «вульгарных», бюхнеров плюс «позитивистов» Конта, Спенсера. Дело в том, что Блаватская, Соловьёв — уже третий виток XIX века, что двадцать лет до них в Европе, США, России царили позитивисты, «вульгарные материалисты», у которых выходило, если выразить их мысль предельно кратко, что человеческая мысль, душа — те же «выделения организма», что и пот, моча... Одной из реакций на это и были наши мистики. Так что задуматься надо ещё и над тем, почему это учёным XIX века стало «тесно в строгих рамках христианских догматов»? Ньютону, Паскалю, Декарту было впору, а Бюхнеру — тесно.

И в-третьих, по-моему, вполне допустимо сравнивать Блаватскую с Соловьёвым еще и как некие «предприятия», «фирмы». Результаты их «производства» — сонмы поклонников, а сей показатель вполне пригоден к сопоставлениям. Это ещё и даёт определённое общее позиционирование: вникать в суть различий теософии Блаватской и Софии Соловьёвой?.. Достаточно подсчитать собранные аудитории.

И оказывается, что... успех «фирмы» Соловьёва сугубо локален. Это — российский декаданс, Серебряный век, *Московское религиозно-философское общество имени Вл. Соловьёва* (Бердяев, Булгаков, Белый, Иванов, Трубецкой), это — высшие отметки от Бердяева и — *«Соловьёв, единственный русский философ без натяжки»* — от Даниила Андреева.

Крайне забавно, когда, набирая в интернет-поисковике *«Владимир Соловьёв»* для десятикратной перепроверки подробностей его жизни, сначала получаешь несколько страниц о двойном его тёзке, тележурналисте.

У Елены Блаватской — успех всемирный. При её жизни численность Теософского общества превысила

100 000 человек, по тем временам цифра просто громадная, фантастическая. Качество аудитории? Кем бы меня после этого ни посчитали, но я всё-таки должен это сказать: английские аристократы, скептики, ко всему прицепившиеся, всё перещупавшие — от Карла Маркса до Оскара Уайльда, — более сложная и престижная аудитория, чем интеллектуальное быдло, радостно таскающее на руках Веру Засулич и Соловьёва!

И после кончины Блаватской её Теософское общество работало мощно, генерируя, выдавая и антропософию Штайнера (которая перетянула на себя и многих «соловьёвцев», вроде А. Белого), и столь же мощно гремевший в мире «проект» Кришнамурти и «Орден Звезды».

И главное отличие, для чего приведены все цитаты и сопоставления: Блаватская в достижении своего успеха никогда не использовала *антироссийский ресурс*.

Ровно наоборот, как и было показано в цитированной работе.

Соловьёв же на нём и вырос, как штамм бактерий на чашке лабораторного бульона, — от речей в защиту террористов (главный успех жизни) до печатных апелляций к «зарубежной аудитории».

Именно «мистика Софьи Соловьёвой» привела к тому, что поколение её адептов стали истеричными врагами своему государству с интеллектуальным критическим багажом — фразой «Чем хуже, тем лучше».

Глава 6

«На этом месте могла быть ваша...» интеллектуальная элита

Возвращаясь в свои Палестины, на «дно» российской династии, надо коснуться момента, когда соловьёвское декадентство становится бомбой, антигосударственным действием. Оттолкнёмся от общеизвестного факта, что в ряде работ, и особенно в книге «Россия и Вселенская Церковь» (Париж, 1889), «Соловьёв пропагандировал идею воссоединения Западной и Восточной Церквей под главенством папы римского, за что подвёргся критике славянофилов и консерваторов».

В предыдущей главе я, признаюсь, несколько утрируя, употреблял формулировки вроде: «...вассальной присяги православных Патриархов... папе римскому». И сегодняшние поклонники Софьи Соловьёвой возможно возразят, что философ вовсе и не требовал какого-то формального унижения, уничтожения Православной церкви, «вассальной присяги Патриархов», а имел в виду «нечто вообще... подчинения типа в философском смысле», как у Манилова — чтобы... *пить чай на высоком-высоком балконе, с которого Петербург (в соловьёвском варианте — Рим) был бы виден.*

Понимаете, что означает и как омерзительна эта кабинетная мечтательность? Сын знаменитого историка, сам специалист по истории церквей в своих маниловских мечтаниях **вдруг** забывает, что в истории были (!) и вполне реальные попытки *объединения Церквей под гла-*

венством папы римского, и совершенно доподлинно заре-
гистрировано, задокументировано, чем это заканчива-
лось. Это же — унии!

В книге «10 мифов об Украине» 2009 года в главе
«Уныние семи Уний» я рассматривал их — от *Лионской
унии* (1274), *Флорентийской* (1439) и до *Люблинской и
Брестской*, когда в 1595 году посланцы четырёх униат-
ских епископов прибыли в Рим, изъявили покорность папе, приняв все католические догматы, оставив только об-
ряды Православной церкви. Папа Климент VIII радостно
принял это соединение, отпечатал медаль с надписью
Ruthenis receptis («Русские приняли»). Да-да, панове-
«украинцы», так все и звались в Южной и Западной Руси, до *«вторичной украинизации»* при царях Александре и
Николае Первых, о чём будет сказано и в этой книге.

Но фактически *русские НЕ приняли* унию. Восставали
против неё сотни лет (считая и Правобережную Украину,
воссоединёшую с Россией позднее), и прекрасно известно, чем заканчивались те восстания.

Архиепископ Белорусский Георгий Конисский так
описывает одну из расправ:

«Казнь оная была ещё первая в мире и в своём роде, и
неслыханная в человечестве по лютости своей и коварст-
ву, и потомство едва ли поверит сему событию, ибо никому дикому и самому свирепому японцу не придёт в голову её изобретение; а произведение в действо устраши-
ло бы самых зверей и чудовищ.

Зрелище оное открывала процессия римская со мно-
жеством ксендзов их, которые уговаривали ведомых на
жертву малороссиян, чтобы они приняли закон их на избавление своё... Но сии, ничего им не отвечая, молились
Богу по своей вере. Место казни наполнено было народом, войском и палачами с их орудиями. Гетман Остра-
ница, обозный генерал Сурмила и полковники Недри-
гайло, Боюн и Риндич были колесованы, и им перелома-

ли поминутно руки и ноги, тянули с них по колесу жилы, пока они не скончались; Чуприна, Околович, Сокальский, Мирович и Ворожбит прибиты гвоздями стоячие к доскам, облитым смолою, и сожжены медленно огнём; старшины: Ментяй, Дунаевский, Скубрей, Глянский, Завезун, Косырь, Гуртовый, Тумарь и Тугай четвертованы по частям. Жёны и дети страдальцев оных, увидя первоначальную казнь, наполняли воздух воплями и рыданием; скоро замолкли. Жёнам сим, по невероятному тогдашнему зверству, обрезавши груди, перерубили их до одной, а сосцами их били мужей, в живых ещё бывших, по лицам их, оставшихся же по матерям детей, бродивших и ползавших около их трупов, пережгли всех в виду своих отцов на железных решётках, под кои подкидывали уголья и раздували шапками и метлами.

Они между прочим несколько раз повторяли произведённые в Варшаве лютости над несчастными малороссиянами, несколько раз варили в котлах и сжигали на угольях детей их в виду родителей, предавая самих отцов лютейшим казням...»

Подобных описаний (как и самих казней украинцев) существует немало в том числе и у польских авторов — бедняги просто не знали чего здесь стыдиться и ретиво исписывали сотни страниц!..

Могут возразить, что к XIX веку нравы смягчились, и «Соловьёвская уния» прошла бы скорее всего более либерально. Правда, сегодняшнему читателю следует остеречься и другой иллюзии: что «контрагентами» Соловьёва, т. е. деятелями «с той стороны» его унии, были крайне толерантные персоны вроде нынешних Римских Пап XXI века — кроткого Иоанна Павла II или нынешнего задумчивого учёного Бенедикта XVI.

Конечно, башибузуки времён папства Льва XIII (фактически исполнители проекта Соловьёвской унии) просто, без польских затей вырезавшие в 1877 году болгарских, сербских православных священников (вкупе с их паствой), были как-то более, извините, либеральны, более гуманны, чем борцы за унию XVII века, но... свою порцию кровавых жертв резни 1870-х годов Соня Соловьёва все же получила.

Мою работу с тезисами, краткими, но вполне выверенными выводами из работ Соловьёва дополню более подробным исследованием признанного специалиста *Константина Леонтьева*.

Конечно, я сохраняю благожелательные оценки Леонтьевым Соловьёва, или места, где Леонтьев признаётся, что не в силах его опровергнуть, ведь время написания этой статьи — 1888 год. Дальше ответила сама жизнь.

Леонтьев К. Н. Владимир Соловьёв против Данилевского.

«Нет спора, это так просто, ясно и возвышенно — сделать первый шаг к примирению двух Церквей, разделённых и давно враждующих, но внутренне соединённых общей "благодатью", как доказывал Соловьёв.

Я могу, в личных действиях моих и даже в помыслах относительно настоящего, быть в полном подчинении духа у представителей Восточной иерархии и вместе с тем могу говорить себе так: "Если это соединение Церквей, в какой бы то ни было форме, даже и в форме простого подчинения папе, находится в предначертаниях Божиих, то придёт время, когда наши Восточные Епископы найдут это возможным и правильным, и верующие потомки наши обязаны будут идти за ними хотя бы и "в Каноссу". А если нет — нет! И тогда лишь будет решено и ясно, что такое был в своё время Владимир Соловьёв, великий ли пророк истины или лжепророк, захотевший, на поприще духовном, стать выше духовных властей..."

Широкое основание духовно-церковной пирамиды — общее; вершина её должна быть в Риме, по мнению г. Соловьёва. Мы можем не соглашаться с этим последним выводом (Владимир Соловьёв не собор Восточных Епископов); мы можем и, вернее, даже должны теперь, как православные, думать и надеяться, что вершина эта отклонится скорее на восток, чем на запад...

Самое своеволие и самая оригинальность его первоначальных объяснений подкупает в его пользу даже и зрелый ум, даже и богобоязненное сердце.

Но возможность личного спасения, видимо, признаёт Соловьёв и на лоне Восточного Православия. Зачем же я пойду в Рим, когда никто, имеющий право духовно мне повелевать, этого мне не предписывает? Ни Всевосточный собор, ни Восточные Патриархи, ни Св. русский синод — мне этого ещё не сказали!

Владимир Соловьёв для меня не имеет ни личного мистического помазания, ни собирательной мощи духовного собора.

Я признаю за ним с радостью и любовью силу личного духа, но духовной силы благодати не признаю за ним. В этом смысле, в смысле обязательности, катехизис самый краткий, сухой и плохо составленный, но духовною цензурою просто-напросто одобренный, для меня, православного, в миллион раз важнее всей его учёности и всего его таланта!

По мнению Влад. Соловьёва, у России нет и не должно быть никакого особого культурного призвания. Назначение русской (и вообще славянской) цивилизации одно: служить почвой для примирения Православия с папством. Призвание исключительно религиозное; всё остальное и безнадежно, и неважно. Поэтому всякая попытка резко обособить Россию от Запада в других отношениях: в государственном, экономическом, в научном, философском и эстетическом, есть попытка не только тщетная, но и прямо вредная, как помеха и задержка на главном пути...

Расшатывать основы государственной силы нашей поэтому г. Соловьёву ничуть нежелательно. Касаться прямо Православия, для подчинения его папству, повторяю, практически неудобно (хотя, быть может, слегка и желательно).

Что же делать? Надо (всё для расчищения того же пути к "высшему") пошатнуть более доступные опоры; потрясти основание собственно культурных надежд; надо развенчать Данилевского и обезнадёжить раз и навсегда его учеников и поклонников.

Некоторые указания его можно обратить против него самого. Например: о теориях крылатых и ползучих.

(Далее рассматривается, как Соловьёв с помощью Платона побивает теорию Данилевского, "ползучую" и выдвигает свою, соловьёвскую, "крылатую". — *И. Ш.*)

Итак, мы видим, что у Влад. Серг. Соловьёва различие теорий "крылатых" от теорий "ползучих" основано на двух довольно простых признаках: на разнице их отношений к будущему и на разнице их отношений к прошедшему и современному. "Крылатая" теория поэтому та, которая наименее связана с прошедшим, с историей, с бывшим и существующим; "ползучая" — связана теснее мыслями своими с этим существующим и прошедшим, с этим уже бывшим в истории или пребывающим в ней.

Об отношении этих противоположных теорий к будущему Владимир Соловьёв сам так прямо не высказывается; но из приведённого им примера Платоновой республики и средневекового строя Европы мы имеем право вывести, что "неползучей" мыслью он считает ту, у которой нет возможности осуществиться раньше, как через 1000 лет.

Разве Влад. Соловьёв совсем оторван от основ данной ему современности? Разве он вовсе свободен от представлений, благ, приятных прошедшему?

Напротив того, он в некоторых отношениях ещё гораздо больше связан готовыми данными жизни, чем Платон, с одной стороны, чем Данилевский и его последователи, с другой.

Пожалуй, эта мечта ещё "крылатее", чем идеальное по стремлению к совершенству, но весьма реальное по основам государство Платона и чем подчинение определённого существующего, современного, данного уже нам Православия тоже современному, тоже данному и ещё более, пожалуй, выработанному и определённому папству... Но этот полёт учёного европейца есть уже прямо полёт Икара, у которого воск на прилепленных крыльях растаял, и он потонул в тёмной бездне.

Г. Соловьёв не таков: он несравненно практичнее, он предлагает нам дело ясное, простое и, по-видимому, осуществимое. Стоит нам, восточным, признать только, что Патриархи Фотий и Михаил Керулларий были менее правы, чем римские папы их времени, и при этом смирить нашу национальную гордость, и примирение подготовлено.

Во всяком случае, проповедь Соловьёва, по крайней мере, в общем представлении уже совершенно ясна.

Пади пред ним (пред папою), о Царь России! И встань, как Всеславянский Царь!

И за эту почти до грубости доходящую ясность цели мы русские (в области национальной мысли ясностью вовсе не избалованные) должны быть Соловьёву как нельзя более признательны...

В статье (Соловьёва), сверх этого общего обвинения в "пресмыкании" по своей национальной почве, есть четыре особых отдела: 1) об общине поземельной; 2) о русской науке; 3) о русской философии и 4) о русском искусстве.

Соловьёв ни на что из перечисленного не рассчитывает. Поземельная община не спасает земледельческий класс от пауперизма. Она существовала у многих других народов в первобытный период их истории и потому ничего особого славянского собою не представляет. Русская наука теперь в упадке. Русские учёные становятся собирателями материала, чернорабочими.

К чистой философии русские не расположены. Они хотят жизни. К мистической философии они более склонны; но и та уже не может процвести на почве национального мистицизма (на почве Православия).

Искусство наше есть лишь отрасль общеевропейского искусства; это во-первых. А во-вторых, и оно в настоящее время в упадке.

Время процветания литературы нашей г. Соловьёв считает (включительно) от "Евгения Онегина" до "Анны Карениной".

Есть во всём этом много печальной правды относительно настоящего; есть и по отношению к ближайшему будущему много неприятного правдоподобия в отрицаниях автора.

Но с другой стороны, так как в самых отрицательных явлениях жизни кроется всегда зародыш чего-нибудь им антитетического или положительного, то некоторым из этих отрицательных полуистин г. Соловьёва можно прямо радоваться, а насчёт других быть в благоприятном сомнении и спросить себя: так ли это?

В. Соловьёв говорит, что "общинное землевладение само по себе, как показывает статистика, совсем не благоприятствует успехам сельского хозяйства. Община обеспечивает каждому крестьянину кусок земли; но она никак не может обеспечить ему урожая или возвратить производительные силы истощённой почве". "Сельская община (говорит автор) никак не есть исключительная особенность русского или славянского культурного типа; она соответствует одной из первобытных ступеней социально-экономического развития, через которую проходили самые различные народы. Это не есть задаток особо русского будущего, а лишь остаток далёкого общечеловеческого прошлого".

<...> Владимир Сергеевич Соловьёв находит, что наука в настоящее время в России в упадке. Он говорит об этом так: "Лучшие наши учёные (как в естественных, так и гуманитарных науках) частью окончили, частью кончают своё поприще. Работников науки в настоящее время больше, чем прежде, но настоящих мастеров почти вовсе нет. Благодаря непрерывному накоплению научного материала, наши молодые учёные знают больше, чем их предшественники, но они хуже их умеют пользоваться своим обильным знанием. Вместо цельных научных созданий, мы видим лишь разрастающуюся во все стороны груду строительного материала, и труд учёного всё более превращается в чёрную работу ремесленника".

Я не берусь возражать г. Соловьёву на эту его мысль прямо.

Г. Соловьёв, с другой точки зрения, пожалуй, и доволен современной бедностью нашей науки, но он доволен не потому, чтобы находил труженичество без творчества вообще достохвальным и делающим нам особую культурную честь. Нет! Если он и рад этой бедности, то лишь потому, что ему хочется всем нам сказать между строчками и по этому поводу всё то же и то же.

— Оставьте всякую надежду на самобытность и с этой стороны.

— Наше призвание иное: тёплая вера, сильное государство и смиренная, самоотверженная уступка Риму!

Так как я возражаю не одному из тех "чернорабочих" науки, о которых упоминал г. Соловьёв и которые всегда чересчур уж точны и строги к другим, потому что им больше и делать нечего, а возражаю самому г. Соловьёву, человеку с мыслью широкой и "крылатой", — то не надо и взыскивать с меня, что я слово наука понимаю слишком пространно, включая в это понятие, например, и высокую публицистику. Ведь и лучшие сочинения г. Соловьева (его "История и будущность теократии", положим), при всей их учёности, — сочинения только полунаучные по духу, а по цели совсем уж не научные. Я и такие книги будущего отношу, разумеется, сюда же, к моим мечтам и надеждам на независимость русской мысли вообще.

Читаешь — и не веришь глазам своим. Перечитываешь — и начинаешь сомневаться в своём собственном понимании слов и мыслей автора! Такого безнадёжного взгляда на Россию, такого отрицания мы ещё не встречали ни у кого! Даже социалисты русские (за исключением тех из них, которые по складу личного ума и характера верят только в силу всеразрушения) и те надеются, по крайней мере, на возможность экономического благоденственного у нас переустройства... Мне пишут из Москвы, что некоторые молодые люди патриотического настроения повержены были на первых порах в глубокое уныние по прочтении статьи г. Соловьёва. Чувство их понятно, но оно не основательно. Пусть утешатся. Г. Соловьёв хочет верить в то, что ему желательно; но мы, не ослеплённые его философской страстностью, его пламенной любовью к избранной им идее, не имеем никаких побуждений или оснований для соглашения с ним в его особого рода пессимизме: пессимизме национальном, так сказать. Если даже допустить, что он прав в главном пророчестве своём, в конечной цели своей проповеди, то есть в том, что рано или поздно произойдёт соединение двух ныне враждующих сестёр-Церквей, то до этого ещё далеко. Ещё много до тех пор воды утечёт, и произойдёт до тех пор многое множество таких событий, которые должны будут сильно отразиться на деятельности русской мысли...»

В этой работе Леонтьева есть ещё несколько важных тезисов, к Соловьёву не относящихся:

«— Расслояющие мероприятия Петра и Екатерины охватили всю жизнь огромного государства железной сетью систематической дисциплины; дисциплина эта, приучавшая одних к власти, а других к повиновению, способствовала развитию во всех слоях и подразделениях общества характеров сильных, страстных и выдержанных, сложных и цельных, тонких и мужественно-грубых.

— Мы не можем желать для родины нашей такого искусственного и эфемерного преобладания, каким наслаждалась Франция при Наполеоне III всего в течение 20 каких-нибудь лет!

— Когда-нибудь погибнуть нужно; от гибели и разрушения не уйдёт никакой земной общественный организм, ни государственный, ни культурный, ни религиозный.

Самому христианству Спаситель предрёк на земле разрушение, и те, которые пророчат нам на этой земле некое небывалое и полнейшее торжество "воинствующей" (т. е. земной) Церкви, проповедуют нечто вроде ереси, противной не только учению православного духовенства, но и Евангельскому учению.

— Погибнет и Россия когда-нибудь. И даже, когда, окидывая умственным взором весь земной шар и весь состав его населения, видишь, что новых и неизвестных, сильных духом племён ждать неоткуда, ибо их уже нет в среде несомненно устаревшего человечества, то можно почти наверное предсказать, что Россия может погибнуть только двояким путём, или с Востока от меча пробуждённых китайцев, или путём добровольного слияния с общеевропейской республиканской федерацией.

— Есть и третий возможный исход, на который уже давно и не раз с ужасом и отвращением указывали враждебные нам европейцы: "Россия — это нечто вроде исполинской Македонии, которая, пользуясь раздорами западных народов, постепенно подчинит их всех своей Монархической власти".

Македония не имела ни своих учреждений, ни своих нравов и вкусов. Она имела только одну силу — привычку к сильной Царской власти; со всех остальных сторон мы не видим в её истории никакой характерности...»

Надеюсь, и приведённая часть, менее четверти, работы Леонтьева иллюстрирует, как самый благожелательный исследователь возражает Соловьёву. И за всеми частными пунктами встаёт главный водораздел: Соловьев зачёркивает, закрывает историю России: 1) ради своей Великой Цели (сдачи Папе Римскому) и 2) просто по неприятию всех проявлений русской жизни.

Так он перебирает (отбрасывая как негодные) эти проявления. Русские: сельскую общину, науку, философию, искусство.

И совсем замечательный момент — у Леонтьева он отсутствует, но я дополню: русскую науку Соловьёв отвергает как сборище *«чернорабочих, собирателей материала»* в тот момент, когда Дмитрий Менделеев уже издал книгу «Органическая химия» (1861 г., в Британии переиздавалась 13 раз), уже открыл Периодический закон химических элементов (февраль 1869), уже был озвучен (его коллегой) доклад на заседании Русского химического общества 6 марта 1869, уже пошли зарубежные публикации, начиная с того же года. И это выражение *«чернорабочий собиратель»* брошено при том, что ведь он, Соловьёв, имел честь лично общаться с Дмитрием Ивановичем! В «Заветных мыслях» (1905) Менделеев помянул: *«...Мой покойный друг В. Соловьёв»*, правда, в контексте возражения апостолу курсисток.

А ведь Дмитрий Иванович, широтой интересов (минералогия, химия, метрология, метеорология, физика, промышленные технологии, кораблестроение, сельское хозяйство, тарифная политика, экономика, воздухоплавание, публицистика) напоминавший гениев Ренессанса, значительную часть времени посвятил ещё и... борьбе со спиритизмом.

По инициативе Д. И. Менделеева Русское физическое общество выступило с резкой критикой спиритизма. 6 мая 1875 года «создана комиссия «по проверке всех "явлений", сопровождающих спиритические сеансы». Заседания состоялись 7, 8 мая, 27 октября. Некоторые соратники, такие как Ф. Эвальд, выходят из комиссии по причине, как он писал Менделееву, «...*чтение книг* (спиритических) *и т. подобных увражей произвело на меня решительное отвращение ко всему, касающемуся до спиритизма, медиумизма тоже*».

Комиссия выявила ряд обманов, использования «медиумами» психологических манипуляций и... бездну дичайшего суеверия аудитории. Менделееву пришлось ещё и отвечать на шквал писем и публикаций защитников столоверчения.

Солидарный с Фёдором Эвальдом, я привожу сию спиритическую коллизию для более полного представления уровня тогдашнего социума. И, конечно, важно, симптоматично, что спиритом был властитель дум тогдашнего общества В. Соловьёв.

Вот и здесь судьба позаботилась, как и в случае с 11 погибшими в Зимнем дворце солдатами, — дважды вывернуть сюжет. Там Соловьёв подхалимствовал перед Львом XIII, собиравшим коалицию «за башибузуков», против тех солдат в Русско-турецкой войне 1877–1878 годов, и он же через три года поднимал общество на защиту их убийц, Желябова и компании. А здесь «пророк» спирит Соловьёв причислил к «чернорабочим собирателям» одного из величайших в мировой истории учёных, и вместе с тем получается — борца с «источником соловьёвского вдохновения».

Но только не посчитайте, что и Дмитрия Ивановича в «чернорабочие» записали по какой-нибудь обиде за свой спиритизм. Нет, Соловьёв Менделеева **просто не разглядел.** Надо хорошо представлять этот праздный ум. Учёность того типа, что прекрасно определена Львом Толстым: *«Сначала из прочитанных книжек составляют тетрадки выписок, потом из этих тетрадок составляют свою книжку».*

Выше приведено, как Соловьёв критиковал Данилевского и все подобные, «ползучие теории, слишком приверженные фактам», противопоставляя им свою — «крылатую»!

Вечно рассеянным взглядом, неумением видеть детали, жизнь вообще Соловьёв очень напоминает мне, как ни странно, Чернышевского, детально описанного Набоковым во вставной, в романс «Дар», книге своего героя.

Могут возразить: Чернышевский — материалист (один из самых знаменитых на Руси), а Соловьёв — идеалист. Но вспомните, что лучше всего разглядел Набоков в Чернышевском, над чем более всего издевался:

«Чернышевский... не отличал плуга от сохи; путал пиво с мадерой; не мог назвать ни одного лесного цветка, кроме дикой розы... добавляя с убеждением невежды, что цветы сибирской тайги те же самые, какие цветут по всей России... восполняя всякий недостаток конкретного знания какой-нибудь нехитрой общей мыслью... с частичкой гноя в крови... Был беспомощен в практических делах, слаб здоровьем, плаксив, не умел плавать, ездить верхом, никогда ничего не мог починить, но всё бил, пачкал, портил. На каторге от нечего делать выкапывал каналы — и чуть не затопил жизненно важную для вилюйцев дорогу. Та же несуразность, неуклюжесть, неумелость с женой, которая изменяла ему с его ближайшими друзьями и с любым встречным студентом, польским эмигрантом, жандармским ротмистром...»

Энтомолог Набоков прекрасно разглядел нематериальность знаменитого «матерьялиста». Тут заподозришь и что популярный нынче термин *чмо* как-то, возможно аббревиатурно, связан с великим революционным демократом. Сам этот... «тип Чернышевского», вечно рассеянного болтуна, наверняка напомнит читателю и других его носителей, как мне он напоминает Соловьёва. Человеческий тип — нечто более изначальное, глубинное, под-основное, чем это: «На матерьялистов, идеалистов рассчитайсь! Матерьялисты, шаг вперёд!»

И если когда-то в российских энциклопедиях помимо статей о научных, строгих терминах, явлениях, объектах появятся и статьи о популярных «мемах», жаргонных выражениях, то для картинки к статье *«Чмо»* подойдут портреты обоих.

Самый знаменитый рогоносец в сонме русских литераторов XIX века и вечный бобыль, приживальщик весьма похожи своей «доктринальностью». *«Все цветы везде одинаковы»*, и *«Менделеев — чернорабочий науки»*. И Николай Лобачевский проигнорирован Соловьёвым... а Чернышевским наш всемирно признанный создатель неевклидовой геометрии и вовсе аттестован был как «круглый дурак».

Знаменитый в Европе и России химик Александр Бутлеров — тоже за горизонтом внимания рассуждавшего о «русской науке» апостола курсисток.

Ну разве что Ивана Павлова В. Соловьёв, скончавшийся за четыре года до присуждения нашему великому физиологу Нобелевской премии (1904), имел право не разглядеть. Да, как скромный лектор Петербургских женских курсов Соловьёв мог и не разглядеть — какой с него спрос! Но... «*пророку*» (!) Соловьёву (дойдём ещё и до этого эпитета Бердяева и прочих почитателей)... «пророку» за такое непредугадывание Ивана Павлова всё же «незачет».

В предыдущей главе я ставил вопрос «...Откуда вообще эта поза командира роты на утреннем разводе, уверенно раздающего задания — целым нациям, ставящего задачи — Церквям и государствам?» И обещал высказать свою версию ответа.

Дело в том, что позиция «У России нет другой исторической цели, кроме как послужить объединению церквей (под властью папы римского)» не какими-то русофобскими масонами Соловьёву продиктована. Кстати, масонство и папство — давние враги. Вольная раздача «единственных исторических целей» русскому государству, Православной церкви — это ещё и отражение эпох Павла, Александра I и Николая I, названных мной периодом самопредательства, забвения национальных интересов. Того «большого займа» 1762–1861 годов, освобождения дворянства и «развитого крепостничества». Напомню, Екатерина Великая из того списка монархов-растратчиков исключалась, как решавшая национальные задачи (достижение ценой пяти войн важнейшей естественной границы — Чёрного моря, воссоединения трёх ветвей русского народа).

А вот дальше войны — за Мальтийский орден, за слёзную клятву над гробом Фридриха Великого, за Священный союз, за Австрию... за всё то, что и самый наш последовательный патриот Данилевский признал «сентиментальной ошибкой». Тогда у Александра и Николая и сформировался взгляд на Россию, как на пластический материал, годный для решения всяко разных Великих Вселенских Задач. К тому же в 1812 году, по очень точному замечанию Энгельса, Наполеон *не просто потерпел поражение, но доказал, как теорему, принципиальную неуязвимость России для вторжения.* (Фридрих Энгельс был, кроме прочего, авторитетным военным теоретиком, которому, например, Американская энциклопедия доверила все военные статьи.)

Далее в моей книге, после тем «В. Соловьёв», «Серебряный век», важных для рассмотрения феномена антигосударственного общественного мнения в России рубежа XIX–XX веков, основное внимание будет уделено войнам, государственным деятелям, армиям, железным дорогам, внешнеторговым и межотраслевым балансам.

Заметно, что у государств, не имевших такой неуязвимости (и, соответственно, «чувства собственной неуязвимости»), на любых исторических поворотах, в государственной политике решающим фактором общественного мнения выступают охранительные тенденции. Инстинкт самосохранения уравновешивал революционные порывы. Например, Франция в 1871 году перед лицом прусского вторжения смогла перебороть даже самое сильное, острое революционное заболевание, посмотрев на свой Париж с Парижской коммуной просто как на чумной город. И поступила с ним точно так же, введя карантин. Германия в революцию 1848 года рождает Бисмарка и, главное, устойчивое общественное мнение, несколько десятилетий работавшее на Линию Бисмарка. Даже Ницше, независимый ум, не чета апостолу курсисток, при всех его насмешках над личностью железного канцлера бросает свою Швейцарию, прекрасную должность в университете и записывается добровольцем в прусскую армию.

Британия на полтора века вперёд рассчитала условия своей неуязвимости: а) флот, б) отсутствие гегемона в Европе. Далее — два слова поперёк псевдопатриотам, стоящим на том, что в России всё — самое огромное, в том числе и народные страдания. Так вот, положение насильно мобилизованных матросов британского флота было значительно хуже, чем положение русских крепостных, даже если принять один-в-один версию Радищева. И потому восстание на британском флоте в эпоху Наполеоновских войн победило. Но выборные вожди британского восстания повели себя совсем не так, как анархическая матросня Кронштадта, перестрелявшая своих офицеров. Ввиду реальной тогда наполеоновской угрозы они разработали и подписали с британским лордом адмиралтейства сложнейший, многопунктный договор, некое «расписание» дальнейшего прохождения своего «восстания», так что бы исключить какой-либо ущерб несению боевого дежурства.

Да в общем и Россия *по* 1812 год включительно не чувствовала себя абсолютно неуязвимой, и все свои внутриполитические конфликты здесь разрешались с учётом сохранения своего отечества. Но дальше роковым образом совместились два фактора: на троне — монархи-растратчики, забывавшие о национальных интересах России, в обществе — ощущение *навсегда* решённого вопроса безопасности страны.

Это ощущение, и без всякого Энгельса, воцарилось в стране. Простой здравый расчёт подсказывал, что большую, чем в 1812 году коалицию против России всё равно не собрать, что Наполеон явил абсолютный максимум возможного — и с этим за полгода справились.

Итогом хронологического совпадения (первая половина XIX века) этих двух тенденций и стало формирование нашей интеллигенции: *анти*государственной, *вне*национальной, *вне*церковной (нюанс: «*вне*» — всё ж не «*анти*», лишнего наговаривать не будем).

Казус Соловьёва в том и состоит, что он как бы залиговал базисные изъяны двух периодов: первой половины XIX века (условно говоря «монархи-растратчики») и рубежа XIX–XX веков («серебряный декаданс»).

В период «ДвуАлександрия» был ликвидирован системный изъян государства, восстановлена изначальная справедливость устройства, возобновлено действие «Общественного договора», выражаясь по Жан-Жак Руссо (а так тогда выражались почти все), и исчезло, после Крымской войны ложное ощущение *навсегда* решённого вопроса безопасности России. Но Соловьёв протянул тот значок «лиги», возобновил традицию вненационального мышления, из 1820-х — в 1880-е. Тогда думали о «Священном Союзе», теперь — о «Богочеловечестве». Соловьёвское «Богочеловечество», напомню, состояло в мировом теокритическом господстве папы римского и достигалось ценой сущего пустяка — жертвы России, как государства.

Выражаясь точнее, думали об этом тогда и теперь единицы, влиятельные единицы, устанавливая некий мыслительный вектор, исключающий мысль о безопасности, сохранении страны. И на всю интеллигентскую толщу влияло следствие именно этого. Вспомните, как рисуют стрелки указателей, стрелки компасов: стилизованная стрела с наконечником и хвостовым оперением. Сей «дуализм», двуконечность стрелы в части мыслительного вектора показывал: а) куда смотреть, б) от чего отвернуться.

И всю толщу нашей интеллигенции, образно выражаясь, не наконечник затронул, а, скорее, пощекотал перьевой хвостик стрелы. Это я всё пытаюсь подыскать уподобление нашему случаю. В направлении «куда смотреть» — особо ничего не высмотрели (и Священный союз не расцвёл, и соловьёвский папа римский над всем миром не воссиял), но «от чего отвернуться» — с этим-то и получилось, очень получилось.

Вот и причина соловьёвского барражирования над страницами первой четверти этой книги. Думаю, в калейдоскопе русской истории найден и выделен именно ***тот*** *человек*. Уделённое ему внимание — это внимание к микробу, выявленному как наиболее опасный. Лично Соловьёв важен, но как яркий представитель всего штамма. Предъявлено два уровня связей:

— на тактическом уровне, на уровне действия, поступка Соловьёв своей защитой террористов связал поколение Каракозова, Засулич, Желябова с поколением Савинкова, Каляева, Азефа, Камо, Свердлова;

— на дальнем, стратегическом уровне (в физике был термин «дальнодействие»), на уровне мысли, книги он связал ошибки периода «царей-растратчиков» — поверх благословенного периода творческой работы «ДвуАлександрия» — с «последышем» Романовых.

И та соловьёвская поза командира роты на утреннем разводе, уверенно раздающего задания государствам, народам и Церквям — оттуда. Только само направление соловьёвского праздномыслия, выбор его «солдатиков», «кубиков» связан с его кабинетными штудиями (он много изучал историю Церквей, историю разделения Католичества и Православия). Примерно так же отличается попугай, чья клетка висела в матросском/пиратском кубрике, от попугая из купеческой гостиной.

Но значок соловьёвского «залиговывания» объединяет и преумножает не только все ошибки (его) прошлого. Бикфордов шнур протянут и в (наше) сегодня, соловьёвщина угадывается и в сочетании «евангельских» требованиий к действующим правительствам с покровительством террористам в «лихие 1990-е». Сей вирус начинает особо успешную работу именно в период ослабления государственной мысли.

«Философско-евангельский ультиматум» Соловьёва был предъявлен сначала Александру Третьему... безуспешно, но тринадцатью годами позже он нашёл-таки «подходящего» адресата. А Соловьёв — противника себе под стать.

Праздномыслие и безответственность — эта соловьёвская инфекция действует и в наши дни, и, наверно, всевременно. В русской общественной мысли словно нет иммунитета к этой заразе, мы слабы к «соловьёвщине» как северные народы к алкоголю. Например, в Британии на схожую болезнь нашёлся иммунитет: знаменитый вестник и защитник здравого смысла Честертон. У нас же ближайший кандидат на эту роль Константин Леонтьев оказался очень и очень слаб. Не по мысли слаб, а по действенности. Написал процитированную выше хорошую, умную работу в защиту Данилевского от Соловьёва. *Что ж, изрядно... весьма... концептуально.* А Честертон опубликовал сотни коротких эссе практически против того же врага. Убогие либеральные попугаи, объединённые в мафию, клаку, касту, по сути ведь враги здравого смысла, самой жизни, вот Честертон и берёт в союзники жизнь и здравый смысл в их повседневных, почти бытовых проявлениях, вплоть до рисунков почтовых открыток, проблем воспитания... В недавней статье касаясь болезненно слабой семьи, демографии, ювенальной юстиции я благодарно цитировал Честертона: *«Мы вправе приказывать детям; начни мы убеждать их, мы бы лишили их детства».*

И в случае российской разновидности этой заразы, «синдроме Соловьёва» более действенным было бы раскрыть веер всех его частных благоглупостей: его «рейтингование» русских учёных, его упования на папу римского Льва XIII, его спиритизм, его совершенно убогое чувство юмора (вот уж чего не симулируешь; уделить бы ещё 4–5 страниц — вы бы поразились, насколько неуклюжи, жалки были его подражания Кузьме Пруткову, Алексею Константиновичу Толстому).

Наш же «Честертон» (Леонтьев), увы, не дотянул, не вышел из своего неширокого круга читателей. Так со своими нерасслышанными предостережениями и опочил, удостоясь снисходительной статьи в Энциклопедии Брокгауза — того же Соловьёва:

«...Свои крайние мнения он без всяких оговорок высказывал и в такое время, когда это не могло принести ему ничего, кроме общего презрения и осмеяния. Большая часть политических, критических и публицистических произведений Л. соединена в сборнике "Восток, Россия и Славянство" (М., 1885–1886). После этого он напечатал в "Гражданине" ряд статей, под общим заглавием "Записки Отшельника". Одна из них, "Национальная политика как орудие всемирной революции", изд. отдельной брошюрой (М., 1889). При жизни Л. на него мало обращали внимания в литературе; можно назвать только статьи Н. С. Лескова ("Голос", 1881 и "Новости", 1883) и Вл. Соловьёва ("Русь", 1883). После его смерти, кроме некрологов, появились следующие ст.: В. Розанова в "Русск. Вестнике" (1892), А. Александрова (там же), Влад. Соловьёва в "Русск. обозрении" (1892), кн. С. Трубецкого в "Вестн. Европы" (1892), П. Милюкова в "Вопр. филос. и психологии" (1893), Л. Тихомирова в "Русск. обозрении" (1894), свящ. И. Фуделя (там же, 1895). По обилию материала для характеристики особенно важны статьи о. Фуделя и г. Александрова...» (**Вл. Соловьёв**, статья *«Леонтьев, Константин Николаевич».*)

А почему Соловьёв? Почему Брокгауз? Об этом речь в нижеследующем лирико-энциклопедическом отступлении.

Глава 7
Лирико-энциклопедическая глава

Хорошо известен феномен сведения всей информации о мире под политически выверенном на тот момент углом зрения в *Большой советской...*, *Малой советской...* и ещё раз *Большой советской...*, а всего, значит, в трёх энциклопедиях, изданных за время существования СССР. Мощное, зримое проявление государственного влияния на мировоззрение своих граждан.

Так они и запомнились: первая — «Большая...», внушительные чёрные тома — «Сталинская». Далее: новая версия истории мира была отражена в «Хрущёвской», пропорционально его сроку правления «Малой советской энциклопедии», десять зелёненьких томов. И потом — снова «Большая...», «Брежневская» — пятьдесят красных. С детства — моё любимое чтение, великолепный, яркий образ времени. В «Малой», зелёненькой, понятно — статьи-опровержения предшественницы, «Большой», «Сталинской». И некая общая суетливость — забавный и несколько неожиданный портрет эпохи Хрущёва. На статью «Тридцатилетняя война» отведено 20 строчек и... убийственно тоскливая россыпь всяких... *артистов балета Таджикистана, депутатов Верх. Совета, видных деятелей компартии Мадагаскара...*

А *Большая*, «сталинская» — таинственная, полузапретная. В нашем маленьком городке в одной библиотеке её не было вовсе, а в другой черномундирный строй томов стоял в таком дальнем углу, к которому почему-то никто не подходил. Школьник, библиотечный завсегдатай, я прекрасно помню своё тихое одинокое пересечение незримой границы, пять—семь шагов к таинственному стеллажу: глаз бежит по дикому набору слов, совершенно случайно попавших на алфавитные границы томов и потому вынесенные на корешок. *«Варилоид—Вибратор»* — это седьмой том, где статья *«Ватерлоо»* с картой знаменитого сражения.

Несколько страниц статьи *«Сталин»* в «сталинской» энциклопедии были — нет, не вырваны — аккуратнейше, тончайше вырезаны, вероятно бритвой, так что пропажа замечалась только по нарушенной нумерации страниц. Много лет спустя я узнал и «Претворение в жизнь решений XXII съезда КПСС», секретного доклада Хрущёва о культе личности. Лишь приглядевшись, можно было различить у самого корешка тоньчайшую, меньше миллиметра полоску — остатки крамольных страниц. Так же поступили и с другими статьями, касавшимися таинственной темы...

Это в библиотеках. А *частные* подписчики Большой советской энциклопедии (2-е издание) получили в 1953 году по почте большие конверты, содержащие: 1) отдельные листы энциклопедии со статьёй ***«Берингов пролив»***, 2). Специальное извещение: *«Подписчику БСЭ. Государственное научное издательство “БСЭ“ рекомендует изъять из пятого тома БСЭ 21, 22, 23 и 24 страницы, а также портрет, вклеенный между 22 и 23 страницами, взамен которых Вам высылаются страницы с новым текстом. Ножницами или бритвенным лезвием следует отрезать указанные страницы, сохранив близ корешка поля, к которым приклеить новые страницы».*

В пятом томе БСЭ на страницах 21—24 была статья *«Л. П. Берия»*, а упомянутый, но не поименованный «портрет, вклеенный между 22 и 23 страницами» — его портрет.

В моей районной библиотеке, увы, так и не была вклеена та статья с *Беринговым проливом*, которому вдруг так невероятно посчастливилось с алфавитным соседом. Подменить его, как заболевшую оперную приму...

Ах если бы хрущёвцы не так *его* (не названного в извещении «подписчикам БСЭ») боялись бы и учли, что назначенный в НКВД лишь в 1938 году **он** и освободил более 300 000 жертв 1937 года, и атомную бомбу сделал... В общем, не расстреляли бы, а отправили **его** в **его** бывшие лагеря, и если бы **он** мог представляться... И тут видится потрясающая картина. Заключенный, как известно, должен называть о себе лишь цифры: *«з/к № ... статья № ...»*. И *тот*, неназванный, докладывался бы: *«БСЭ, том 5, страницы 21–24»*...

Спустя много лет я узнал, что такова была судьба и той самой знаменитой французской La grande Encyclopédie, «второй Библии» Дидро, д'Аламбера и иже с ними... когда Государственный совет решил, что *«...польза, приносимая искусству и науке, совершенно не соответствует вреду, наносимому религии и нравственности»*, и французские подписчики стали получать очередные тома через полицию, с вырезанными страницами. Мировой переворот, революции, в том числе *Великая французская* выглядели как «сноски», как приложение к статьям Вольтера, Монтескье, Гельвеция и к... 1,5 миллиона (тогдашних) ливров, заработанных издателем Ле-Бретоном, только от первого издания, и не считая дохода от переводов на европейские языки.

Сейчас мне кажется, что влияние энциклопедий, кроме собственно закачки суммы информации, имело и какую-то иррациональную составляющую. Не просто собрание, вавилонское столпотворение статей обо всём мире, но и некое подобие, эскиз «Страшного суда», проводимого наличной на тот момент государственной властью над историей человечества, дошедшей до периода *её* полномочий. У меня, подростка, не слыхавшем ещё о «*Большом стиле*», то бишь о «сталинском», «имперском» (в учебниках о И. В. Сталине — полтора предложения), не видевшем ни одной «сталинской высотки», появилось всё же какое то предощущение, когда я подходил тогда к выстроившимся передо мной, как на параде, чёрным томам. Получается, даже вырезанные под самый корешок страницы тоже отражали эпоху. И полное отсутствие сведений парадоксально проявляло рисунок, несущий свою информацию, как при набивании краски сквозь трафарет.

Сейчас, вглядевшись, я убедился, что в действительности тома были не чёрного, а тёмно-тёмно синего цвета, называемого у полиграфистов «циан».

Тогда же, получается, и тоже за много-много лет до нынешнего информационного взрыва, раздевшего дотла в том числе и Никиту Сергеевича, у меня сложилось подсознательное ощущение его эпохи. Десять суетливых зелёных томов, которые печатались *во* время правления тогдашнего вождя, вообще мистика, так как не успей они все выйти до 1964 года, издание было бы прервано или сильно скорректировано. Я проверил: действительно, последний, 10-й том отпечатан в 1960 году.

Хрущевская 10-томная *Малая советская энциклопедия* была и в нашем домашнем шкафу, в библиотеку ходить не надо. Собственно она и сейчас у меня дома. Помню, её статьи в то время постоянно оставляли некую неудовлетворенность, желание всё уточнить и дополнить. Вроде я должен был учитывать изначальную разницу форматов «Большой» и «Малой» и делать поправку на возможности пятикратно большего объёма... а всё равно количество статей «Хрущёвской» энциклопедии рождало общее к ней снисходительное отношение, как сейчас к её современницам, и, получается, тезкам — панельным «хрущобам». Вроде теперь и понимаешь объективную предопределённость, а всё равно маленькая инъекция неблагодарности получена. Плюс уже тогда раздражало (возвращаясь к «хрущобам» бумажным, т. е. к «хрущёвской» энциклопедии), что рядом с нужными статьями мозолили глаза непрошеные, теснящие, отнимающие драгоценное место соседи, всякие *видные деятели компартии Мадагаскара*, да зачем-то ещё все с фотографиями, вдуматься — так чистый абсурд...

Этим лирико-энциклопедическим отступлением я подвёл к тому интересному факту, о котором следовало бы отдельно поразмышлять. Оказывается, до революции не было «царских» энциклопедий! Хотя и помнили «французских энциклопедистов», перевернувших историю мира, но... в XIX и начале XX века не было, скажем, «Александринской» или потом «Николаевской» энциклопедий. А была... правильно, она самая — «Брокгауза и Эфрона».

Вот как «Большая советская энциклопедия» определяет в своей статье предшественников:
    «Брокгауза и Ефрона энциклопедический словарь, крупнейшая дореволюционная русская универсальная энциклопедия, выпущенная акционерным издательским обществом Ф. А. Брокгауз — И. А. Ефрон. Состоит из 86 тт. (82 основных и 4 дополнительных), выходивших в течение 1890–1907. К созданию словаря были привлечены крупнейшие научные силы того времени: Д. И. Менделеев, А. И. Бекетов, А. И. Воейков, Д. И. Анучин, Ю. М. Шокальский, Н. М. Книпович, А. О. Ковалевский, А. И. Советов и др. Как и все русские энциклопедии дореволюционного времени, Б. и Е. э. с. не отличается единством идеологических принципов. В условиях старой России осуществ-

ление такого большого и сложного по составу издания, как многотомная универсальная энциклопедия, было возможно только на путях более или менее тесного сотрудничества представителей различных мировоззрений (так, например, раздел Философии возглавлял философ-идеалист В. С. Соловьёв). Однако большая насыщенность словаря фактическим материалом, обилие библиографических сведений сохраняют за ним значение важного справочного издания. *Лит.:* Кауфман И. М. Русские энциклопедии, в. 1, М., 1960.

Жаль, но почему-то никто до сих пор не уделил внимание этому парадоксу: *«тираны, самодержцы, давившие свободу слова, общественную мысль, нагло вторгавшиеся, солдафонски душившие... и т. д.»*, однако полностью отдали право формирования мировоззрения россиян господам Брокгаузу и Эфрону. А те уже в свою очередь передоверили один из важнейших разделов, «Философию», Владимиру Соловьёву. ***Почти все*** статьи, относящиеся к философии: *«Кант»*, *«Гегель»*, *«Позитивизм»* (с переадресовкой на — *«Кант»*) — все написаны Вл. Соловьёвым. И, по-моему, это весьма серьёзно, это имеет прямое отношение к картине мира, складывавшейся в интеллигентских головах конца XIX — начала XX века. Если в журналах интеллигент мог прочитать статью Соловьёва, а мог и Константина Леонтьева (как вы могли выше убедиться, аргументировано тому возражавшего), то здесь, в итоговом «собрании человеческой мудрости», верховный жрец, монопольный толкователь был он самый...

И уж если я сказал: «по-моему, это серьёзно», то необходимо подробно просмотреть и уточнить: ***почти*** вся философия «Брокгауза» была отдана на откуп Соловьёву. Всё же примерно 30 статей принадлежит некому Ивану Лапшину, не могу сказать, что ученику (единственно подходит по дате рождения — 1870), но уж точно **коллеге** Соловьёва... да-да, по тем одиозным Петербургским женским курсам.

Но Соловьёв — «редактор отдела философии», и все прочие философские статьи — *его.* Кроме ещё, конечно, статей о самом Соловьёве, восторженных до неприличия. Или, уточним: восторженных — до забвения самого «энциклопедического стиля».

Все статьи выдержаны в сухом стиле, почти триста лет царящим в энциклопедиях, словарях, в других изданиях подобного рода. Но тут авторы *К. Арсеньев* и *Э. Радлов*, простите, здесь банальный каламбур просто изначально заложен, — заливаются соловьями. Два автора потому, что Вл. Соловьёву в «Брокгаузе и Эфроне» посвящены две статьи, точнее, даже три — наличествует ещё и отдельная **«Соловьёв Владимир Сергеевич (дополнение к статье)»**, так же написанная *Э. Радловым.*

Воспроизведу эти энциклопедические «трели»:

«Вещи и книги его, по словам близко знавшего его лица (Л. З. Слонимского в "Вестнике Европы", 1900 г., № 9), "обыкновенно находились в разных местах; иногда в холодную осень он выезжал в летней разлетайке, потому что зимнее платье было им где-нибудь оставлено или забыто. Пренебрежение к физической стороне существования, к житейским благам (насколько они касались его лично), сказывалось во всём строе или, вернее, неустройстве его жизни: он иногда проводил целые месяцы в совершенном одиночестве, обходясь без чьих бы то ни было услуг, сам таскал дрова и топил печку, ставил себе самовар". Работал он неутомимо, проводя за письменным столом иногда по несколько ночей кряду, не переставая трудиться даже во время физических страданий, не предпринимая правильного лечения. Всё это постепенно подрывало его организм, никогда не отличавшийся крепостью: врачи, лечившие его во время последней болезни, нашли у него несколько тяжких недугов. Он скончался 31 июля 1900 г. в подмосковном имении (с. Узкое) кн. П. Н. Трубецкого, с братом которого, Сергеем Николаевичем (профессором философии в Московском университете), он был связан тесной дружбой...»

И это — «выдержанный, строгий *энциклопедический* стиль»! Сквозь дрожь омерзения от подобной безвкусицы только и заметишь ещё раз: «Клака — великая сила!» Как подняла истеричная тусовка его на руки после той наивно-подлой речи марта 1881 года, так и пронесла всю жизнь, так и внесла в **энциклопедический словарь**.

И какой это вообще, если вдуматься, срам: философия России, вся, на корню отданная на откуп — спецам с женских курсов!

На этой «энциклопедической» цитате я, наконец, должен, выражаясь морской терминологией, «сменить галс, переложить руль», чуть изменить курс повествования. Сия цитата приведена мной отнюдь не для скорого вывода, что-то вроде: «*Смотрите, как эта **летняя разлетайка** поучала царя Александра III, как тому поступать с убийцами отца... грозила даже общественным бойкотом*».

Нет, теперь я хочу сказать, что возможно и вправду, Вл. Соловьёв был вот таким добродушно-рассеянным человеком. «Следствия по Делу Соловьёва В. С.», повторюсь, я не проводил, бытовой «компромат» не собирал. Исследовал только его тексты и *публичные* речи. Если и назвал пару раз «приживальщиком» (констатация факта), то лишь как пример взаимосвязанности лично-бытовой и общественно-политической безответственности.

А та брокгаузовская статья и несколько подобных воспоминаний дают в общем достоверную картину: да, добродушно-рассеян. Здесь-то и корень типичной русско-интеллигентской проблемы: полнейшая неуместность.

Ну, представьте, на пороге войны 1812 года снять Барклая де Толли и заменить... доктором Гаазом. И вправду ведь — «святой немец», и сказал же: «Спешите делать добро!». Назначили — вот и вышло бы: *добро*, наверное. Атамана Платова заменить другим известным кавалеристом, «Дон Кихотом Каманчским»...

Да, собственно, какие тут шуточки, парадоксы автора! В 1860-х годах шатающееся общество всерьёз полагало, что ещё 9–10 терактов — и царь пойдёт на уступки, и к власти придёт правительство народников. И главная кандидатура в премьеры была... Чернышевский! Да, Николай Гаврилович, то самое ярко вышеописанное **«чмо»**. У Набокова сказано (опосредовано) и о тех тогдашних слухах... Да, опять же, какие там слухи, когда в 1917 году премьером и вправду стал «клон» Чернышевского. Тоже автор ...надцати газетных статеек, юрист, проигравший все судебные процессы... И самые первые его шаги — вспомним! — «отпуская Финляндию», прочертил государственную границу чуть не по северному пригороду Петрограда. Нормальный бы гимназист, не рассеянно-добродушный, как Чернышевский, Соловьёв, Ульянов, вспомнил бы, что здесь российские войны велись только со Швецией, что Россия, НЕ отбиравшая у финов никакого суверенитета, могла, *на волю птичку выпуская*, и границу определить по результатам если не войны, так переговоров. Но как мог вести подобные переговоры автор искровских статеек? Ладно, положили 127 тысяч (потери только первой Советско-финской войны 1939–1940 годов, а была и Вторая финская, в рамках Великой Отечественной), исправили границу.

Могу подкинуть случай посвежее: очень важное внешнеторговое подразделение **«Внешпосылторг»** (снабжение всех *совзагранколлективов* и масса других деликатных миссий) после событий 1991 года получил в подчинение — паренёк, участник знаменитого *«Живого *кольца» 19–21 августа.* Это проверяемо, я это знаю, как там работавший. Но... я-то работал только в том подразделении, а сколько... Да ещё, милицию, после 1991 года, помнится, возглавил доцент (?) Мурашов, говорят, неплохой человек.

В общем, подходя, согласно плану сей книги, к «Станции Дно», ближе ко Дну Империи и Династии, этой темы, русско-интеллигентской неуместности, никак не избежать. И Вл. Соловьёв был в высшей степени неуместен в роли «властителя дум эпохи»... как и, увы, Николай Романов в роли царя. Но если разговор о царе, помазаннике, требует учёта и сопоставления всех российских прецедентов: воцарений, избраний, свержений, убийств, самопровозглашений, отречений... то о «властителе дум», интеллектуальном лидере эпохи российского декаданса, можно сделать некоторые заключения по его работам — текстам, речам. И здесь добросовестный подход требует разделить корпус его сочинений на две части. Условно говоря: 1) Соловьёв для единиц и 2) Соловьёв для масс.

Работы *«Философские начала цельного знания»*, *«Критика отвлечённых начал»*, *«Чтение о Богочеловечестве»*, *«Оправдание добра»* требуют анализа специалистов, я такой квалификации не имею. Тема моего исследования: НЕ философия, НЕ пророчества и спиритизм Соловьёва, а феномен «соловьёвщины» (если уж виднейшие поэты эпохи, философы, журналисты гордились титулом «соловьёвец», то правомерно появление и «соловьёвщины»). Важнейшие примеры влияния Соловьёва на массовое сознание можно рассмотреть даже в кратком памфлете.

1. Статья Соловьёва «Россия и Европа» (против одноимённой книги Н. Я. Данилевского) — приведён её разбор Константином Соловьёвым.

2. Речь ... марта 1881 года (поучения царю и угроза общественного бойкота).

3. «Декларация об антисемитизме» («*Шумная трес-котня возымела обычное действие*» — *Короленко*).

Наверно к этому разделу можно причислить и самую известную его работу «Три разговора».

Проверьте, вся книга — вялые разговоры, пересказы газетных новостей, единственные ремарки — в скобоч-ках: *(сухо), (оживлённо), (громко), (вполголоса)*. Очень похоже на газетные отчёты о Съездах и Пленумах КПСС с вариантами: *(Аплодисменты) (Бурные аплодисменты) (Оживление в зале)*.

Ни малейших характеристик этих «разговорщиков». Хотя, по правде говоря, мало-мальски запоминающиеся образы здесь и не нужны, но если вдруг потребовались бы?! Тут-то апостола курсисток и караулил бы очередной крах.

И после этих трёх вымученных разговоров Соловьёв прилагает «Краткую повесть об Антихристе». Те же его персонажи откуда-то берут рукопись некого старца Пан-софия.

«Дама»: Ну читайте.

«Г-н Z» (читает): ...

И ещё 34 страницы (в книге моего формата) скучного, беспомощного подражания *«Легенде о Великом инквизи-торе»* Достоевского, из которого вытянуть можно лишь один вывод: Соловьёв опасался пришествия китайцев и Антихриста.

Глава 8
Патриарх декаданса

Соловьёвщина — это тяга к всесмешению, саморазрушению, небытию, начиная от смешения его личной и общественной морали, евангельского «не убий», предъявляемого правительству страны.

В книге *«Апокалипсис в мировой истории»*, посвящённой страхам 2012 года и предыдущим концам света, я отмечал, что даже на самые всеобщие, глобально-космические, общемировые катастрофы, вроде бы уравнивающие всех и вся — от британской королевы до бангладешского доходяги, даже в реакции на какой-нибудь накрывающий всю Землю астероид Апофис, или планету Нибиру, проставляющую всем семи миллиардам человек единую дату смерти, различия восприятия столь велики, что дают немалый материал социальным психологам. И всегда некая часть человечества воспринимала это как желанную новость. Можно от них отмахнуться табличками: «Неудачники. Завистники. Нелюди...».

Но штука в том, что всеобщего конца, или глобального потрясения, полностью меняющего картину жизни, в общем, «кровавого обновления», желает не только некая часть в человечестве, но и некая часть в человеке. В значительно более широком слое людей, чем *законченные лузеры*, сидит эта тяга к само- и всеобщему разрушению. И периодически эта воля к гибели резонирует в больших масштабах, например, в масштабах страны, например, России.

В той же книге я рассматривал один из таких периодов саморазрушения, XIX — начала XX века, от нигилистов, «народовольцев» и до революции, Гражданской войны.

В отличие от предыдущего (раскол), начало этого периода русского саморазрушения, АвтоАмаргеддона, обозначено чётко, как выстрелом стартового пистолета. Собственно это и был выстрел пистолета — Дмитрия Каракозова, 4 апреля 1866 года, ровно 200 лет после раскола. Тот первопокушенец на императора Александра Освободителя породил сонм подражателей. Мы скажем: «задал моду», нигилисты возразят: «явил пример героического самопожертвования». Можно бы в свою очередь им возразить, привести факт, увы, прошедший тогда мимо массового сознания. Ведь Каракозов страдал катаром желудка, вызывавшим страшные мучения и при тогдашнем уровне медицины не дававшим ни малейшего шанса на излечение. Огромная часть самоубийств той эпохи, по медицинской статистике, была вызвана именно катаром желудка. На следствии он признавался: «...*Одною из главных побудительных причин для совершения преступления были моя болезнь, тяжело подействовавшая на моё нравственное состояние. Она повела сначала меня к мысли о самоубийстве, а потом, когда представилась цель не умереть даром...*»

В сём Димитрии, первопроходце Террора — и анамнез и полная «история болезни» всей их касты, но яснее это становится после ознакомления ещё с несколькими примерами.

В. Л. Бурцев, известный «охотник за провокаторами», разоблачивший Азефа, члена ЦК РСДРП Малиновского, приводит слова тайного агента: «Вы не понимаете, что мы переживаем. Например, я недавно был секретарём на съезде максималистов. Говорилось о терроре, об экспроприациях, о поездках в Россию. Я был посвящён во все эти революционные тайны, а через несколько часов, когда виделся со своим начальством, те же вопросы освещались для меня с другой стороны. Я перескакивал из одного мира в другой... Нет!.. Вы не понимаете и не можете понять... какие я переживал в это время эмоции!»

Касаясь того периода, неизбежно вспоминаешь два довольно прочно вбитых в наши мозги постулата по поводу революционного поколения. Две иллюзии, два наполнителя извилин: этический и интеллектуальный. Этический: *«Они делали ЭТО ради нас!».* (Ну или: *«Ради будущего!»*) Интеллектуальный: *«Они делали ЭТО в соответствии с определёнными историческими теориями, замыслами, научными доктринами».*

Картинка чёткой смены *«исторических формаций: рабовладельческий строй, феодальный, капиталистический, социалистический...»* — накладываясь на революционеров той эпохи, заставляла рассматривать каракозовых, кравчинских, всех тех пиарАполлинариев как каких-то... планомерных работников, словно героев наших пятилеток.

Конечно, сильная резь в желудке Каракозова, или... зуд влюблённого Л. Мирского подрывают оба постулата: и что *«...ради нашего (светлого) будущего»,* и что *«...по историческому плану»...* — но сейчас важнее проследить линию от народовольцев к «героям 1917 года». Объединяет, залиговывает их Пророк (по определению Бердяева) Соловьёв.

А почему бы тогда этого вечного бобыля не вписать ещё и в Патриархи? Кстати, настойчивое прилюдное воздыхательство Соловьёва по Софье Андреевне, жене, затем вдове Алексея Константиновича, по мнению мемуаристов, выходило за рамки приличия. Он часто лепетал, что его центральный философский образ Софии, навеян Софьей Андреевной, что в спиритических сеансах ему являлась, диктовала именно София.

Бездетный приживальщик Патриарх ещё не самая вершина абсурда. Мне попалась ссылка на книгу некоего Петера Зубоффа (похоже, из эмигрантов первой волны), утверждавшего, что *Соловьёв вдохновил Достоевского на создание образа Алёши Карамазова*. Действительно, когда при жизни угодишь стольким группам, группировкам и вообще всем, кому Россия виделась главным врагом, неудивительно, что посмертные исследователи образуют такую мощную, влиятельную **клаку**. Странно, как ещё не разыскали, что именно В. Соловьёв вдохновил четырёх известных авторов, Матфея, Луку, Марка, Иоанна, на главный образ их произведений.

Но, наверное, одной пародией эту клакерскую работу не опровергнуть, и чтобы стряхнуть «шлепок», повисший на любимом герое Достоевского, требуется и формальное литературоведческое опровержение:

«Господин Петер Зубофф, ваша гипотеза неверна. "Доброта Алёши Карамазова" включала, как известно, и его ответ брату Ивану, что помещика, убившего ребёнка, можно и нужно казнить (соответствующую страницу в романе "Братья Карамазовы" найдёте сами). А рассеянная подлость Вл. Соловьёва позволила ему легко перешагнуть через тело убитого 1 марта 1881 года, вместе с царём, ребёнка, 14-летнего Коли Захарова. Ради минуты славы, "вольного пророчествования", ради красного словца на публичной лекции, ради проезжания полутора десятка метров на руках восторженных идиотов, его и Желябова учеников!»

Как иногда выражаются, «в каждой шутке есть доля шутки», и в какой-то мере бобыля, бессемейного приживальщика Соловьёва действительно можно назвать Патриархом — Патриархом Декаданса. Авраамом, Иаковом серебряновековой интеллигенции. Его многочисленное, *«как песок морской»*, потомство — русские декаденты, та часть общества, что сформировала и присвоила себе «общественное мнение», — работало, сколько могло на поражение России в двух войнах, на победу трёх революций. И в итоге сделала состояние романовской России, протокольно выражаясь, *«несовместимым с жизнью»*.

Я бы сформулировал так: «Хуже, гаже и опаснее всего декадентская интеллигенция именно тогда, *когда думает, что она якобы думает»*. Счастье Соловьёва (и несчастье России, что одно и то же) — в дважды сбившейся шкале оценок. Тогда — переоценки (попсового лектора и спирита приняли за философа), сегодня — недооценки (злейшего врага российской государственности принимают опять-таки за... безвредного философа).

Теперь приступаем к собственно соловьёвскому Серебряному веку. Очень гадко и в то же время симптоматично, что один из духовных лидеров эпохи, соловьёвский апологет, основатель «Московского религиозно-философского общества имени Вл. Соловьёва» Николай Бердяев **даже после 1917 года**, когда он-то прекрасно мог видеть и наблюдать «итоги их работы», уплывая в Европу на «философском пароходе», всё равно называл то явление: «русским культурным ренессансом», «русским духовным ренессансом»:

«Сейчас можно определённо сказать, что начало XX века ознаменовалось у нас ренессансом духовной культуры, ренессансом философским и литературно-эстетическим, обострением религиозной и мистической чувствительности. Никогда ещё русская культура не достигала такой утончённости, как в то время...»

И ведь не чувствует, что у высшего эпитета, нашедшегося для той культуры, — «утончённая», ближайший сосед и родственник — «истончённая», близкая к продырявливанию.

Я бы привёл гораздо более, чем Бердяев, квалифицированного эксперта по «утончённости культуры» — Талейрана. Вот уж кому довелось побыть современником и оценить *в живом сравнении (!)* сразу три культуры: 1) дореволюционную Людовика XVI, 2) «упоительную сказку» (сам так называл) Наполеоновской империи и 3) последующую эпоху Реставрации, Людовика XVIII. Вердикт Талейрана: *«Тот не знает настоящей сладости жизни, кто не жил во времена Людовика XVI!»*

Видно, сладковатый запах гниения может прельщать многих, даже такого гения *реальной политики*, как Талейран, что уж говорить о примеривавшем напудренный парик, «утончённом» Коле Бердяеве.

Тот знаменитый «философский пароход» 1922 года, по одному факту наличия на борту груза «Николай Бердяев», тянул бы на другой, не менее известный образ — «корабль дураков» и заслуживал бы своей торпеды, но на нём же покидали Россию и Питирим Сорокин, Зворыкин, Сергий Булгаков и многие люди «умственного труда» (настоящего), не причастные к «соловьёвщине». Ну а полемическую «торпеду» по эпохе декаданса выпустят представители оздоровлявшейся, увы, уже в эмиграции русской интеллигенции, авторы знаменитого сборника *«Смена вех»* Николай Устрялов, Юрий Ключников Сергей Чахотин, Александр Бобрищев-Пушкин.

И ещё раз повторю бердяевские «слова о главном»:

«Пророчество — интимная тема всей духовной жизни Вл. Соловьёва. Он сознавал себя призванным к свободному пророчествованию. Он *одинок и не понят*, потому что несёт пророческое служение».

Целое поколение жило, не чуя запаха собственной гнили! О «пророчестве» Соловьёва мы уже говорили, теперь о том, что он «одинок и не понят». Это же просто «фигура речи», словесный штамп, схваченный из какого-то романса. *Одинокие скалы, мой приют*... Романтический герой должен быть «одиноко-непонятым». При том, что главные поэты той эпохи Блок, Вяч. Иванов щеголяли, как надраенной бляхой, определением «соловьёвец», а влиятельные журналисты, философы, писатели объединились в «Общество имени Соловьёва»...

По-настоящему одинок был, увы, Константин Победоносцев, пытавшийся бороться с «соловьёвщиной».

А сам механизм «изготовления Соловьёва» и подобных разрушительных авторитетов интересен тем, что эта технология не утрачена и в наши дни. Уже упоминавшийся современный клакер Кортслев в журнале «Наше наследие» опубликовал статью о Соловьёве, включающую, сразу скажем, полушутливую анкету Соловьёва:

«Ваши любимые качества в мужчине. — *Юмор*

Ваше любимое занятие. — *История религий и тайные науки*

Ваше любимое развлечение. — *Выпить с хорошим человеком*

Ваше преобладающее свойство. — *Упругость в большом и бесхарактерность в малом*

Какой недостаток Вы более всего извиняете? — *Излишнее пристрастие ко мне*

Какой проступок Вы строже всего судите? — *Несправедливость против меня*

В чём Вы полагаете счастье? — *Личное — во взаимной любви, а публичное — в торжестве правды*

Что Вам представляется самым большим несчастьем? — *Быть женою Победоносцева*

Ваш любимый русский прозаик. — *Я сам и Н. Страхов, а также митрополит Филарет и Катков*

Ваш любимый иностранный прозаик. — *Гофман, папа Лев XIII и Боссюэт*

Какое Ваше настроение духа в настоящем? — *Твёрдое в бедствиях*»

Комментарий Н. Коотелева:

«Набор вопросов в этой анкете и в той, что заполнил Соловьёв для Т. Л. Сухотиной, во многом совпадают, публикуемая нами анкета короче. По времени вопросники не должны далеко отстоять друг от друга: печатаемый мы склонны отнести к середине восьмидесятых годов (когда Соловьёв уже ощущал себя преследуемым властью — К. П. Победоносцевым, в частности; когда он возлагал огромные надежды на Льва XIII, папу римского, знаменитого своим латинским стилем...). Обе попытки проинтервьюировать Вл. Соловьёва дали результаты весьма половинчатые — всё то же смешение серьёзного и обезоруживающе смешного...»

Вникнуть я предлагаю даже не в перл пылко-блудливого воображения Соловьёва (*самое большое несчастье — быть женой Победоносцева*), а в пример серьёзной текстологической работы Котрелева. Квалифицированному публикатору, каким, безусловно, он является, необходимо датировать публикуемый фрагмент, и как реальную зацепку на временной шкале он отсыл: *«когда Соловьёв уже ощущал себя преследуемым властью — К. П. Победоносцевым, в частности»*. Именно так творятся легенды и «делаются Соловьёвы». Штамп от Бердяева — *«одиноко-непонятый»*. От Александра Блока — *«рыцарь-монах»*. Теперь и — *«преследуем властью, Победоносцевым, в частности»*...

Сейчас, как и двумя главами ранее, после перечня 11 погибших солдат Финляндского полка, я сделаю некоторую паузу. Причина следующая. Наверняка читателю попадались книги эдакого чернушного жанра, где, штудируя самую подробную биографию «героя», выцеживают любой «компромат», и если исходная биография — большой том, то на чёрную статью, как правило, можно что-нибудь набрать.

Я специально подробных биографий Соловьёва не читал. Только статью в Википедии (примерно 5–7 страниц), что наверняка могут сделать все, желающие сопоставить её данные с моими словами. Зато много пришлось прочитать и обдумать текстов о гибели Российской империи, о народовольческом и прочем терроризме, об интеллигентском декадансе, Серебряном веке... и из-за частого упоминания фамилии *этого человека, его* просто невозможно было игнорировать. Я действительно не собираюсь публиковать антисоловьёвский памфлет и надеюсь вскоре расстаться с апостолом курсисток.

Можно мне верить или нет, но именно на этом пункте, *«преследования Соловьёва властью и Победоносцевым»*, я остановился перед возможностью выбора, «точкой бифуркации», выражаясь по-современному.

В небольшой, прочитанной мной статье вроде ничего о преследованиях властями Соловьёва не было. И по прочтении статьи Котрелева (уверен, он знает по этой теме в 10 в какой-то степени раз больше меня), я было вознамерился сходить в библиотеку взять-таки что нибудь тотальное о Соловьёве. Ведь чувствую, вижу по всем косвенным фактам биографии: не было преследований! Найти книгу, опровергнуть соловьёвских клакеров?

Но сначала против поиска книги выступила, каюсь, просто лень. А потом ещё появилось некое чувство... ну, неприлично, что ли, словно бы выслать филеров: проследить дневной маршрут, знакомства «философа-медиума»...

Так это и оставил. И даже дал себе зарок: не перепроверять. Игра показалась честной: если преследования всё же были, то моя книга выйдет уже с изъяном. Но я решил идти по пути своего предположения: не преследовали Соловьёва власти и Победоносцев. Преподавание «одинокого непонятого философа» в двух ведущих российских университетах — было, дорогостоящие командировки в Лондон, Египет — были, ставка в Учёном комитете при Министерстве народного просвещения — была. Даже причину ухода из Петербургского университета очень благожелательная к Соловьёву статья в Википедии видит с двух сторон: в интригах бывшего его покровителя, некоего Владиславлева, и возможно, всё же в последствиях той публичной речи в защиту террористов-цареубийц. Но уход с кафедр случается в научной среде постоянно, сравнивать это, например, с муками, академическими бойкотами Менделеева даже неприлично. Тут просто на минутку накрыли платком клетку с попугаем...

НО главный фокус далее. Что чиновник Победоносцев «преследовал одинокого непонятого философа» — вполне в духе средних представлений, тоже штамп. Но что бы могло иметь место обратное?! Однако же...

Как известно, на Победоносцева было запланировано покушение в момент, когда он должен был быть на похоронах министра внутренних дел Сипягина, жертвы предыдущего покушения. В нынешних новостях такие двойные теракты — почти банальность. И после того, как те планы раскрылись, Победоносцев был вынужден практически до конца жизни существенно ограничить свои передвижения, встречи. Это факт, как и то, что речь Соловьёва, его ультиматум царю — передвинули линию противостояния власти и террористов в пользу последних, помогли народовольцам рекрутировать несколько лишних десятков голов. В том числе и из его курсисток, — я опять же специально не подсчитывал, но что они массово шли в народовольческие кружки — ещё один проверяемый факт...

Петербург, октябрь 1905 года. Провоцирующие городовых возбуждённые демонстранты, второе поколение, считая от соловьёвских курсисток, шли по Литейному проспекту. Напротив двухэтажного дома, где жил Победоносцев, они, вдруг позабыв прочие революционные цели, остановились и до самой темноты орали всевозмож-

ные оскорбления «реакционеру, гонителю». Победоносцев слышал всё это, работая в кабинете над своим последним текстом: новым переводом Нового Завета.

Вот вам и парадокс «преследования чиновником Пророка»...

Александр Блок, статья «Рыцарь-монах»:

«Теперь, как десять лет назад, все признают большой
талант, но многие остановятся в недоумении перед
какой-нибудь стороной его деятельности. Известная
философская школа подвергнет сомнению систему
мистической философии Вл. Соловьёва по отсутствию
в ней законченной теории познания. Ни один стан
публицистов не примет Соловьёва без оговорок уже по
тому одному, что Соловьёв утверждал "священную
войну" во имя "священной любви"... Вл. Соловьёв —
критик? Он не заметил Ницше, он односторонне
оценил Пушкина и Лермонтова. Вл. Соловьёв — поэт?
И здесь приходится уделить ему небольшое место, если
смотреть на него как на "чистого" художника. Остаётся
Вл. Соловьёв — человек. Тут непомерное разнообразие
картин; воспоминания и анекдоты до сих пор не сходят со
страниц журналов. Какой же вывод можно сделать из
этих противоречивых анекдотов о "странных" поступках
и словах, особенно — о "странном", а для некоторых —
страшном хохоте, который все вспоминают особенно
охотно? Один вывод: Вл. Соловьёв был очень симпатич-
ный и оригинальный человек, однако с большими
странностями, не совсем приятными, а иногда и
неприличными; но так как все друзья его были тоже очень
милые люди, то они прощали этому романтическому
чудаку его дикие выходки...»

В принципе и февраль 1917 года был такой *«выход-
кой», «противоречивым анекдотом»* друзей и учеников

Соловьёва, наученных им главному: безответственная болтовня («пророчествование») — вот высшее призвание русской интеллигенции!

И, завершая, наконец, историю Патриарха Декаданса, надеюсь, что мои краткие замечания не воспримутся как огульная критика с «охранительных позиций». Надеюсь, я показал, что Соловьёв действительно в меру сил поспособствовал разложению империи и потому... Нет, даже если бы эта бурда из пророчествования, спиритизма, анекдотов и дурных мечтаний была бы вообще никем из его современников не тронута, пролежала бы сто лет под спудом и вскрылась бы только сейчас (в немного другой, без её воздействия, стране), всё равно она осталась бы тем же самым...

И главная беда в том, что описываемые говорящие попугаи учились говорить не у людей, а тоже с голоса другого говорящего попугая, а тот у других попугаев и так далее...

Именно потому и стал возможен тот фокус небывалого по тупости смешения, передёргивания, приложения к монарху, действующему правительству, к государственной политике требования, все 1600 лет адресовавшиеся Библией только к отдельной личности, к частному человеку: *Не убий*, *Возлюби врагов своих*, *Всех прощай*. И весь мир понимал это именно так, и россияне — от Владимира Крестителя до Александра III — не требовали «христианской» ликвидации суда и армии, но...

Единственное вроде бы опровержение моего сравнения: попугаи, как известно, живут долго, а этот умер в 1900 году, 47 лет от роду, в чужом кабинете. Врачебный диагноз: атеросклероз, цирроз почек, уремия и полное истощение организма... «Больной попугай»?

...В освободившуюся «серебряную» клетку полез Бердяев.

Справедливости ради следует сказать, что столь же «евангельские» требования адресовал правящему монарху, столь же мало ценил русскую государственность и другой властитель дум, уже настоящий, не «клакированный» гений — граф Лев Николаевич Толстой. Он тоже писал письмо Александру III («...*его убили не личные враги его, но враги существующего порядка вещей: убили во имя какого-то высшего блага всего человечества*») — с просьбой помиловать желябовских террористов в 1881 году — нет, совсем не случайно выбрана точка отсчёта, та важнейшая развилка! Правда, без прилагаемой угрозы *«иначе мы от вас отречёмся»* — это отчасти потому, что Толстой безмерно презирал декадентскую интеллигенцию, и сама идея быть её глашатаем, «рупором» вызывала чувство стыда даже более острое, чем стыда за «Войну и мир», «Анну Каренину», в чём он часто признавался.

Разлад Льва Толстого с русской государственностью — случай совсем другой, и первоначально сей разлад был связан отнюдь не с его «ультраевангелизмом», «ультрабуддизмом», непротивлением злу, «опрощением» жизни, «окрестяниванием» быта, вегетарианством, босохождением и прочими, как сказали бы мои студенты, «закосами». Нет, разлад Толстого с русским государством был вызван войной, конкретнее: Крымской войной 1853–1856 годов.

Это я, в том числе и хронологически, доказывал в своём выступлении 2011 года на Никитском клубе. Это собрание учёных, писателей, бизнесменов, основанное на междисциплинарном подходе Римского клуба, возглавляемое профессором Сергеем Петровичем Капицей, уделяет внимание многим разноплановым проблемам: Русское пространство, история русских модернизаций, проблемы истолкования истории Второй мировой войны, концепции столицы (по недавнему расширению Москвы) и таким персонам, как Ломоносов, Витте, Толстой.

Трое докладчиков по теме о Льве Николаевиче детально и квалифицированно разобрали его художественное творчество, публицистику, «толстовство». Я же задался частной целью — среди всех государственных, общественных институтов, равно отвергаемых графом Толстым: суд, церковь, армия, полиция, частная собственность, брак, смертная казнь, присяга... выделить тот элемент, с которого и начался его «уход». Ведь вовсе не одномоментным было его разочарование в государственно-общественном устройстве — это был процесс растянувшийся на 55 лет! Мой ответ на вопрос «От чего сначала отрёкся граф Толстой?», содержащийся в предлагаемом докладе, будет ещё и некой «точкой перехода» от сквозной темы этих глав, духовному кризису, подточившему империю и династию в начале XX века, к главе «Войны. Императоры».

«Как четвёртого числа нас нелёгкая несла...»
(Вспять от государства.)

Известно, что сегодня «толстовские споры» расходятся кругами от одного вопроса, пункта, камнем брошенного Львом Николаевичем: «Государство». Даже тенденциозные сегодняшние разбирательства, вроде имевшего место в марте 2010 года в Кировском суде Екатеринбурга, т. н. «антиэкстремистский процесс», на котором Лев Толстой был обвинён экспертом по экстремизму Павлом Суслоновым в *«в подстрекательстве религиозной ненависти к Православной церкви»*, признают что причиной негативного отношения графа Толстого к РПЦ была государственность Церкви. Например, вердикт Льва Николаевича о тринитарности, учении о Троице, прост: «Не понимаю», а вот пункты, связанные именно с государственностью (присяга на Библии в армии, в судопроизводстве, освящение воинских частей, кораблей), им критикуются непримиримо. Ну и, конечно, сами атрибуты государства — армия, полиция, суд, судебные наказания, в т. ч. казни — гневно и вдохновенно Львом Толстым ниспровергаются... По-моему, крайне интересно: какое из этих самых «атрибутов государства» первым попало в «чёрный список» Толстого? Ведь это же не просто «первое подвернувшееся под руку», под весьма тяжёлую руку графа. Это, по современно-популярным терминам, «слабое звено». Ведь и друзья, и недруги отмечали основательность, последовательность, «системность» классика, «случайно подвернувшегося под руку», в «толстовстве» быть не могло. Итак: государственная церковь, полиция, армия, суд, личность монарха, министерства, частная собственность, система образования, брак?

Армия. Именно армия. Кратко доказать это здесь можно хронологически. Хотя бы «отматыванием плёнки». Вот Набокова более всего поразило в... скажем, «казусе, случае Пушкина» то, что он погиб буквально накануне прихода фотографии. Первые даггеротипы в России появились чуть ли не через месяц после его смерти, и Пушкин навсегда остался «в воображении», вне реального оттиска. А вот другое искусство, «важнейшее для нас из искусств», кино, Льва Толстого застало. Так что отмотаем плёнку и убедимся, что задолго-задолго до, допустим, осуждения смертных казней в известной брошюре, всего суда присяжных в романе «Воскресение», до этого «клинча» с госрелигией вообще, до расцвета термина «критический реализм», был его конфликт, «первоконфликт» с армией. Толстой 1860-х годов — справный помещик, может, чуть более скромно одетый, но всё же: скупающий поместья на гонорары, на те рекордные 500 руб. за авторский лист (или 200 руб., но помню, отмечалось, что у него были самые высокие гонорары в тогдашней России) — это отношение к собственности — авторской, земельной. Ещё до этого — венчающийся с Софьей Николаевной, крестящий своих детей (отношение к браку и к таинствам государственной церкви...). И так пройдя ещё «до» и «до»... мы и дойдём до той самой солдатской песни ***«Как четвёртого числа нас нелёгкая несла...» 1855 года.***

Да, были и критические строки об «офицерах-наполеончиках», готовых убить две сотни душ за крестик или четверть жалования — в «Севастопольских рассказах». Но та песня — случай особый в биографии Льва Толстого. Взять отношение его к стихам, его известное сравнение: «как если бы мужик шёл за плугом приплясывая», и то, что «Евгения Онегина» он прочитал 26 лет от роду, случайно: на почтовой станции никаких книг-журналов не оказалось, кроме... «Ладно, стихи, мне как раз надо заснуть поскорее».

К тогдашнему собранию я над собой поставил маленький эксперимент: не стал разыскивать текста той песни, — моё собрание сочинений Толстого — простой советский 12-томник, где её, конечно, нет. А попался мне этот текст в альманахе «День поэзии» за 1986. Вот как запомнилось с тех лет.

«Как четвёртого числа нас нелёгкая несла горы отнимать. Барон Вревский, генерал, к Горчакову приставал, когда подшофе. "Князь, возьми ты эти горы, не входи со мною в ссору, не то донесу". Собиралися в советы все большие эполеты, даже Плац-бек-Кок. Полицмейстер Плац-бек-Кок никак выдумать не мог, что ему сказать...»

Ну и далее строки, известные всем, «лидер цитирования»: *«Гладко вписано в бумаге, да забыли про овраги, а по ним ходить...»*

О чём это? Об одном военном совете, имевшем место в осаждённом Севастополе? О тщете военного планирования, планирования вообще чего-либо? О произошедшем за 10 лет до романа «Война и мир», до описания той всем памятной сцены накануне Аустерлица: *«Дер эрсте*

колонне марширен... Первая колонна марширует...» —
и спящего, даже похрапывающего Кутузова. Биографи-
ческие справочники (я с ними сверялся) подтверждают:
«...Сатирическая песенка, на манер солдатских, по поводу несчастного дела 4 августа 1855 года, когда генерал
Реад, неправильно поняв приказание главпокомандую
щего, неблагоразумно атаковал Федюхинские высоты.
Песенка ("Как четвёртого числа, нас нелёгкая несла горы
отбирать"), задевавшая целый ряд важных генералов,
имела огромный успех и, конечно, повредила автору. Тотчас после штурма 27 августа (8 сентября) герой севасто-
польской обороны Лев Толстой был удалён из действующей армии, отправлен в Петербург».

Но абсолютно недостаточно зафиксировать, что вот-
дс *«у Толстого... это (антигосударственный синдром) началось с 1855 года, с Крымской войны».*

А что это была за война, Крымская?!

Начну с вопроса, подходящего для всяких телевикто-
рин, заключения пари: когда была построена первая железная дорога в Крыму? И кем?

Ответ: в 1855 году. И, оказывается, — высадившимися
англичанами. От Балаклавы (их порт снабжения) до ок-
раин Севастополя. Сыграла решающую роль в снабже-
нии армий союзников, осаждавших Севастополь.

Тридцать лет Николай I с Нессельроде занимались
Польшей, Венгрией, Священным союзом, успешно собирая против России общеевропейскую коалицию. На фоне этой бурной дипломатической «работы» в армии —
уникальный случай в истории — за 30 лет не произошло
абсолютно никаких изменений! По вооружению и такти-
ке она оставалась точной копией, можно сказать — «фо-
тографией» нашей победоносной армии 1812 года. Так
что первые неудачи на Дунае, ещё ДО вступления в вой-

ну Англии, Франции... показали: *впервые за 190 лет русская армия уступала туркам по вооружению!* Героизм оставался прежним, турецкий флот удалось разбить при Синопе (единственный турецкий пароход, правда, из Синопа вырвался), но Дунайские княжества оставлены. Лев Толстой, кстати, — герой не только Севастополя, в действующей армии он был и во время похода в Дунайские княжества.

Союзники, бывшие в том же 1812 году (точка сравнения, прямо как памятный в справочниках *«уровень 1913 года»*) практически равными нам по вооружению, совершили за эти 40 лет скачок по трём главным направлениям: нарезные ружья, нарезная артиллерия, паровой флот.

То была Первая Транспортная война, или назовём её *«Первая Логистическая»*. Сначала манёвренный период: в Крыму мы проиграли три сражения, но одно всё ж выиграли (памятное при Балаклаве!). За их, союзников, скорострельные нарезные ружья и пушки расплачивались кровью по некоему установившемуся повышенному коэффициенту потерь, но это ещё была война, похожая на предыдущие, с какими-то шансами у России. Осада Севастополя, первый период: мы с *ядрами против снарядов нарезной артиллерии* — тоже расплачиваемся по повышенному коэффициенту, но и это ещё почти привычная война: апроши/контрапроши, вылазки, отбитие штурмов. Артиллерийские дуэли, подвоз снарядов/ядер, замена выбывших орудий и расчётов. У нас: на волах, по просёлкам, дважды в год, весной и осенью, просто выключавшимся от раскисания. У англичан (в Крыму!): по железной дороге. Далее...

С 5 по 8 августа под огнём 800 орудий мы теряли ежедневно 900—1000 человек.

24 августа, как гласит сухая справка, *«6-я усиленная бомбардировка, заставила умолкнуть артиллерию Малахова кургана и 2-го бастиона»*... Ещё несколько примеров

русского героизма — и нам была предъявлена новая, *бес-контактная (с нашей стороны!) война*. Бомбардировка вырывает из наших рядов уже по 2 1/2—3 тысячи человек в день, и главное — при отсутствии какой-либо возможности нанесения ответных потерь, примерно как у Сербов и НАТО в 1999 году. Поэтому князь Горчаков и оставляет Севастополь (южную, осаждённую его часть).

Вот она — *«Первая Логистическая война»*. Соревнование транспортных потоков, тонно-километров...

А наш вождь? Император Николай повелел: *«В награду за совершённые уже подвиги и в поощрение будущих, повелеваю каждый месяц службы в Севастополе считать за год»*. Вроде как государь управляет и самим Временем, но... тридцать-то лет его правления пролетели, как один никчёмный, бездарный день.

Фатальные ошибки Николая I сегодня часто объясняют тем, что он был «последним рыцарем Европы» — честным, прямолинейным. Вот ещё известный образ, эпитет из той войны: «Синопская победа — Лебединая песнь парусного флота». Действительно, линия кораблей, белые паруса — завораживающе красиво (добавим и безмоторную тишину, плеск волн)... может, наиболее яркая картина среди иллюстраций того времени. И полный разгром. Однако единственный коптящий небо пароход — в Синопе он был у турок — прорывается и уходит.

То есть — романтику из войны удалил не Лев Толстой, размазавший в «Войне и мире» *«жирного Наполеона с его дрожавшей левой ляшкой»*, как вообще редко кого из исторических персонажей в мировой литературе размазывали. Романтика, рыцарство были сметены новым поколением оружия. Всё «рыцарство» эпохи судьбе было угодно поместить в такую персону, как Николай I. А Лев Толстой это зафиксировал на своём «чутком сейсмографе»...

И касательно героя нашего диспута — в чём психологическая травма? Индейцы с луками и дубинками против пулемётов и пушек — это героизм без каких-то отягощающих мыслей. Льву Толстому и **русским воинам, оказавшимся в Севастополе в шкуре таких индейцев,** гораздо тяжелее: недавно были европейцами, входили в Париж, и тут... Как говорили подгулявшим в кабаках той эпохи: «Позвольте вам выйти вон». Из европейцев — в готтентоты.

В Guardian Люк Хардинг (статья «Лев Толстой — забытый гений») вопрошает: почему Россия равнодушна к его литературному гению? Но тут же поправляется, вспоминает о нынешних судебных разбирательствах.

Упомянутый в начале статьи эксперт по экстремизму Павел Суслонов пишет:

«В «Предисловии к "Солдатской памятке" и "Офицерской памятке"» Льва Толстого, «Предисловии к «Солдатской памятке» и «Офицерской памятке» Льва Толстого, адресованных солдатам, фельдфебелям, офицерам, содержатся прямые призывы к разжиганию межрелигиозной розни, направленные против Православной церкви... Памятка солдата-христианина не та, в которой сказано, что бог — это солдатский генерал и другие кощунства... а та, где напоминаются слова писания о том, что надо повиноваться Богу более, нежели людям, и не бояться тех, кто может убить тело, но души не может убить. Толстой предостерегает солдат об опасности: ...заразившись обаянием вооружённой силы, основанной на убийстве, проповедуемой шайкой разбойников... и прелестью игрушечных удобств и блеска того, что они называют культурой, вы... незаметно для самих себя лишитесь своих добродетелей — трудолюбия, миролюбия, уважения, и подпадёте под ужасную власть, влезающую в сокровеннейшие изгибы души человека, под которой гибнет и чахнет теперешнее европейское человечество...»

Интересный поворот, связанный с персонажем той песни — полицмейстером Плац-бек-Коком. Тот — первый из «немцев на военном совете». Потом будет Вейротер перед Аустерлицем, Пфуль перед наступлением Наполеона 1812 года, Клаузевиц с Вольцогеном в ночь перед Бородино.

Запомним найденные ключевые слова к кризису Льва Толстого: **«армия, Крымская война»** и вернёмся к ним после завершения экскурса по русскому декадансу.

Глава 9

Мельхиоровый
(он же Серебряный) век

«Серебряный век» — термин, без которого трудно обойтись в описаниях крушения Российской империи. Известная литературоцентричность русской истории не только в значительном, объективно замеренном общественном и политическом влиянии господ Герцена, Тургенева, Достоевского, Толстого, Горького, но и в том, что их персонажи давно воспринимаются как некие маркеры эпох. Александр II признавался, что накануне своих Великих реформ в тяжелейших раздумьях об освобождении крестьян ему лично помогло чтение «Охотничьих рассказов» Тургенева. Звёздный час русской литературы...

А учителем и воспитателем Александра II был Василий Жуковский.

Даже марксист Ленин, держа в уме свои «экономический базис», «надстройку», разграничивая период XIX — начала XX века на те самые «три этапа» — дворянский, разночинский, пролетарский — фактически повторил и продолжил герценовскую *литературную* периодизацию.

Наш литературоцентризм, являвший страницу учебника истории отчасти проекцией страницы учебника литературы того же периода, в случае нас интересующем, XIX — начало XX века, давал следующую картинку.

Начало XIX века — вспышка: Наполеоновские войны, декабристы, Пушкин, Лермонтов, Гоголь, Золотой век.

Потом немного скучнее — николаевское оцепенение, но... берёт старт другая тройка, наши литературные стайеры: Тургенев, Достоевский, Толстой. С ними об руку проходим фиаско Николая I, Крымскую войну, период Великих реформ, споры на всю страну демократов, либералов и консерваторов, народовольцев, «хождения в народ», взрывы, убийства.

Потом — тяжёлая пауза. Царствование Александра III было наименее представлено в наших учебниках. Это подтвердит элементарный подсчёт страниц, уделённых в учебниках этому периоду.

А в самом начале 1900-х — снова взрыв событий. Имён и подробностей упоминается бездна. Серебряный век. Советский учебник давал картину, напоминающую песочные часы: Золотой вск — узкий переход — Серебряный век. Снова есть о чём поговорить.

Отчасти предыдущий царь был и сам виноват, он же у нас — Александр Миротворец, отсутствие войн весьма подсушивало интерес к эпохе. Гигантские области в Средней Азии (Туркмения) присоединялись мирно и тихо. Одна из важнейших в истории России XIX века войн — «Тарифная война» с Германским рейхом (вторым) — была выиграна лучшим министром Александра Сергеем Витте, тоже, понятно, без выстрелов. Вставшая из небытия «широкая русская промышленность» (тогдашнее выражение), покрывшие страну железные дороги, мощнейшие порты, осуществившие настоящую русскую экспортную экспансию — всё это свершилось тихо, почти незаметно. И на страницы учебников истории (!) попала оценка Великой эпохи именно через... поэта, Александра Блока.

В те годы дальние, глухие,
В сердцах царили сон и мгла:
Победоносцев над Россией
Простёр совиные крыла...

К этим давно известным положениям я добавлю лишь некоторые моменты, связующие развитие России на рубеже XIX–XX веков с Серебряным веком, характеристики сего века, его генезис, список главных действующих персонажей, в общем, всё то, что и позволило мне именовать его *Мельхиоровым веком.*

Мельхиор — дешёвый сплав меди и никеля, долгое время использовавшийся как имитация серебра. Вилки, ложечки, ножи... Бывают всерьёз рассчитанные на удачу подделки, фальшивки, но мельхиор — крайне наивная, «мещанская» замена серебра. Примерно, как сейчас соотносимы бриллианты и стразы...

Вот попустил я здесь многострадальный эпитет «мещанская», и сразу чувствую некую вину, во всяком случае необходимость уточнения. Излюбленная мишень журнала «Крокодил» «мещане» 1950-х годов, после тяжелейших десятилетий желавшие, чтобы у них на столе «всё блестело и серебрилось», — наивные люди, невинные в сравнении с теми самодовольными, пресыщенными, экзальтированными негодяями Мельхиорового века, слушателями лекций Владимира Соловьёва, жадными зрителями ресторанных акций, инсталляций и скандалов.

Допустим, я со своей оскорбительной придумкой «Мельхиоровый век» тенденциозен. Оттолкнёмся тогда от бесстрастных, давно утвердившихся определений содержания Серебряного века, взятых не из памфлетов, но энциклопедий и справочников:

«Декаданс, апокалипсические чаяния, ощущение кризиса как в жизни, так и в искусстве, были связаны с распространением в России идей Шопенгауэра, Ницше и Шпенглера, с одной стороны, и с предвосхищением новых революций, с другой. Фиксируя состояние хаоса, осознание "конца" ницшеанцы искали — своего Сверхчеловека, символисты — Андрогина, акмеисты — Нового Адама, футури-

сты — "будетлянина". Крайний индивидуализм, эсте-
тизм (в декадентской части символизма), проповедь Ми-
ровой Души, нового дионисийства, соборности (у "млад-
ших" символистов)...»

И вновь вернёмся на перекрёсток литературы и истории:

> ...И не было ни дня, ни ночи,
> А только — тень огромных крыл;
> Он дивным взором очертил
> Россию, заглянув ей в очи
> Стеклянным взором колдуна...

В принципе, бывает, оценки поэтов принимаются историками, но, как правило, поэтический гений в тех случаях подкрепляется и личным живым взглядом: поэт +
очевидец, современник (Денис Давыдов, Жуковский в
1812 году). Но странная это картина, вдумайтесь: Блок,
пишущий в своём дневнике: *«Всё заволакивается. Первое*
марта. Победоносцев бесшумно садится на трон, как со-
ва». Это ведь о 1 марта 1881 года, об убийстве Александра II, воцарении ученика Победоносцева Александра III,
карьерном взлёте самого Константина Петровича. И со-
поставьте эту запись с годом рождения поэта — 1880-м...

Конечно, ту эпоху он представлял по книгам, журна-
лам, и если там написано: обер-прокурор Победоносцев
преследовал «одинокого философа», «рыцаря-мона-
ха» — то уж всё! Правда, гений и в своей ограниченности
гениален, и Блок, подбирая для Победоносцева ночную
птицу, посерее, помрачнее, выбирает именно **сову**! Вечный символ мудрости, спутница богини, отчеканенная на
монетах древних Афин. Но яркостью оперения и говор-
ливостью — да, уступает...

«В сердцах царили сон и мгла» — и это правильно
подмечено: несовпадение жизненного ритма заметно

не только на календаре, но и на циферблате. Уважающая себя богема засыпает принципиально не в те часы, что работяги. Попробуйте только представить клубы *«Бродячая собака»*, *«Приют поэтов»*, *«Башню»* Вяч. Иванова и прочие серебряновековые, равно и сегодняшние клубы, открывающимися в 7 утра, по заводскому гудку...

И главное, именно тогда, в той атмосфере, вполне богемно и «хипово» повели себя и Государственная Дума, потом и полиция, Генштаб, «бизнес-элита». Вспомнить хоть самого знаменитого капиталиста эпохи Савву Морозова: когда он фабриками-то успевал руководить? — целыми днями был с Горьким, актрисой Андреевой, свободными художниками, галеристами, мхатовцами...

И, говорят, застрелился в Ницце.

По поводу самого термина. От «Метаморфоз» Гесиода пошло деление: при Кроносе (Сатурне) был Золотой век, потом при Зевсе (Юпитере) — Серебряный, в понимании, что всё же поплоше. Более на нас похожим было приложение этой модели к древнеримским литературе и общественной жизни. Золотой век, Гораций, Овидий, Вергилий, потом некая пауза, затишье и — Серебряный век, Марциал, Проперций. И в России по началу определение «Серебряный» означало некое возобновление после паузы, хотя и не на таком уровне, как в Золотой век. Это потом уже Бердяев заявил, что всё-таки мы — самые утончённые, что «в России никогда ранее не было такой...».

И наш учебник литературы, словно бы «пожимая плечами», подтверждал: в 1880-е, 1890-е годы «господ писателей никого-с нет-с!.. Два великих умерли, третий Толстой изволил увлечься толстовством. От “Войны и мира”, “Анны Карениной” публично отрёкся... Ничего литературного не пишет-с... Так что тишина-с».

А потом сразу вдруг — целый фонтан: Блок, Бальмонт, Брюсов, Белый, символисты, акмеисты, футуристы, имажинисты...

Для вящей убедительности картины был проделан фокус: «зажившегося» Лескова (!), плодотворно работавшего аж до 1895 года просто вычеркнули из схемы. Он, правда, много ещё чем провинился перед создателями схемы, и наши учебники литературы составились вообще без автора «Левши», «Тупейного художника»...

Далее по культуре эпохи «Дна династии», самой утончённой в истории России, по определению Бердяева, свидетеле и важном соучастнике кризиса империи, я пройду пунктиром нескольких выразительных фактов из Серебряного века.

1. Не поделённое покушение

Евгения Ланг свидетельствовала: *«Брюсов выступал с большим успехом, как обычно. По завершении лекции, в большой тесноте к ним протиснулась молодая поэтесса Нина Петровская, выхватила револьвер, нацелилась Брюсову в лоб. Но тот уверенным движением поддел её руку. Пуля вонзилась в потолок. У Нины ранее был роман с Брюсовым».*

Такое может случиться во многих творческих сообществах, но всё дальнейшее — только у мельхиоровцах. Щербаков и Ашукин, авторы книги о Брюсове, писали: «Со свойственным ему эгоцентризмом бывший на том вечере Андрей Белый принял это как покушение на себя».

Сам Андрей Белый вспоминал: *«Нине пришла фантазия или рецидив в меня выстрелить, но побеждённая (**моей**) лекцией, она вдруг обернула гнев на Брюсова, выхватила револьвер...»*

Не поделённой оказалась не только попытка убийства, но и сама поэтическая, *побеждающая дам* лекция: Брюсова или Белого? (Больше всё же свидетельств, что — Белого.) А револьвер из руки поэтессы Петровской по разным воспоминаниям выбивали: сам Брюсов, поэт Соколов-Кречетов, поэт Элис...

Той бы первой свидетельнице, Евгении Ланг, сестре Александра Ланга, тоже — не смейтесь — поэта (в Серебряный век их в Петербурге было больше, чем извозчиков, банщиков и городовых вместе взятых), сообразить и подыграть: раз уж у поэтессы Петровской в руке был **семизарядный** револьвер, то намеревалась она стрельнуть: и в Брюсова, и в Белого, и в поэта Соколова-Кречетова (две пули? На такую важную двуглавую поэтическую птицу?), и в Элиса, и в Ланга. А подослали её на лекцию символистов, допустим, акмеисты или имажинисты, *это —* или просто — футуристы.

А вы ещё изволите толковать о Пугачёвой с Галкиным, Киркоровым, о Наташе Королёвой с Королёвым, Тарзаном, или о Билане с Рудковской и кем-то там ещё...

2. Дуэль... Будем стреляться — сквозь Фату Моргану

Однажды поэт Максимилиан Волошин создал, на базе творчества молодой поэтессы Елизаветы Ивановны Дмитриевой, как ныне выражаются, проект *«Черубина де Габриак»*. Свою роль «продюсера» выполнил «под ключ», придумав кроме звучного псевдонима несколько установочных биографических штрихов: красавица, католичка, талантливейшая поэтесса, таинственная, не желающая показываться в тусовке. Обеспечил начальную рекламу, написал предисловие к первой подборке стихов Черубины в журнале «Аполлона» № 2 за 1909 год.

Бурный успех. Страстно влюбившемуся в «католическую поэтессу» Маковскому, редактору «Аполлона», нужно было предъявить хоть что-то, и он получает: Её Голос. Черубина периодически звонит ему, определителей номера ещё не придумали...

Дальнейшие черты образа Прекрасной Незнакомки прорывались в прессу уже помимо воли «продюсера» Волошина: «графиня, воспитывалась в католическом монастыре, огненно-рыжая, редкой красоты, рано потеряла мать, полностью предана своему исповеднику, полна мистической, почти кощунственной любви к Христу, мечтает посвятить ему жизнь».

Это практически чистый конденсат ожиданий тогдашнего общества, его среднеарифметических представлений о красоте, романтике, *обо всём изячном*...

Художник Николай Врангель встречает поезда, на которых, как сообщали, она приезжает в Петербург, и бросается в ноги уже десятой рыжеволосой девушке. Константин Сомов объявил, что готов для сохранения тайны поехать с завязанными глазами к Черубине и рисовать её портрет.

Её точно видели на балу у княгини такой-то. Главный Дон Жуан «тусовки» Николай Гумилёв почти уже отбил Черубину у Маковского.

Потом... какая-то интрига с участием Михаила Кузмина, получившего и передавшего редактору её номер телефона. Дрожащий (наверно) Маковский снимает трубку, диктует цифры барышне-телефонистке и слышит голос: «Елизавета Ивановна слушает».

На неизбежном теперь личном свидании Черубина показалась Маковскому очень некрасивой (Дмитриева хромала и болела чахоткой), совершенно неромантичной, и, что характерно, стихи её (теперь) были такими же унылыми. Публикации прекратились. У оскорблённого «почти покорителя красавицы Черубины» Гумилёва произошла дуэль с «продюсером» Волошиным, по счастью, бескровная.

Что красивее: *Черубина де Габриак* или, например, *Лада Дэнс, Крис Кельми* (ещё один современный рок-музыкант, в миру Толя Калинкин) — это оставим на усмотрение читателя, важнее — известные принципы поэтов-символистов: «Жизнь поэта должна быть продолжением творчества» и «Поэт должен сам творить свою жизнь, как и свои стихи». То есть: биография поэта столь же важна, как и стихи. И — пресса им в помощь! — начиная с 1900-х, в отличие от *тех годов дальних, глухих, когда в сердцах царили сон и мгла,* в Мельхиоровом веке каждый божий день полон сенсациями, скандалами, интригами, расследованиями.

И чем это принципиально отличается от нынешней тусовки с сергезверевым, никасафроновым, пугачёво-киркорьем? Кое-чем всё же отличается, и признать необходимо следующее. Многие поэты и художники были очень талантливы, но большинство из них по-настоящему реализовало свой талант вне эстетических и хронологических рамок Серебряного века. Последние протянулись аж до 1940-х годов, до кончины главных представителей эпохи, но это, по-моему, полный сбой систематизаторства. Или умышленное подыгрывание мельхиоровцам, расширение сферы их достижений. Пушкин не был в 1835 году «Сверчком» арзамасского кружка. Достоевский в 1880 году не был петрашевцем, и то собрание говорунов 1848 года не имеет права приписать себе шедевры последующих эпох, например, *«Братьев Карамазовых» и «Россию и Европу»* (Николай Данилевский тоже посещал петрашевские пятницы). Лучшие из мельхиоровцев, переживших трагедию 1917 года, показали пример Преодоления. Когда-то в них словно ткнули пальцем: *«Вы будете назы-*

ваться *Серебряный век*, "*соловьёвцы*" (высший эпитет для Блока, Вяч. Иванова)», сделав индивидуально талантливых коллективно бездарными. Но вне этой «тусовки», кто в Воронеже, кто в Праге, кто в очереди к лубянковскому окошку приёма передач, они мучительно преодолевали и преодолели ту серебряновскую эпидемию.

Пусть для этого должен был прекратить существование их журнал «Весы», закрыться сотня газет — пусть и вместе с Госдумой, быть разогнанной *тусовка* — пусть и вместе с Учредительным собранием... И хотя главный редактор «Весов» Валерий Брюсов говорил читающей публике преимущественно о себе, любимом, в остальном как-то поддерживая среднедекадентский уровень, должна была закончиться целая эпоха, страна, чтобы новое, гораздо более плодотворное объединение *Русский авангард* «переформатировало» уцелевших, доказав, сколь бездарным было их предыдущее «залиговывание». Характерно, что наибольшие успехи «Русского авангарда» были в 1920-е годы. (А дягилевские сезоны это всё же гениальный тюнинг классического балета, *надоедавшего* ещё Евгению Онегину.)

«Русский авангард» продвигали уже преимущественно футуристы, хотя и записанные в «каталоге» Серебряного века в одном ряду, через запятую со старшими и младшими символистами, *акмеистами, имажинистами,* *но* выросшие на эстетической ненависти к символистам. *Футуристическая* **«Пощёчина общественному вкусу»**, вышедшая под новый, 1913 год, и сборник «Смена вех» (1922) закрывали «проект» Соловьёва и Бердяева и показали пример Преодоления.

Из манифеста **«Пощёчина общественному вкусу».**
«Кто же, доверчивый, обратит последнюю Любовь к парфюмерному блуду Бальмонта? В ней ли отражение

мужественной души сегодняшнего дня? Кто же, трусливый, устрашится стащить бумажные латы с чёрного фрака воина Брюсова? Или на них зори неведомых красот?

Вымойте ваши руки, прикасавшиеся к грязной слизи книг, написанных этими бесчисленными Леонидами Андреевыми.

Всем этим Максимам Горьким, Куприным, Блокам, Сологубам, Аверченко, Чёрным, Кузминым, Буниным и проч. — нужна лишь дача на реке. Такую награду даёт судьба портным.

С высоты небоскрёбов мы взираем на их ничтожество!»

3. Просветление Саши Чёрного

С подросших за эти сто лет *небоскрёбов* можно и нам «воззреть», бросить прощальный взгляд хотя бы на одного из списка футуристически проклятых.

Саша Чёрный — главная звезда журнала «Сатирикон» и прочих дореволюционных остросатирических изданий. Другой псевдоним, помимо Чёрного, у Александра Михайловича Гликберга был Мечтатель.

«*...Дерзкая политическая сатира... обличение мелочности, пустоты и однообразия суетного мещанского существования... сочетание сарказма с нотами пессимизма...*» — это я скачал из статей о Саше Чёрном, а сами его стихи могу воспроизвести даже на память — они были положены на музыку и составили великолепную пластинку Александра Градского «Сатиры»:

> В книгах гений Соловьёвых,
> Гейне, Гёте и Золя.
> А вокруг от Ивановых
> Содрогается земля.

> На полотнах — Магдалины,
> Сонм Мадонн, Венер и Фрин,
> А вокруг — кривые спины
> Мутноглазых Акулин.

Пример Чёрного хорош тем, что у него есть и талант, и чувство долга: в 1914 году он ушёл на войну. Пусть не на передовую, как Гумилёв, а солдатом при полевом лазарете, но и это — реальный подвиг на фоне остальной декадентской «тусовки». А то, что в марте 1917 года Саша Чёрный был Временным правительством назначен заместителем комиссара Северного фронта, это, конечно, больше говорит о самом правительстве. Я уж описывал «поддувавший» в ту эпоху под всё и всяческие двери богемный дух — и бизнес-элита (Савва Морозов), и Дума, и правительство.

Как-то я пытался до-представить, до-вообразить: а вдруг возникла бы какая-нибудь бюрократическая, политическая надобность у секретаря *Чрезвычайной следственной комиссии Временного правительства* написать по какому-то поводу замкомиссару Северного фронта? И тогда в анналы нашей истории попала бы «Служебная переписка» двух высокопоставленных сотрудников Временного правительства Александра Блока и Саши Чёрного... Может, даже с постскриптумами... *а ещё вчера ночью я написал вещицу.*

А если бы у секретаря Чрезвычайной следственной комиссии Временного правительства А. Блока возникла служебная надобность прояснить ситуацию на Юго-Западном фронте (всё-таки именно командующие фронтами вместе с Гучковым-Родзянко ссаживали Николая с престола), то... и там он наткнулся бы на родственную душу: помощник комиссара фронта — известный литературный критик Виктор Шкловский.

Но это я отвлёкся. А Сашу Чёрного в эмиграции захватывает жуткая тоска по России. Далее — нарезка из критических статей о нём:

«...начиная с цикла "Русская Помпея" (1919), впервые обозначившем мотив ностальгии, отчётливо звучащий в эмигрантском творчестве поэта... Щемящей тоской по утраченной Родине, острым ощущением бесприютности пронизаны книга стихов Чёрного "Жажда" (1923), поэма "Кому в эмиграции жить хорошо" (1932), обнаружившая единственного счастливца на чужбине — малыша в кроватке...»

Понимаете ли вы... всю громадность разницы (как между живым человеком и паспортной "фоткой")?! *То*, что «*...в книгах гений Соловьёвых*» — это ему сказали когда-то. Ткнули, очертили наставническим ногтем в книжке: Зазубри! Передай по цепочке говорящих попугаев...

А то, что «*...сотрясаемая Ивановыми земля*» и была его Земля обетованная, утраченная — это он дошёл сам. Жизнью дошёл.

4. А ещё в знаменитой «Башне», кружке Вяч. Иванова, однажды...

...но не будем тянуть дольше и дальше цепочку подобных Историй... Прервёмся, ибо Ценители утончённой философии, поэзии и такую уже сочтут за дискредитацию. Скажут, что оценивать поэтов, философов надо «по творениям», а не как в школе — «по поведению». Но наиболее значительные произведения лучших творцов Серебряного века написаны ими после, пускай и вынужденного, как ссылка Пушкина, ухода из той «тусовки», вернее, после её «закрытия в связи с известными событиями — революцией и Гражданской войной». Мандельштамо-, Ахматово- и Цветаевоведы это подтвердят.

О талантах же Черубины, Брюсова, Бальмонта, ещё трёх дюжин поэтов, которые, например, запечатлены на лекции Белого/Брюсова в хороводе вокруг револьвера поэтессы Нины, и о талантах сотнях других, которые не попали на знаменитую лекцию, сегодня сказать сложно. Тогда-то на них глядели, как в подзорную трубу, как в детский игрушечный калейдоскоп, а для реального рассмотрения их талантов нужен микроскоп, причём мощный.

Только Блок, Хлебников и Гумилёв целиком «уместились», «уложились» (с разной степенью добровольности) в ту эпоху. Как в гроб. Может и серебряный, но в *их* случае — НЕ мельхиоровый. А Блок сумел ещё и водрузить надгробный памятник нерукотворный, поэму «Двенадцать».

5. Полная эстетическая несовместимость

И уж конечно, *самые утончённые*, по восторженной оценке Бердяева, *в истории русской культуры* герои Серебряного века не могли не проявить своих эстетических пристрастий в связи с важным российским событием — открытием памятника Александру III. Смешно было и надеяться, что декадентская «тусовка», вырвавшаяся на свой «праздник жизни» из эпохи, когда «...*царили сон и мгла*», высказала бы какие-то тёплые слова в адрес того, кто олицетворял строгость, дисциплину, повседневный труд, скуку... «*Сдержанную сосредоточенность, собирание сил... простую обыденную внутреннюю деятельность*» (Менделеев).

Но здесь ведь ещё и сошлось: кроме строгого, скучного царя, героем газетных статей, общественных толков стал и его чугунный образ — памятник, воздвигаемый на Знаменской площади Петербурга скульптором

Паоло Трубецким. Точь-в-точь как когда-то в глазах читающей публики двоились царь Пётр I и «Медный всадник»...

Адепты «всего изячного», утончённого были потрясены: «...*Упёршись рукой в грузную ляжку, пригнув чуть ли не к самым бабкам огромную голову коня-тяжеловоза туго натянутыми поводьями, сидел тучный человек в одежде, похожей на форменную одежду конных городовых... в такой, как у них, круглой барашковой шапке, с такой, как у многих из них, недлинной, мужицкого вида, бородой — "царь-миротворец" Александр III».*

Двойной вызов. Ведь устанавливали-то памятник в 1909 году, в самый расцвет мельхиоровой утончённости и, конечно, могли бы вылепить Александра III каким угодно, под самый модный тогда вкус. Поставить скульптору в качестве модели... да хоть Вацлава Нижинского с приклеенной бородой. Но искренний дар Паоло Трубецкого, честная память ближайших сотрудников царя (открывал памятник граф Витте) и вдовствующей императрицы Марии Фёдоровны, позволили установить на Знаменской площади то, что тогдашние декаденты постигнуть были просто не способны, назвав пугалом, карикатурой.

В итоге контраст двух эпох оказался запечатлён навечно. Во всех катастрофах, свержениях XX века удивительной, невероятной судьбой сохранился этот памятник «реакционнейшему царю». Как сохранились и все вороха убогих эпиграмм, статей, им вызванные. Из самых приличных — *«Чугунное пугало»* (Д. Бедный), *«Стоит комод, На комоде бегемот, На бегемоте обормот, На обормоте шапка, На шапке крест, Кто угадает, Того под арест»* (Аноним). Из реплики одного из лучших художников эпохи: *«Россия, придавленная тяжестью одного из реакционнейших царей, пятится назад... Толстозадый солдафон!»* (Илья Репин).

Тем более показательно, что Илья Ефимович был автором одного из лучших портретов государя-императора. Точнее, картины *«Приём волостных старшин Александром III во дворе Петровского дворца в Москве»*, написанной, правда, в другую, ***до***-мельхиоровую эпоху. И изображён на ней царь тоже отнюдь *не Нижинский*... а примерно той же величественной комплекции, осанки, что и в памятнике. А стоящие пред царём крестьяне замерли в почтительном понимании, может, даже озарении: вот, сподобились они увидеть того, на ком держится вся страна. Словечек вроде *«реакционнейший»* тогда ещё не нахватались ни они, ни автор картины.

А от какой пропасти *пятилась придавленная* Александром III Россия, предстояло узнать через неполных восемь лет...

Белые складчатые шторы на окнах «Русского музея» предназначались главным образом против прямых солнечных лучей, бликов на картинах. Никогда они не раздвигались, и неизвестно, в чём была причина исключения, но однажды советскому школьнику, примерно в 1974 году, довелось увидеть во внутреннем, уж точно закрытом от всех посетителей дворике музея гигантскую, пугающую, абсолютно непохожую ни на одну установленную или сохранившуюся в СССР скульптуру... Забыв про все картины того зала, несколько минут *я* не мог оторвать взгляда от громадного, невероятного всадника и его коня, как-то непонятно упершегося передними копытами в самый край постамента. Ни тогда, имея в зрительном багаже разве что «Медного всадника» и «Николая Первого» на Исаакиевской площади, ни теперь, в журналистских и писательских странствиях умножив сей багаж многократно, я так и не увидел хоть что-то подобное тому вызывающему шедевру. Не нашёл места в мировом конно-монументальном ряду, куда бы можно было приставить Александра III...

Вернувшаяся служительница опустила занавесь. Семьдесят лет на внутреннем музейном дворике укрывался монумент этого царя, когда и гораздо более невинные памятники — гораздо более невинным (невиновным перед «мировым прогрессом») персонам были стёрты в порошок. Но кем-то же сохранялся этот двойной, политический и эстетический вызов Мельхиоровому веку, революции.

Конечно, не утверждаю, что тогдашний обычный советский школьник с «физико-математическим уклоном», взглянув на эту скульптуру, хоть что-то постиг, уразумел. Но помню смутное подозрение, предчувствие, что постигать тут есть чего. Какая-то альтернатива, вариант, противостоящий картинкам русско-советской истории, которые нам крутили по школьно-вузовскому фильмоскопу. Возможно, и мне по какому-нибудь случаем доведётся что-то узнать об этой альтернативе...

Сегодня «Александр III» стоит возле Мраморного дворца на Марсовом поле. Приехав в феврале 2012 года для записи серии передач на «Радио России–Санкт-Петербург», я постоял у его подножия, обошёл вокруг... Подивился. Я, конечно, собрал далеко не полное досье на эту Мельхиоровую «попсу» (она же Серебряный век), но файл словоизвержений по поводу памятника просматривал внимательно. Там точно нет аналогии, которая на свежий взгляд просто просится! Та самая *Россия, придавленная тяжестью... пятится назад*, и могучий всадник, строго вертикальный — ни градуса наклона, ни тени движения... Это же васнецовский «Витязь на распутье», где конь так же упёрся передними копытами перед невидимым нами камнем с высеченными зловещими строками «выбора» («*Направо пойдёшь... Налево...*»).

И... самая неприятная, давящая догадка: правая рука царя, *упёртая... в грузную ляжку* — жест тяжелой паузы, отстранённости. Именно с таким жестом, тяжко задумавшийся на распутье всадник, отпустив поводья, предоставляет выбрать дорогу — своему коню... Здесь вся жизнь царя Александра III, многими трудами сведённая к 49 с половиной годам. Убийство отца, непонимание «общества», неоцененный подвиг 13-летнего царствования, тяжёлыс прсдчувствия по поводу бсздарпых паслсдников... В общем: выбирай, Россия!

Обошёл я памятник ещё раз, пощёлкивая своим «Кодаком». Февральский снег сползал порванной накидкой с могучих царских плеч. Подумал, помечтал о такой обложке для новой книги.

Глава 10
Как довести проблему до статуса «неразрешимая»?

В пяти предыдущих главах речь шла в основном о фактах нематериального характера: настроениях, мнениях, истерике, декадансе и пораженчестве в обществе, дошедшем до «дна династии» Романовых. Допустим, капитан, команда, пассажиры сошли с ума, постреляли друг друга, попрыгали за борт — кто в шлюпки, а кто и в воду... Но что же творилось с самим кораблём? Подробно описывать тенденции, происходившие в промышленности, сельском хозяйстве, политической структуре, в численности и благосостоянии российского населения, не представляется возможным, но вполне реально проследить за развитием главного «вопроса» в России XIX — начала XX века. Это, конечно, «крестьянский вопрос».

Если пройти вспять от 1917 года к самому началу революционного противостояния, проследить объективные противоречия, претензии, расколовшие страну и общество, то неизбежно вернёмся к «крестьянскому вопросу». Собственно у народовольцев, объявивших войну российскому правительству, и не было других лозунгов, целей, кроме «освобождения крестьян с землёй». Дотошный исследователь может напомнить, что была ещё и масса претензий по части регламентов университетской жизни и свободы печати... но студенты и литераторы, главные наполнители народовольческих ячеек, вполне искренне постыдились бы свести *великий спор с цариз-*

мом, исторический конфликт к своим узким «корпоративным» интересам. Сочувствие в обществе, да и собственный моральный тонус им обеспечивало как раз то, что они действовали *не за себя, не для себя*.

Вполне крестьянские, земельные и названия их организаций — *«Земля и Воля»*, *«Чёрный передел»*. Последнее, может, и звучит похоже на общество террористов с другого континента — *«Чёрные пантеры»* и вообще несёт какие-то зловещие ассоциации: чёрный юмор, чёрная неблагодарность, почернеть от злости... но в действительности-то в деревне чёрным переделом назывался весенний передел крестьянской общиной земельных полосок в зависимости от роста семей и трёхпольной обработки земли: пашня, покос, пар... «Чёрный» означало — непосредственно на земле, без юридических процедур и бумаг. Позже чёрным переделом называли мечту крестьян — однажды во время весеннего межевания поделить и помещичью землю.

В предыдущей части я, может, и несколько иронически сравнивал выстрел первого покушения на царя с выстрелом из стартового пистолета эпохи террора, фиксировал внимание на следственном признании Дмитрия Каракозова, что у него был катар желудка: очень-очень болезненный и в то время без шансов на излечение, в общем, *всё равно помирать*... Чистая правда. Но надо тогда сказать и о самом первом признании Каракозова, через секунды после выстрела в Летнем саду, когда случайный свидетель Осип Комиссаров успел ударить его по руке. Спасённый император подошёл к схваченному террористу, спросил: *«Ты поляк?»* — *«Русский»*. — *«Почему ж ты стрелял в меня?»* — удивился император. — *«Ты обманул народ, обещал ему землю, да не дал»*.

Очень тяжело, после всего выше сказанного о террористско-декадентском, засулично-соловьёвском «клубке», прикатившемся на самое *«дно династии»*, признать, что... в аграрном вопросе народовольцы всё же были правы. Но с другой стороны, в деле разрушения государства они, конечно, не правы. Но с другой, дворяне сами...

Припомните хоть тысячу исторических, политологических книг, дискуссий в прессе — в них всё сводится к этому самому: с одной стороны... но с другой стороны... Оставляя в стороне эту данность, наличие двух сторон у любой монеты, в трёхвековое обсуждение крестьянского вопроса я привнесу только один момент — некоторые косвенные свидетельства, говорящие о тогдашней его фатальной неразрешимости. И добавлю несколько неожиданные, я полагаю, аналоги той неразрешимости в сегодняшней политической, экономической ситуации.

Во вступительных главах фиксировалось: и официальное закрепощение крестьян (Соборное уложение 1649 года Алексея Михайловича), и «ползучая эскалация» крепостничества вплоть до конца XVIII века (мой условный термин: «развитое крепостничество») были прямо связаны именно с модернизацией государства. Модернизацией в главных жизненно важных сферах: военной и военно-промышленной. Большую часть того пути — с документально зафиксированного (Вестфальским трактатом 1648 года) предпоследнего места на первое — все сословия России прошли, как говорят, «рука об руку». И в целом весь период русской истории до «развитого крепостничества» иллюстрируется такими выразительными примерами, как наличие в Судебниках 1497 и 1550 годов статей, посвящённых *воспрепятствованию служилым (помещикам) отдаваться в холопы, чтоб избежать государственной службы.*

Это общенациональное единство сословий было нарушено в XVIII веке примерно следующей последовательностью шагов:

1. 1718–1724 годы — податная реформа: прикрепление крестьян проецировалось на новую, «петровскую Россию», плюс устанавливался предельно жестокий порядок сбора податей — расквартированными воинскими частями (подобно взиманию контрибуций на вражеских землях);

2. 1747 год — предоставление помещику права продавать своих крепостных в рекруты третьим лицам;

3. 1760 год — предоставление помещику права ссылать крестьян в Сибирь;

4. 1762 год — принятие Манифеста о дворянской вольности;

5. 1765 год — предоставление помещику права ссылать крестьян на каторжные работы;

6. 1767 год — запрет крестьянам подавать челобитные на своих помещиков;

7. 1783 год — распространение крепостного права на Левобережную Украину;

8. 1785 год — «Жалованная грамота» Екатерины II: 92 статьи, подтверждающие и существенно расширяющие права дворянства, дарованные Манифестом 1762 года, например, важная монополия на винокурение.

И далее — классическое «развитое» крепостничество, почти рабство, и борьба с ним: Радищев, декабристы, народовольцы... Важно отметить, что докрепостническое государство было, выражаясь нынешними терминами, «равноудалено» от обоих главных сословий. Высшая справедливость проявлялась в сугубо «технологическом» разграничении их прав и обязанностей: вы — *служилые*, вы — *тягловые*. Помню, как в школе нам внушали, что знаменитый Юрьев день, «единственный день, когда крестьянин мог уйти от помещика», — доказательство жуткого закабаления, почти рабства.

Да и сегодня факт такого «тотального ограничения передвижения человека в течение всего года, кроме Юрьева дня» представляется кошмарным насилием. Вот вам пример ложного восприятия, смешения психологии нынешних офисных сидельцев и русских крестьян.

Да, Судебник Ивана III (1497 год) ограничивал срок перехода крестьян Юрьевым днём (26 ноября), а точнее — неделей до и неделей после Юрьева дня. То есть с 19 ноября по 3 декабря была свобода перемены мест. Тоже вроде мало... НО... Вообразите реально жизнь, годовой цикл, вселенную тогдашнего крестьянина. ДО окончания осенних работ весь результат его труда лежит на поле, «на земле». Крестьянин прежде всего был заинтересован в надёжном «прикреплении к земле» до уборки урожая! И тот самый Судебник 1497 года как раз строго *запрещал землевладельцам прогонять крестьян* с земли до Юрьева дня! После него две недели отводились на расчёты, когда крестьянин — *собственник (!)* урожая — должен был рассчитаться *по договору (!)* (т. н. «*порядная*») с помещиком, так, чтобы тот мог остаться *служилым* и явиться на зимний сбор или на войну при оружии, сам-конь, с вооружённым слугой или слугами (в зависимости от величины поместья). А крестьянин, реализовав свою часть урожая, мог две недели ходить, искать нового места.

За две недели далеко да на транспорте того времени не уйдёшь. Но далёко уходить опасался и сам земледелец, потому что все его сельскохозяйственные знания и навыки могли не пригодиться в других природных климатических условиях. Факт из моей книги «*Ближний Дальний Восток. Предчувствие судьбы*»: в конце XIX века крестьяне, расселившись в Уссурийском крае, сначала очень радовались: кошмар европейской части страны, засуха Приморью точно не грозила! Но оказалось, что при той влажности и той почве... *колосовые хлеба слишком растут в стебель и листья, а развитие зерна задерживается; чрезмерно размножаются грибки, паразитирующие на растениях и производящие различные болезни и особенно гибель-*

ный *«пьяный хлеб»*. Только мощное содействие государства (транспорт, агрономы, врачи, учителя) позволило переселенцам выжить и со временем подобрать подходящий для Дальнего Востока набор сельхозкультур.

А уж в XIV–XVI веках даже перемещение на 100–200 вёрст было для земледельца сродни выходу в открытый космос. Большие броски совершали казаки, охотники за пушниной. Земледельцу *такая* «свобода передвижения» была, очень мягко выражаясь, не нужна. Так что не стоит жалеть «бедных русских крестьян», которые не могли ни до 19 ноября съездить в Анталию, ни после 3 декабря — в Хургаду.

Однако надо признать: Юрьев день был отменён. Начиная с трудов историка Татищева считалось, что отменено право крестьянского выхода указом царя Фёдора Иоанновича 1592 года, который не сохранился, но который, будто бы, подразумевается в указе 24 ноября 1597 года (о пятилетнем сыске крестьян), за который очень корят Бориса Годунова. (Кстати, для справки всем пишущим о *«непрерывном нарастании рабства, постоянном усилении эксплуатации»*: в 1601 году Борис Годунов, будучи уже царём, **разрешил переход** крестьян по всей России (кроме Московского уезда), но только от мелких владельцев к мелким. Последний пункт ещё раз раскрывает и причину предыдущих запретов: переходы от мелких хозяев к крупным, особенно к монастырям, лишали экономического обеспечения основную массу служилых, то есть «дворянскую поместную конницу», тогдашнюю русскую армию. Такие переходы остались под запретом и после 1601 года.)

И уже после царя Бориса, после первого самозванца новый царь Василий Шуйский пишет в своём указе, обвиняя предшественника: *«Царь Феодор по наговору Бориса Годунова, не слушая совета старейших бояр, выход крестьян заказал»*. Но можно и даже очень нужно отнестись с осторожностью к словам царя Василия, одного из главных, наряду с Николаем II, «лузеров» русской истории. Пример общего этим двум неудачникам лукавства: царь Василий, критикуя Бориса Годунова за указ 1597 года, забывает упомянуть указ 1601 года.

А Николай II хотя и пытался подражать и стилизоваться под Алексея Михайловича (сам с императрицей наряжался, министров заставлял щеголять в шубах XVII века, сына-наследника назвал Алексеем), на самом деле своими делами весьма походил на царя Василия Шуйского, — дойдёт по необходимости и до этого речь.

После историка Татищева и Костомаров возлагал ответственность за отмену Юрьева дня на указ царя Фёдора (при фактическом правителе Годунове).

Но Погодин и Ключевский делают более правильный акцент: Юрьев день не отменялся законом. Виновата тяжесть социально-экономических условий, задолженность крестьян. Ключевский писал: *«Крестьянское право выхода замирает само собой, без всякой законодательной отмены его... крестьяне уже до предполагаемого указа царя Феодора Иоанновича фактически не пользовались правом выхода»*.

Всё вышесказанное, надеюсь, как-то корректирует сетования по поводу «вековечного русского рабства», выдвигая на рассмотрение главную «рабскую зависимость» — зависимость от Природы. Юрьев день и его отмена, крепостное право и его отмена, всемогущая сельская община и её отмена — это всё как бы реплики России, её фразы в мечтательном, неспешном (по-русски) разговоре с Создателем.

Выражаясь высокопарно, Тот, Предписавший орбиты небесным светилам, Отделивший сушу от моря, Давший направление Гольфстриму... решающим образом повлиял и на пути развития российского сельского хозяйства.

Период, пригодный для сева и уборки урожая на широте Твери и выше — четыре месяца в году. На широте Москвы — чуть более пяти месяцев (с середины апреля до конца сентября). И только южнее, в Черноземье крестьянин может работать половину года.

В Западной же Европе земля сельхозпригодна девять месяцев, и в большей её части скот может пастись круглый год, что делает ненужной громадную часть русского сельхозсезона — заготовку сена.

Располагая в году на 50–100% меньшим временем, наш крестьянин вынужден работать более *аврально*, более *артельно*, что имеет, если проследить достаточно тщательно, важнейшие даже политические следствия. Как эта рождённая русским климатом, почвой особенность сказалась и на русской философии, русском понимании свободы, будет рассмотрено в главе 11 («Освобождение крестьян и... русская свобода от "свобод"»).

Общую, интегральную оценку российских условий для сельского хозяйства можно доверить одному очень квалифицированному немцу, сказав предварительно несколько слов о нём самом.

Август фон Гакстгаузен — учёный, писатель, исследователь России. Родился в 1792 году в Вестфалии.

В 1829 году первая же его работа по аграрному вопросу была высоко оценена прусским кронпринцем (наследником престола). Гакстгаузену поручили исследовать и описать аграрный строй всех прусских провинций. Барон начал с восточных провинций — Бранденбург, Восточная Пруссия, Померания и обнаружил, что в тех областях Германии, где ранее жили славяне, *«коренятся... какие-то загадочные отношения, не вытекающие из основ чисто германской народной жизни»*. А конкретнее, Гакстгаузена весьма поразили элементы функционирования сельской общины на прусской земле, и это побудило его исследовать Россию, «*эту колыбель славянского племени*».

В мае 1842 года русский посол в Берлине написал, что путешествие Гакстгаузена по России могло бы послужить нам на пользу. Император Николай повелел назначить немцу пособие в 1500 руб., «*...не делая, впрочем, из сего путешествия меру правительственную*».

Примечательно, что в это самое время предыдущий визитёр, маркиз де Кюстин издавал в Париже «Библию русофобии» — книгу «*Россия в 1839 году*».

И министр госимуществ граф Киселёв прикомандировал к Гакстгаузену чиновника Адеркаса содействовать, но вместе с тем «*...отстранять незаметным образом всё то, что могло бы сему иностранцу подать повод к неправильным и неуместным заключениям, которые легко могут произойти от незнания им обычаев и народного быта нашего отечества*».

Тщетная предосторожность! В том смысле, что если Адеркасу и приказывалось бороться с возможным «очернительством», то абсолютно напрасно, ибо Август Гакстгаузен вернулся из своего путешествия совершенно влюблённым (насколько сей эпитет можно применить к учёному-педанту, немчуре) в русскую деревню, русскую сельскую общину.

Парадокс в том, что даже и славянофилы поколения Аксакова, Киреевских пели поэтические гимны русской деревне, не зная её так, как узнал Гакстгаузен. Этот феномен подмечен и в разбираемой работе Константина Леонтьева, где он цитирует Владимира Соловьёва (в этом вопросе с ним соглашаясь): «*Прежние славянофилы Киреевский, Хомяков, Самарин, Аксаковы были, скорее, поэты, мечтатели, и только один Данилевский предъявляет более других научные притязания*». Это второе поколение славянофилов, Данилевский, как коммунисты к марксову «Капиталу», обращаются к книге Августа

Гакстгаузена «Исследования внутренних отношений народной жизни и в особенности сельских учреждений России»:

*«Каждый русский селянин принадлежит к какой-нибудь общине, и как член общины имеет равномерный участок земли... в России нет пролетариата... До всех государствах Западной Европы существуют предвестники социальной революции против богатства и собственности. Её лозунг — уничтожение наследства и провозглашение прав каждого на равный участок земли. В России **такая** революция невозможна, так как эти мечты европейских революционеров имеют уже своё реальное осуществление в русской народной жизни...»*

Ах, мой милый Август(ин)! Если бы всё было точно так...

Проехав за 8 месяцев более 11 000 вёрст, в начале 1844 года Гакстгаузен вернулся в Германию. В 1847 году его книга вышла на немецком и французском языках. Русскому правительству работа показалась весьма полезной, было выделено 6000 рублей на издание.

Энциклопедия Брокгауза, статья «Гакстгаузен»:

«Он старался проникнуть во внутренний мир русск. крестьянина, и ему удалось сделать массу наблюдений и даже открытий, особенно в области аграрного строя (главы о половниках, о колонизации в России). В 3-м томе помещена глава об общинном землевладении, составляющая главную заслугу Г. Можно сказать, что Г. открыл у нас общину: хотя ещё в Екатерининскую эпоху она обратила на себя внимание правительства и литературы, но замечания Болтина (1788) и других были уже давно забыты. Г. указывает на патриархальный характер русской общины, усматривая в ней расширение семьи. Общность полей, по его мнению, исчезла в домосковскую эпоху и вновь возродилась в XVIII веке под влиянием подушной подати. Г. горячо ратует за сохранение общинного строя, как единственного средства предохранить Россию от пролетариата. Он не отрицает невыгодных его последствий для развития сельского хозяйства, но советует устранить их, не касаясь самого принципа общины. Исходной точкой Г. при обсуждении крестьянского вопроса было положение, что "уничтожение или преобразование крепостного права в России должно рассматривать как местный, а не общегосударственный вопрос". Указывая на "необходимость крупных поместий для культурных усовершенствований, а следовательно, и благосостояния народа", он утверждал, что во многих местностях России нельзя ещё хозяйничать при вольнонаёмном труде. Он полагал, что крепостное право в России может быть уничтожено лишь постепенно; он требовал лишь ограничения его и установления таких *юридических* отношений между крепостными и помещиками, при которых крестьяне собственными интересами были бы привязаны к земле, и крепостное право пало бы само собой. Ещё в письмах к гр. Киселёву, писанных в 1842 году, Г. ратовал против личного безземельного освобождения крестьян, причём указывал на пример Померании, где "из крестьян сделали бродяг". Мнение Г. о невозможности введения в России хозяйства при вольнонаёмном труде принято было Тенгоборским, но оспаривалось в "Современнике" (1858 г. № 2 и 4)... Путешествуя по России, он не мог не остановиться перед таким неожиданным для него явлением, как наш раскол. Он первый из светских писателей описал раскол и даже открыл многие секты, поразившие его ясностью и возвышенностью понятий... Переписка его по этому поводу с протоиереем Базаровым... напечатана в "Чтениях в Общ. Любит. Дух. Просв." (1887, кн. 9)...

Переводом статьи Г. об отмене и выкупе помещичьих прав в Пруссии ("Русск. Вестник" 1857) открылось в нашей литературе обсуждение крестьянского вопроса (курсив мой. — *И. Ш.*). В 1847 году Г. был членом объединённого прусского сейма; состоял одно время членом первой прусской палаты, ум. в 1866 году...»

Весьма интересная, достойная фигура сей «пруссак-славянофил», положивший начало в России обсуждению крестьянского вопроса, но ближе к нашей теме остановимся на таком его «эксперименте». Гакстгаузен выбирает два условных хозяйствами каждое по 1000 га пашни и луга. Одно — на Рейне у Майнца, другое — в Верхнем Поволжье, близ Ярославля.

На немецкой ферме такого размера должно быть постоянно занято 8 крестьян и 6 крестьянок, плюс требуется ещё 1500 человеко-дней сезонного наёмного труда и 4 упряжки лошадей. Ежегодно: расходы — 3500 талеров, расчётный доход — 8500 талеров, прибыль — 5000 талеров.

В Ярославле, только из-за более короткого периода полевых работ, для той же работы понадобятся 14 крестьян и 10 крестьянок, 2100 человеко-дней наёмного труда и 7 упряжек. Прибыль — 2600 талеров.

И это при допущении, что земля в обоих случаях равно плодородна, что для Нечерноземья, конечно, не так. Фиксация вполовину меньшей доходности — это как бы только первый шаг, первая итерация в процессе сопоставления условий Германии и Средней полосы России. Дальнейший учёт факторов увеличит разрыв ещё больше.

Но и этот самый первый шаг, учёт зависимости от срока доступности земли для сельхозработ, по сути — зависимости от Солнца, поступления солнечной энергии напомнил мне другой факт.

Может, и неожиданный, но резко расширяющий горизонты сопоставлений. Ещё в 2005–2006 годах мне довелось публиковать материалы о самом, пожалуй, «святом бизнесе» для Европы — альтернативной энергетике; о мощном триумвирате — Германе Шеере, Клаусе Тиссене и нашем Жоресе Алфёрове, более других продвинувших

солнечную энергетику; о генеральной идее Шеера — создании аналога ядерного МАГАТЭ — Международного агентства по возобновляемой энергии — и о том, что Герман Шеер создал-таки IRENA (латинская аббревиатура «Международного агентства по возобновляемой энергии»). Сегодня IRENA успешно работает, как и многие тысячи солнечных батарей... Но вот какая цифра времён моей работы над альтернативно-энергетическими статьями мне запомнилась более всего. Она проверяема, да и вообще очевидна. *Одна и та же солнечная электростанция в России в самом среднем исчислении будет давать в 2 раза меньше энергии, чем в Германии.* Это самый объективный итоговый показатель, удельная энергия солнца, приходящаяся на квадратный метр, там и там.

Согласитесь, удивительно совпадение этих двух калькуляций (два немца с интервалом в 150 лет) — нашей удельной доли солнечной энергии, преобразуемой через сельское хозяйство и через солнечные батареи, 50% от германского уровня. (Значит 30% от итальянского).

Но вернёмся к Гакстгаузену, писавшему: «*...Если вам подарят поместье в Северной России при условии, чтобы вы вели в нём хозяйство так же, как на ферме в Центральной Европе, лучше всего будет отказаться от подарка, потому что год за годом в него придётся вкладывать деньги*».

И два наиглавнейших вывода Гакстгаузена: поместье в России может стать доходным при двух условиях: 1) использование труда крепостных; 2) сочетание земледелия с мануфактурой (занятие для крестьян на большую часть года).

Самый знаменитый из русских уже исследователей проблемы, знаток деревни, смоленский помещик Энгельгардт подтвердил выводы Гакстгаузена.

Глава 11

Освобождение крестьян и... русская свобода от «свобод»

Ранее я высказал тезис, что рождённый русским климатом, почвой русский способ ведения сельского хозяйства сказался даже и на русской философии, политике, русском понимании свободы и что, имея в году на 50–100% меньше времени, чем европейский, наш крестьянин вынужден работать более *аврально,* более *артельно.*

Подкреплю этот тезис словами Ключевского («Курс русской истории». М., 1937):

«В одном уверен великоросс: что надобно дорожить ясным летним рабочим днём, что природа отпускает ему мало удобного времени для земледельческого труда и что короткое великорусское лето умеет ещё укорачиваться безвременным нежданным ненастьем. Это заставляет великорусского крестьянина спешить, усиленно работать, чтобы сделать много в короткое время и впору убраться с поля, а затем оставаться без дела осень и зиму. Так великоросс приучался к чрезмерному кратковременному напряжению своих сил, привыкал работать скоро, лихорадочно и споро, а потом отдыхать в продолжение вынужденного осеннего и зимнего безделья. Ни один народ в Европе не способен к такому напряжению труда на короткое время, какое может развить великоросс; но и нигде в Европе, кажется, не найдём такой непривычки к ровному, умеренному и размеренному, постоянному труду, как в той же Великороссии...»

Далее у Ключевского речь идёт о крестьянском труде как таковом, но структура моей книги с периодическими отступлениями, межвременными параллелями предполагает и здесь, когда наш сюжет подходит к освобождению крепостных крестьян в 1861 году, немного отвлечься размышлением: «А что есть свобода?»

Наша свобода от «свобод»

В одной из своих книг я суммировал западные страхи, претензии к России, начиная с XVIII века: «*Россия... сама по себе уже взрывала своим гигантским размером всякое представление, которое люди привыкли иметь о "европейской" державе, то есть о члене европейской системы государств*».

И вот на начало XXI века Россия, в общем-то, и не такой уж исключительный, запредельный мировой гигант. Выросли за это время Китай, Индия, Соединённые Штаты. Ну и, конечно, мы сами постарались, в Беловежской Пуще-1991, в смысле приближения государства к «удобопредставимым» европейцами размерам. **Большой шаг навстречу...**

Что ж ещё остаётся из претензий? Оказывается — свобода. Именно понятие *«страны свободного мира»* стало самым актуальным и обсуждаемым политиками. Едва не 95% всех претензий к России — это упрёки по пункту «демократических свобод». Что же сказать о нашей «свободности»?

Сигизмунд Герберштейн, немец XVI века, отметил у нас: «*Люди все считают себя холопами, то есть рабами своего Государя*».

Маркиз де Кюстин в 1843 году вопрошал: «*Должен ли подобный народ иметь такое деспотическое правление или же столь жестокое правление создаёт такой негод-*

ный народ?» Сегодня, полтора века спустя сохраняется разделение России и Запада тоже по наборам... но уже не генов, а «ценностей». Как теперь нам выстраивать отношения с... или встраиваться в... в этот дивный, свободный мир? Здесь как бы мне не сбиться на примитивную и беспомощную «контрпропаганду», каковую я столько лет наблюдал во всех наших «Правдах...»?

Часто и добросовестный западный историк, политолог, пересматривая все детали нашей государственно-политической машины, сравнивает с деталями их аналогов и утверждает: в России нет **свободы выбора!**

И не отступая к деКюстиновским временам, можно признать: да, ни Верховный Совет СССР, ни даже нынешняя Госдума не эквивалентны парламентам Запада. И в партийных системах КПСС не была аналогом европейских политических партий. Да и нынешняя «Единая Россия» сейчас больше похожа не на британскую консервативную партию, не на германскую ХДС, а... признаем, на ту же родимую КПСС!

Но и это ещё не самое «страшное признание». Дело в том, что и народ наш в целом, объективно говоря, не так ценит эти самые **свободные выборы**, *вообще* свободу **выбора**, как ценят их европейцы!

На западный взгляд это — рабство. Или, если без оскорблений: НЕ принадлежность русских к с**вободному миру**.

Нью-Йорк. 12 января 2010. INTERFAX.RU. Выпущен доклад международной правозащитной организацией «Фридом Хаус» «Свобода в мире 2010», по которому следует, что сегодня: Свободных государств — 89, частично свободных — 58, несвободных — 47, в числе последних — Россия. Критерии оценки: изменения в школьных программах, подавление свободы СМИ, отсутствие независимости судебно-правовых органов, нарушения в ходе выборов. Директор по исследованиям

«Фридом Хаус» Арч Паддингтон констатировал: ухудшение ситуации со свободой в мире связано с тем, что небольшая группа крупных влиятельных самодостаточных в геостратегическом отношении стран, таких как Россия, Китай, Венесуэла, Иран, выступала как пример для подражания и защищала небольшие государства, где правят авторитарные режимы.

То есть 136 государств мира свободнее, чем Россия. По критериям «Фридом Хаус»... Был такой лозунг *«За нашу и вашу свободу!»*, — это поляки, подсмеиваясь над нашими начинёнными (всякой идеологической дрянью) «разночинцами», подбивали их швырять бомбы в губернаторов и царей. Узкоутилитарное применение авторами того лозунга давно изучено, однако остаётся повод задуматься и более широко. Да, наверное, всё же у нас и у них — *разные Свободы.*

«Ваша» и *«наша» свободы* разнятся, и связано это, по-моему, с тем самым исходным различием, заявленным в начале главы. Наш более авральный, более артельный порядок работы повлиял на нашу политику и философию.

Полторы тысячелетия отлаживаемый механизм Запада работает на достижение важнейшей цели: свободы, свободы выбора — главных ценностей европейца.

Россиянин тоже любит свободу выбора. НО... похоже есть одно различие: наша желанная свобода, кроме *свободы выбора,* включает ещё и *свободу **от** выбора!* И это вовсе не какой-то измышлённый мной парадокс. Это действительно наша, российская ценность — иметь свободу выбора, в том числе имея ещё одну свободу — свободу выбирать самому, или передоверить свою свободу выбора кому-то другому (царям, вождям).

Ведь западная политическая свобода требует постоянных усилий по её обеспечению, поддержанию этого самого «механизма поддержания свободы». Политическая машина требует постоянного внимания, работы, смазки. Причём такой работы, которая не может быть передоверена каким-нибудь наёмным менеджерам. Тут действительно требуется *постоянная* работа *всего* общества, для каковой работы требуется ещё и самоорганизация *(ещё не легче!)*, *постоянная* самодисциплина всего общества. Самоустранение общества от текущей политики и на Западе чревато потерей *их свободы*. Вот это постоянная политическая работа во имя свободы и ощущается у нас, в России, как нелёгкая, неприятная обязанность.

Помните у Ключевского: «непривычка к ровному, умеренному и размеренному, постоянному труду»? То есть этот *авральный и артельный* стиль работы даёт проекцию и на политические взгляды.

«Аврал»: 4 месяца (берём крайний российский случай) на все сельхозработы, спешная заготовка всего позволяющего выжить остальные 8 месяцев. Здесь не до экспериментов, не до новаций, потому даже и появление спасительного картофеля было встречено «картофельными бунтами».

«Артель»: объединение усилий всех селян на период «Аврала». Здесь не до учёта личных нюансов, какого-то особого уважения особенностей, индивидуальностей.

Но ни в коем случае не сочтите перебор этих объективных факторов как проект некой «объяснительной записки». Эти природные причины в многовековом итоге дали наш, особенный тип. Россию, а не ещё одну, допустим, Польшу или вторую Германию. Как сказал апостол: *«Бог создал нас разными, чтобы мы нуждались друг в друге».*

А что Геббельс или Павел Вечоркевич (давний мой заочный варшавский оппонент) поднаторели любую особенность трактовать как уродство — это издержки технологий преимущественно XX века...

Но... уж такие ли мы исключительные в этом своем выборе? Я довольно долго размышлял именно над этим моментом. Наша *свобода выбора, со свободой и **от** выбора»* — что это? Найденный какой-то альтернативный путь политического развития, имеющий свои специфические достоинства, которые нам надо как-то пропагандировать или хотя бы защищать?

Вроде бы нет. В разговорах, жизненных коллизиях, в литературных произведениях, нигде я не замечал вокруг этой *«свободы от свобод»* никакого ореола гордости. Более того, эта особенность никогда никем и не формулировалась, потому сейчас и кажется неким моим парадоксом. Оставляя ощущение всё же не альтернативы, а скорее какого-то нюанса.

Важным, хотя и мимоходным свидетельством показалась мне одна из формулировок Фомы Аквинского. Да-да, того, чьи труды *«стали теоретическим основанием для строительства западной политической машины»*. Автор книг «Сумма философии», «Сумма теологии», «Воспитание князя», самый, наверное, влиятельный философ Средневековья, называемый doctor universalis (даты жизни: 1225–1274), канонизирован.

И вот Фома Аквинский, составляя свой перечень молитв, вдруг сформулировал такую: *«Благодарность Святому Духу за избавление от необходимости иметь политическое мнение»*.

Не поручусь за точность цитаты, может, мысль Фомы Аквинского и была здесь связана с какими-то отдельными, частными тогдашними политическими дебатами, но мне показалась потрясающе важной именно эта нюансировка: *избавление НЕ от политических мнений* (Фома Аквинский вовсе не анархист!), *НО избавление* именно... *от **необходимости** иметь политические мнения!*

Он может **его** иметь, но может и нет. И за эту дополнительную возможность он благодарит Святой Дух.

И ещё об одном слове — «члене» этой формулы Фомы Аквинского, которую я считаю действительно в числе самых важных изречений в истории: *...избавление от необходимости иметь политическое **мнение***. Теперь я выделяю последнее слово формулы — *«мнение»*. Оцените ещё и этот шоанс! Всдь имся мпснис, можно действовать или нет. Можно как-то выражать это мнение, ухлопать миллион людей на его торжество, а можно и... в общем, «оставить его при себе». И Фома Аквинат, понимая первичность мнения, говорит об избавлении — НЕ от необходимых политических *действий,* а даже от корня всяких действий — от *мнения* вообще. Он словно отвечает тянущим его за рукава, зовущим его (кто на трибуну парламента, кто на митинг протеста): «У меня по этим пунктам вообще нет никакого мнения!» Единственное его действие — пожатие плеч.

Получается, наш Фома тоже ценит свободу от политической необходимости, и в специальной молитве благодарит за свободу передоверить свой выбор Богу (или Его помазаннику!). Он и сохраняет её, эту свободу, как оттенок, нюанс, как *запасной клапан, запасной выход*, как страховка от **абсолютизма политической машины.**

И российское отношение к этому явлению надо видеть сквозь давнее недоверие: 1) к политике, 2) к машинности (рутине, механической повторяемости, к «машинерии вообще»). Может, тут кто-то и решит, что автор, мол, выкопал откуда-то малоизвестную мысль Фомы Аквината, чтобы прикрыть русскую лень, рабство. Но, повторюсь: эта лень — проекция, функция тысячелетнего рабочего цикла. А свобода от свобод — такая же ценность, как свобода собраний, свобода слова.

Помните, на распутинской Матёре, ещё в счастливые, не*Прощальные* дни утвердился «*каприз, игра, в которую, однако, включились с охотой все»*: единственному на острове автомобилю *...серьёзной работы не давали... запряга-*

ли по утру коней... а машина сиротливо плелась позади и казалась дряхлей и неуместней подвод. Тут тоже дело в нюансе: протест не против машины (матёринцы — вовсе не английские Луддиты, разбивавшие станки!), а против абсолютизации машины.

Абсолютные монархи, как мы убедились в XX веке, оказались легко свергаемы, но **абсолютизм политической машины** — это совсем другая статья. Сидящих за её тонированными стёклами даже и разглядеть не получается! У кого-то там пять газет и контрольные пакеты телеканалов, у кого-то — квитанции и *расписки в получении* за подписями «народных трибунов»... и вот уже избирательная масса тянется, как из тюбика, проголосовать за того, кто больше часов был «вывешен» на телеэкране.

Монарху-то требовалась *только наша покорность*, а политической машине как смазка, как необходимый элемент — ещё и наша тупость!

Подойдя с другой стороны, Оскар Уайльд оформил эту дилемму в стиле своих парадоксов: ***«У современной демократии есть только один опасный враг — добрый монарх».***

И ещё о свободе как отсутствии. В разных европейских языках есть этот смысловой оттенок. О невозвращающем долги говорят: он слишком *свободно* понимает финансовую обязательность. Отсутствие моральных ограничений — *либер*тины, свободные отношения... Бесплатность, отсутствие платы — free...

Был ведь уже сформулирован ставший популярным лозунг *«Человек — есть то, что он ест!»*. А лозунг «Человек — есть то, за что он голосует!», может, и не фиксировался на предвыборных билбордах (хотя, впрочем, и был уже: «Голосуй, а то проиграешь»), но он подразумевается всей политической системой Запада, которой нас обучают и по которой мы, по выше-приведённой оценке «Фридом Хаус», — отстающие, неуспевающие.

«Свобода ОТ выбора» — то, что я назвал *запасным клапаном* Фомы Аквинского; признаем: да, у нас и большинство агрегатов, узлов нашей российской машины запасные (второстепенные) в сравнении с тем «запасным клапаном» Фомы Аквината. Вот такой нюанс. Но отнюдь не предмет гордости.

Постоянное внимание, контроль, выявление конфликтов, формирование групп по политическим интересам, проверка отчётов политиков, всё это утомительные для нас вещи. Допустим, три партии говорят об одном факте совершенно разное, и сопоставление их справок, речей, чтение публикаций с результатами проверок, вплоть до финансовых... тут, не дойдя ещё и до половины перечня необходимых хлопот, россиянин начнёт зевать или рассеянно оглядываться... Помню, как в школе мы заучивали:

> Лишь тот достоин жизни и свободы,
> Кто каждый день идёт за них на бой!
>
> *Иоганн Вольфганг Гёте, «Фауст».*

Даже припоминаю: был у нас утверждённый перечень великих фраз, которые *рекомендовалось брать эпиграфами к сочинениям.* (Может, из опасений, что какой-нибудь умник шарахнет что-нибудь из Шопенгауэра, а то и Ницше?) И в том списке (выверенные отечественные авторы, плюс Маркс и Энгельс) сия цитата Гёте возвышалась гордой скалой.

Наверное, я вместе со всеми зазубривал эти звучные строки и брал их эпиграфом к какому-нибудь сочинению типа «Как я провёл лето».

И только теперь... столько лет, генсеков, и уже президентов спустя, теперь-то я хорошо представляю настоящее, не выспренное, наше, российское отношение к той гётевской дилемме:

Лишь тот достоин свободы? — Кто... ну ещё ладно *«на бой»... Но — «каждый день»... Каждый?!*

И страдальчески заведя глаза: «Что, и так — каждый божий день»?!

Всё же надо это сказать: поверх всех инсинуаций... бжезинсинуаций последних десятилетий о «рабской России», по части того, что **«на бой... за свободу»**, — Россию грех не то что упрекать — грех даже сравнивать с вами... (Если, правда, это *бой* — настоящий, не НАТОвская бомбёжка Сербии, а, допустим, Наполеон или Гитлер на пороге.)

НО... Ох уж эта наша великолепная, само-свободная, но и... *нетехнологичная свобода!* И относительно *каждодневности*, равномерно-аккуратного поддержания политического механизма обеспечения свободы выбора — в этом русские точно уступят европейцам.

После подобного признания мне так и видится примерно следующий допрос.

— Это ведь, получается, у русских и европейцев противоречащие понимания свободы?

— Да!!! — ответим.

— А может, это ещё и антагонистическое противоречие? — продолжат у нас выпытывать Гегель и все гегельянцы, младогегельянцы, включая Карла Маркса, все коммунисты, все сторонники диалектики, развития и прогресса.

...И вот тут уже можно вместо ответа смело посылать этих, пытающихся «расставить точки "i"», на все знакомые буквы.

Ведь сегодня, как мы прекрасно уже видим, *исторические противоречия* не разрешаются, не снимаются по-Гегелевски, а просто... *заслоняются* другими противоречиями.

Просто вообще — забываются.

Две армии, советская и американская, полвека стояли, нацеленные друг на друга, стояли, переминаясь с ноги на ногу, ожидая приказа: разрешить, наконец, их противоречие, воспринимавшееся как Главное Противоречие Эпохи, как диалектический источник развития всего мира. И вот вылезли откуда-то сбоку какие-то эти... БинЛадены да Басаевы, и то самое Главное Противоречие почти испарилось... Просто стало как-то не до него.

А противоречие католицизм—православие? Девятьсот пятьдесят лет, от Анафем и Контр-Анафем, войн, Крестовых походов к печатным и теле- и радиоспорам, диспутам. И все столетия соблюдалась строгая граница между «каноническими территориями» и царило твёрдое понимание, что прибыль одного — это убыль другого, вспомните кровавую историю униатства!.. И вот теперь, в наши дни, на обоих «строго соблюдаемых канонических территориях» пролезли, словно черви, всевозможные секты, расползающиеся по законам сетевого маркетинга. И я с огромнейшим сожалением и болью читаю статьи о жутком продвижении сектантства, например, в Бразилии, оплоте католичества.

Словно два профессора, готовившихся к историческому диспуту, оттачивавших контраргументы, представлявших реакцию зала, репетировавших жесты и наконец приехавших в назначенный Исторический День, увидели на дверях корявое объявление: *«Диспут отменён по технич. причинам. В аудитории протравка тараканов»*.

— Позвольте, а как же ждавшая нас публика? И, кстати, где она?

— Эвона, публика! Да сегодня ж в полвосьмого по второй программе семнадцатая серия! Бягите, сердешные, может, ещё и поспеете.

Наше с Западом противоречие в понимании свободы и так-то хромало на обе смысловые ноги. Вспомните. Главными критериями, а по сути, *приманками (!)* были объявлены: экономическое соревнование, уровень производства, потребительские стандарты, достижения.

Я прекрасно помню, как 4 июля 1982 года президент США Рональд Рейган и 45 000 официальных гостей и полмиллиона туристов наблюдали посадку первого космического шаттла на базе ВВС Эдварс. Миллиардная телеаудитория и сама дата этой космической победы — всё было подогнано как раз к главному празднику — Дню независимости, Дню рождения США. И едва дождавшись этой благополучной посадки, президент Рейган объявил: *«Мы сделали это, потому что мы были...* (далее шла шикарная пауза, голливудских киноковбоев, наверное, тоже учили системе Станиславского)... *потому что мы были... СВОБОДНЫМИ!»* Намёк на СССР был кристально ясен. Весь мир (кроме, понятно, СССР) транслировал тогда эту рейгановскую фразу. А потом и наши перестроечные публицисты, производя **свои** прикидки уровня **своей** аудитории, помните, часто повторяли: *«Да-да. Учите, граждане. Без свободы — не бывает и колбасы!»*

И вот уже вырос целый сонм стран без «западных свобод», но с «западными достижениями». (Приглядитесь хоть к Сингапуру, мировому экономическому лидеру, страшилками из абсолютно несвободной, 100% регламентированной жизни которого пугают друг друга «в Интернетах».)

Да и ту жёсткую рейгановскую *«философскую»* привязку свободы к первому же удачно приземлившемуся шаттлу... Ну как её вывернуть на другой шаттл, взорвавшийся на второй минуте полёта? Или на следующий шаттл, сверзнувшийся огненной кометой? *«Это потому, что мы — что?..»* Но обнявшиеся господа Рейган и Альцгеймер уже не ответят на этот контрвопрос. Проехали.

А то, что сейчас на Международную космическую станцию американцы предпочитают летать на российских «Союзах», это как *«обфилософить»*? Опять принять фатоватую рейгановскую позу и объявить: *«Мы делаем это, потому что мы... СВОБОДНЫЕ!!! Но и осторожные тоже...».*

В одной из своих книг я говорил о важнейшем измерении в эпоху Холодной войны — гонке потребления и её весьма своеобразных последствиях, вырастающих в полный рост только сейчас... Здесь же, не повторяясь, я позволю себе небольшой иронический экскурс к истокам гонки, прогресса вообще. Ведь за **свободой**, которую сейчас мы обсуждали, тянется, согласно Гегелю, **прогресс**. Выражаясь точнее, свобода и прогресс увязаны в одной гегелевской формуле.

Прогресс и Пруссия

Как известно, идею непрерывного мирового прогресса дал нам Гегель: *«Прогресс — это развитие **абсолютного духа**, познающего свою свободу!»* И гениально выявив законы диалектики, «переходы количества в качество», «отрицание отрицания», впервые разобрав все источники мирового развития (те самые противоречия), наш Георг не споткнулся даже на самом главном вопросе, коварном вопросе, вырастающем по мере расписывания всех законов и обстоятельств развития. На вопросе **«Куда?»**. Если весь мир существует только в развитии, движении, то ведь интересно же: в движении — куда?

«Ну так это ж самое простое! — отвечал Гегель. — Исторический прогресс, как я вам говорил, есть развитие **абсолютного духа**, познающего свою свободу! И тот мировой **абсолютный** дух упорно развивал свою свободу все три мировых исторических периода, каковые я выделил: *Восточный, Античный и Германский*. И достиг высшей цели своего прогресса, а именно: *"создания конституционного Прусского королевства"*».

Именно так — проверьте. Брокгауз: *«"Философия истории" в школе Гегеля превратилась в теорию прогресса»*. И советские философы, да и вообще все марксисты это (гегелевский прогресс) единодушно признавали. Соглашались, получается, и с тем, что у Гегеля после *Античного* периода был только *Германский*, то есть: славяне с прочей негерманской мелочью — вне прогресса. И что вершина мирового прогресса, по Гегелю, — конституционное королевство Пруссия...

А ведь, знаете... такое приведу сравнение. Каждый раз, щёлкая кнопкой электрочайника, мы очередной раз признаём — закон Ома. Вспоминаем или нет — не важно. Главное, нельзя, отвергая принципиально закон Ома, одновременно ждать и нагревания электрочайника. Но ведь точно так же дела обстоят и с прогрессом/Пруссией. Пользуясь разработанным понятием «прогресс», нельзя забывать (и не только по причинам авторского права), что (чуть спрямляя здесь все гегелевские силлогизмы): **«Прогресс» — это то, что ведёт к Пруссии.**

Единственно, чего Георг по объективной причине (своей смерти) знать не мог, так это *новые приключения мирового абсолютного духа*. Который после 1831 года (дата Георговой кончины) всё дальше и дальше «прогрессируя»... нанял себе для руководства своим развитием Отто фон Бисмарка. Присоединил к себе ещё две дюжины немецких королевств и княжеств и назвался... Германским рейхом (Вторым). Потом *Прусский мировой абсолютный дух* организовал ещё что-то там в 1914 году, потом научился говорить всё более и более отрывисто и громко, вскидывая правую руку вверх, потом...

Потом-то и произошло самое интересное с точки зрения нашей книги — территориальные преобразования, а именно: Пруссия была объединена с Россией. Так что теперь Россия владеет как минимум половиной (Восточной) всего средоточия мирового абсолютного духа, *данного нам в ощущениях* Калининградской области!

Довершу в том же философическом стиле: теперь и могила великого Иммануила Канта для нас уже не *«вещь в себе»*, а *вещь*... на балансе Правительства Российской Федерации!

Сам проверял, посетив Калининград летом 2008 года: состояние, уход — отличные, зер гут.

Грустно, но как это часто случается у нас, именно смерть позволяет правильней оценить какие-то персоны, их эпохи. Смерть нашего страдальца Егора Гайдара тоже чуть-чуть продвинула процесс общественного самосознания. И самое ценное признание прозвучало с «демократического фланга». Вот оно, почти дословно:

«Более всего навредили пониманию работы Гайдара те окружавшие его ультрадемократы, что несколько лет твердили обществу: *"Нельзя быть немножко беременным!"*, *"Свобода или есть, или её нет!"*, *"Демократия бывает или полная, или никакая!"*»

Убогость, какая всё же убогость эти их лозунги! Действительно, лидеры партии «Демократический выбор России» очень навредили пониманию Гайдара, да и всему нашему пониманию сути кризиса. Может, покажется смешно (после вышеприведённого прусско-гегелевского экскурса), но Дух действительно «развивается (прогрессирует), познавая свою свободу». И наша свобода, на что я пытался как мог намекнуть в этой главе, это очень получается такая... свободная свобода, то есть мы слишком *свободны* в своих толкованиях свободы.

«Слишком» — на западный взгляд, но и процитированные лозунги — это убогий примитив, всероссийски громыхавший штамп, тоже не соответствующий нашей реальной общественной модели.

Это «нуйкины» (что крайне симптоматично для них) *свободу* с Шенгенской визой спутали...

Вот *шенгенка* действительно: «или она есть, или её нет». Тут вы правы, зачем только дальше-то лезть, к *свободам*, в которых вы, как...

Два примера неразрешимых проблем XIX и XXI веков

Возвращаясь к теме гибели династии Романовых, Российской империи, как следствия нерешённого крестьянского вопроса, можно оттолкнуться от тех двух пунктов Гакстгаузена, несколько развив их. Он вычислил, что русское сельское хозяйство было доходно при двух условиях:

1) использование труда крепостных;

2) сочетание земледелия с мануфактурой (занятие для крестьян на большую часть года).

Нас, конечно, более доходности интересует устойчивость, воспроизводимость жизни в русской деревне, но можно принять и доходность как рыночное отражение устойчивости, правильности течения дел.

И опять грустный парадокс: рентабельность и устойчивость развития русской деревни подкосили два крупнейших шага России в направлении дальнейшей модернизации — отмена крепостного права и... развитие промышленности.

Из этих двух глобальных перемен мне проще начать со второй — развития промышленности. Здесь отыщется и, по-моему, вполне убедительный аналог буквально с сегодняшним днём.

Итак, развитие промышленности признано историками, политиками, политологами всех направлений благом для страны. И, в общем, является таковым. За одним важным исключением, одним, остающимся открытым вопросом: а как деревне выживать в этом «новом прекрасном мире»?! Ведь подавляющая часть товаров, производство которых освоила молодая русская промышленность, раньше выпускалась в деревне, в те самые 6, 7, 8 (в зависимости от географии, климата) месяцев вынужденного «простоя».

Фразу «подавляющая часть товаров» надо проиллюстрировать. Статистические данные по русской промышленности сведены в таблице В. Варзара 1902 года, из которых можно ограничиться данными на 1897 год, своеобразный «итог века».

Общее производство в России (в тысячах рублей):

Изделия из хлопка, шерсти, шёлка, льна, пеньки, др. прядильных материалов — 946 296

Химические продукты — 59 556

Изделия из металлов, в т. ч. драгоцен — 310 626

Керамические, фарфоровые, фаянсовые, стеклянные, цемент, кирпич — 82 519

Обработка дерева (деревянные изделия, продукты сухой перегонки и проч.) — 102 897

Только надо учесть особенность той статистики: строка *«Изделия из металлов, в т. ч. драгоцен.»* включала в себя всё произведённое из металлов — от паровозов до скобяных товаров и девичьих перстеньков.

Как видите, текстильная промышленность далеко превосходила все прочие вместе взятые. Это, впрочем, ясно и без всякой статистики, если вспомнить профили деятельности главных наших капиталистов — Морозовых, Прохоровых... Да ещё и просто представить «баланс жизни» тогдашнего человека. В отсутствие всякой бытовой техники, электроники, после еды важнейшей статьёй расходов была одежда, обувь. И эта гигантская цифра —

946 296 тыс. руб., без малого миллиард в год — это оценка продукции, ещё недавно производившейся в деревне.

Моя работа над текстом о фабриканте Иване Лямине, московском городском голове, одном из богатейших людей России середины XIX века, представила случай вглядеться в этот феномен.

Российское производство хлопчатобумажных, «аглицких» тканей в середине XIX века было инициировано Георгом-Людвигом Кноопом. В России за долгие годы этот уникальный немец потерял одну, «явно лишнюю» букву фамилии, но получил от народа пословицу *«Что ни церковь, то поп, что ни фабрика, то Кноп»*, а от царя — титул. В 1877 году Кнопы возведены в потомственное баронское достоинство Российской империи.

Купцы Лямины под его влиянием так же обратились к лидирующей российской отрасли. Иван Артемьевич после Императорской практической академии коммерческих наук постигал «основы менеджмента» в «кноповских приказчиках». Необычайно умный, честный, скромный и набожный Иван Лямин стал незаменимым сотрудником Кнопа.

Людвиг Кноп оказался одним из трёх промышленников, упомянутых в книге *«Россия при старом режиме»* не в первый раз упоминаемого мной Ричарда Пайпса, советника президента Рейгана, главного американского советолога, «специалиста по России»:

«До 1839 года, когда в России поселился предприимчивый немец Людвиг Кноп (Ludwig Knoop), ткацкая промышленность в русской деревне основывалась на ручном труде... была разновидностью ремесленного производства.

Кноп, представлявший в России крупную английскую текстильную фирму, умел обойти английский запрет на вывоз ткацких машин. Он вошёл в доверие к нескольким богатым промышленникам из крестьян, большинство которых недавно освободились от крепостной зависимости, убедил их вложить деньги в ткацкое оборудование.

Кноп устраивал кредиты для своих клиентов-крестьян, нанимал управляющих и мастеров, проектировал фабрики, добывал сырьё, самолично надзирал за производством. Всего он основал 122 ткацкие фабрики и сделался ко времени своей смерти в 1894 году богатейшим промышленником России...

Современную угольную и сталелитейную промышленность Донецка и Кривого Рога основали англичане, финансировалась она совместным английским, французским, бельгийским капиталом. Нефтяные промыслы Кавказа были пущены в ход английскими и шведскими предпринимателями. Немцы положили начало русской электротехнической и химической промышленности. Вообще говоря, основанные крепостными предпринимателями в центральных районах страны ткацкие фабрики представляли собою единственную отрасль промышленности, действительно созданную русскими людьми...»

Обратите внимание: у Ричарда Пайпса главенствует именно западный критерий, для него важнее всего — «на чьи капиталы». Потому и нефтяная промышленность Баку — «английская и шведская», а электротехническая и химическая — «немецкая»... И в этом отношении текстильная промышленность — самая «русская отрасль» России, не потому, что Кнопы совершенно обрусели, а потому, что сам-то Кноп не был инвестором, он был гениальным организатором, объегорившим вдобавок и англичан с их технологическим эмбарго. Он «только» соединил английскую технику, русские капиталы и громадный русский рынок. Да и вряд ли вчерашние крепостные, прятавшие деньги порой в чуланах, рискнули бы первое вложение пустить на какие-то там скважины в Баку, производство электромоторов... Ткань была главной, понятной «субстанцией», сбыт которой они хорошо представляли.

«Его», кноповская промышленность стала самой русской и самой большой по объёму производства. Освоившиеся вчерашние купцы и крепостные предприняли потом следующие шаги на ниве промышленности. Тот же текстильный король Иван Лямин запустил крупнейшее в России производство «торфяных кирпичей», вытесняя дрова, сберегая тысячи гектар леса от порубок. И вообще всё прекрасно, если... если только забыть, что раньше Россию (за исключением элиты, предпочитавшей импорт) одевала, обувала — деревня. С машинным производством она конкурировать не могла, и «...*молодая пряха... в низенькой светёлке*» осталась только в прекрасной песне.

И крестьяне на протяжении жизни одного поколения лишились привычной работы на те самые 6, 7, 8 месяцев в году.

К подавляющей текстильной статистике можно только добавлять цифры по производству тех же ляминских торфобрикетов, а затем по добыче угля и нефти. Это прекрасно, это сберегает леса, да только... поставка дров — ещё один крестьянский зимний «бизнес». Таблица Вардара отражает и часть «изделий из металла», ведь скобяные товары тоже зимнее крестьянское занятие... Тоже отнятое фабриками, дешёвым поточным производством.

В итоге, по свидетельствам путешественников, очень многих исследователей, *русский крестьянин на рубеже XX века был более беден, более угрюм, чем за сто лет до этого.*

Вот вам диалектика, драма, о которой только и думать бы, ещё и ещё раз поражаться! Ведь сами крестьяне и стали основными покупателями новых машинных тканей и прочих товаров (часто — лучших и всегда — намного более дешёвых).

Не иго, не заговор, не война, а наоборот, прогресс, прирастание общего блага и такие неуловимые абстракции, как *«себестоимость производства продукции»*, *«разделение труда»*, *«механизация»*, выбивали почву из-под ног главного сословия России.

И ещё одна тяжёлая цитата из книги *«Россия при старом режиме»* беспощадного Ричарда Пайпса, повторюсь, используемого мною как сумматор, «общая шина», коллектор десятков, если не сотен исследований:

«Сознание русского крестьянина было, если использовать терминологию старого поколения антропологов вроде Леви-Брюля (Levy-Bruhl), "первобытным".

Наиболее выпуклой чертой сознания такого типа является неумение мыслить абстрактно. Крестьянин мыслил конкретно и в личностных понятиях. Например, ему стоило больших трудов понять, что такое "расстояние", если не выразить оное в верстах, длину которых он мог себе представить. То же самое относится и ко времени, которое он воспринимал лишь в соотнесении с какой-то конкретной деятельностью. Чтобы разобраться в понятиях вроде "государство", "общество", "нация", "экономика", "сельское хозяйство", их надо было *связать с известными крестьянам людьми, либо с выполняемыми ими функциями*.

Эта особенность объясняет очарование мужика в лучшие его минуты. Он подходил к людям без национальных, религиозных и каких-либо иных предрассудков. Несть числа свидетельствам его неподдельной доброты по отношению к незнакомым людям. Крестьяне щедро одаривали едущих в сибирскую ссылку, и не из-за какой-то симпатии к их делу, а потому, что они смотрели на них как на "несчастненьких". Во время Второй мировой войны гитлеровские солдаты, пришедшие в Россию завоевателями и сеявшие там смерть, сталкивались в плену с подобными же проявлениями сострадания. В этой неабстрактной, инстинктивной человеческой порядочности лежала причина того, что радикальные агитаторы, пытавшиеся поднять крестьян на "классовую борьбу", столкнулись с таким сильным сопротивлением. Даже во время революций 1905 и 1917 годов крестьянские бунты были направлены на конкретные объекты — месть тому или иному помещику, захват лакомого участка земли, порубку леса. Они не были нацелены на "строй" в целом, ибо крестьяне не имели ни малейшего подозрения о его существовании.

Но эта черта крестьянского сознания имела и свою скверную сторону. К числу недоступных крестьянскому пониманию абстракций относилось и право, которое они были склонны смешивать с обычаем или со здравым смыслом. Они не понимали законоправия. Русское обычное право, которым руководствовались сельские общины, считало признание обвиняемого самым убедительным доказательством его вины. В созданных в 1860-х годах волостных судах, предназначенных для разбора гражданских дел и управляемых самими крестьянами, единственным доказательством в большинстве случаев было признание подсудимого. Крестьянину точно так же трудно было понять, что такое "собственность", которую он путал с пользованием или владением. По его представлениям не живший в своём имении помещик не имел права ни на землю, ни на её плоды. Крестьянин мог легко позаимствовать вещь, в которой, по его мнению, законный владелец не нуждался (например, дрова из господского леса), однако в то же самое время выказывал весьма острое чувство собственности, если речь шла о земле, скотине или орудиях других крестьян, поскольку эти вещи были надобны для заработка на хлеб. Крестьяне смотрели на адвокатуру, созданную судебной реформой 1864 года, просто как на новую породу тех же самых лихоимствующих чиновников: иначе зачем же адвокаты берут деньги за вызволение попавших в судебную переделку? Крестьянин терпеть не мог формальностей и официальных процедур и был не в состоянии разобраться в абстрактных принципах права и государственного управления, вследствие чего он мало подходил для какого-либо политического строя, кроме авторитарного...»

Видите, даже советник Рейгана, несентиментальный американский политолог Ричард Пайпс, фиксируя разрушение русского крестьянского мира, не мог пройти мимо... в его терминах это, наверное, *ещё одна побочная продукция русской деревни*», то, что она воспитывала, веками «воспроизводила» — добрых, сострадательных, мужественных, великодушных людей. И просто потрясает картина гибели этого мира — и не от злодеев, интервентов (*Ау, Наполео-он! Где ты?! — Спросите об этом у русских крестьян — ополченцев, партизан или одетых в солдатские мундиры*), а от какой-то неуловимой абстракции, «закона стоимости». Вот вы приходите на рынок, берёте из двух кусков ткани тот, что лучше и дешевле, и этой 30-копеечной покупкой наносите свой микроудар по огромному и прекрасному миру.

И обещанная ранее параллель: «неразрешимые» ситуации XIX и XXI веков

В книге о Дальнем Востоке, в главе «Китайцы» я воспроизвёл свою давнюю беседу с господином Вэнь, занимавшим очень важную, хотя и почти неформальную должность — главы всех хуацяо, этнических китайцев, живущих и работающих в России и всей Восточной Европе... В том числе и работавших на «Черкизоне», но, признаюсь, во время наших нескольких встреч (2002–2003 гг.) я ничего толком не слышал о том «рынке».

Господин Вэнь с особой восточной иронией упомянул нарастававшую тревогу чиновников ВТО, министров торговли США по поводу баланса торговли с Китаем, безграничного роста китайского экспорта.

Я же со своей склонностью к историческим ассоциациям ответил, что этой проблеме уже более двух тысяч лет! Ещё Плиний Старший и Тацит беспокоились, даже негодовали по поводу «*...неудержимого отлива национального богатства на ненасытный Восток*». Злились они, конечно, на свой Древний Рим, который не мог обойтись без китайского шёлка и не нашёл ни одного товара, хоть сколько-нибудь нужного Китаю.

В XIX веке историк Карл Вейле сделал интересный подсчёт «перекоса торгового баланса» в античную эпоху — 100 миллионов сестерциев ежегодно! И даже любезно перевёл древнеримскую валюту в современные ему немецкие марки, получилось 22 000 000. Эту количество Индия и Китай делили примерно поровну. То есть на 50 миллионов сестерциев ежегодно Римская империя (то есть Европа) покупала в Китае больше, чем продавала. А поскольку великого изобретения — американского «бумбакса» (так, по аналогии с дешёвым магнитофоном «бумбоксом», назовём бумажный доллар) тогда ещё не существовало, то вывод Карла Вейле таков: «*Это привело к полному государственному банкротству и недостатку благородных металлов в последний период римской истории. Всё народное богатство Рима лежит в земле Востока*».

Правда, современница Вейле, королева Виктория, решила эту проблему (торгового баланса) по-своему. Ведь тогда, в XIX веке к шёлковому «искушению» добавился ещё более серьёзный товар — чай. Знаменитые «чайные клипера» открыли эру яростных гонок по маршруту «Гонконг — Ливерпуль».

Но что могли британцы дать Китаю взамен? Англия была вынуждена оплачивать свои всё возрастающие закупки китайских товаров драгоценными металлами. Пытаясь восстановить равновесие, английские власти посылали торговые делегации к китайским императорам, но переговоры никогда не увенчивались успехом. Ситуацию хорошо резюмируют слова императора Цяньлун, сказанные им в 1793 году лорду Маккартни, послу Георга III: «*Нам никто не нужен. Возвращайтесь к себе. Забирайте свои подарки!*»

Общий итог товарных балансов: в Китае спросом пользовались *лишь русские меха и итальянское стекло.*

Где же связь с русским XIX веком, «неразрешимыми проблемами»? Смотрите:

в 2010 году Китай давал 37% мирового производства.

в 1990 году — 14%...

А ещё отступить лет 30–40 назад? В Китае — многодесятилетняя гражданская война, потом «культурная революция»...

Я специально не подбирал статистики, но уверен: на рубеже 1960 года Китай, занимавшийся иррациональными, малопонятными для нас вещами вроде охоты на воробьёв, выплавкой чугуна в домашне-кухонных условиях (выбрасываемого потом по причине плохого качества), походами хунвейбинов, кампаниями «огонь по штабам» (по своим руководителям), — тот Китай имел едва ли 1–2% мирового производства. И ещё большой вопрос, как засчитывать тот анекдотический «домашний чугун»?

И вот теперь — чистые 37% мирового производства.

Financial Times называет это «*...самым важным изменением мирового баланса... со времён выхода на мировую арену США*». К этому я добавлю факт, если вдуматься, почти зловещий: «Китай — единственная держава мира, *занижавшая* объёмы своего производства».

Я сразу переведу взгляд на «наши палестины», на те самые наши миллион раз упомянутые на митингах протеста *простаивающие заводы, разваленное производство, заколоченные фабрики*. Вопрос простой: а когда они *не* простаивали, *не* разваливались, когда они вообще создавались? Правильно, именно — в период, когда Китай давился английским опиумом, потом разрывался на десяток фронтов в гражданских войнах, мучился под японской властью, охотился на воробьёв, «хунвейбинил», выдавая даже не известно сколько процентов мирового производства, но главное на экспорт, «в окружающий мир» шло...

Да что вы и вспомните «Made in China» 1940–1950 годов?! Термосы? А теперь?

Развал СССР совпал с очередной консолидацией, собиранием сил и модернизацией Китая (это по времени — *«совпал»*, в некоторых других измерениях возможно и есть очень тонкие взаимозависимости нашего *развала* и их *модернизации*).

Но всё же... Китай вырвал свои почти 40% мирового производства НЕ у СССР! (Не только у СССР.) У нас этих сорока мировых процентов просто не было! Китайские 40% — это закрывшиеся производства, «заколоченные фабрики» по всему миру, в том числе в США, Европе... Это, возможно, сказалась тенденция, подмеченная ещё в Древнем Риме и математически обсчитанная Карлом Вейле в XIX веке.

«Сообщающиеся сосуды» мира, разделение Восток/Запад — это настолько объективно, глобально... эпохально, что нужно просто напрячься, немного перенастроить зрение и посмотреть на это как на... дрейф и раскалывание континентов на геологические эры, на вращение галактик... Тысячу или более лет Китай (и Индия) работали так, как это подметили ещё в Древнем Риме. Потом 200 лет кризиса, гражданских войн, смут, «охоты на воробьёв». Теперь снова у Востока (кроме античных Китая и Индии, это ещё и Япония, Корея, активно подрастающие Малайзия, Вьетнам, Индонезия) более половины мирового производства — на сколько ещё лет, никто не знает.

Я же знаю... только то, что если вожаки, политики будут тыкать нашими закрывшимися фабриками, забыв учесть этот глобальный, всемирный фактор производственного взрыва на Востоке, то горе нам с такими политиками и лозунгами вроде: *«Настал ледниковый период — виноват антинародный режим!»*, *«Гондвана раскололась — правительство в отставку!»*.

Как они там в Европах будут приноравливаться к новому геологическому периоду, какие ниши себе отыщут — их дело. Нам интересно (и полезно) будет посмотреть. Но почему именно в России надо устраивать революцию/Гражданскую войну из-за таких общепланетарных подвижек?! — вот что по-настоящему возмущает и бесит...

В чём сходство с XIX веком? Тогда точно так же тыкали правительству разорением деревни, но ни одна из тыкающих (и стреляющих, и собирающих оппозиционные партии), ни одна из этих... особей не пожелала переодеться в крестьянские домотканые холстины и не придумала, как подвигнуть на это сколько-нибудь значимое количество сограждан. Равно и сегодня: кто из тыкающих *«остановленным производством»* готов отказаться от китайско-корейско-японской и т. д. техники? Хотя бы только... представим самое простое: в своём офисе (своей компании, партии) заменить все ксероксы, компьютеры и компьютерную почту на... (при сегодняшних информационных потоках) 350 курьеров, секретарей-машинисток, счетоводов, кассиров. Про советские компьютеры, «ЭВМ» мне, кибернетику, «внедрявшему АСУ» в 1981–1990 годах, можно и не рассказывать. Загрузить 15 кг перфокарт да посмотреть, что она там за одну ночь и три поломки насчитает, — это да. Но в режиме «реального времени» они просто не работали...

Итак, по выкладкам «прусского славянофила», паладина русской общины Гакстгаузена, наше сельское хозяйство к середине XIX века держалось на: 1) крепостном праве, 2) побочных кустарных производствах крестьян «в не сезон».

Я начал со второй из них не только по причине рассмотренных мной аналогий с XXI веком. Меня поразило, даже возмутило — сколько историков, публицистов позволили себе что-то писать о «крестьянском вопросе», без учёта этого важного обстоятельства. Интересующимся я посоветую: просмотрите хотя бы бегло сотню-другую авторов, вы тоже будете поражены. Полная мозговая зашоренность: раз о крестьянстве, значит (надо переписывать друг у друга) — о сельском хозяйстве. Начисто забывая о 7–8 *несельскохозяйственных* месяцах русского крестьянина. И логические провалы по этому, второму, пункту, искажая картину, мешают пониманию и первого: крепостничества.

Вернёмся к тезису «закрепощение крестьян — следствие модернизации (военной прежде всего) России».

Действительно, так и было, начиная от Алексея Михайловича — первого модернизатора и главного, правильного «модернизатора», по определению не приемлющего Петровские реформы (официальное прикрепление крестьян было совершено Соборным уложением царя Алексея Михайловича 1649 года). Так было и до Петра, у которого военные расходы — 80% бюджета и только *один (!)* полный год мирного правления, из 35. Правда, первую войну с Турцией он наследовал от предшественников.

Уже практически сломив шведов, в 1718 году (до окончания Северной войны остаётся только 3 года и одна победа — при Гренгаме фельдмаршала Голицына) Пётр задумывается о двух проблемах: 1) Куда потом девать армию? 2) «Как нам (мне) обустроить Россию»?

И решает объединить обе проблемы. Податная реформа Петра (1718–1724 гг.) заключается, как уже упоминалось, в сборе налогов и поддержании порядка (важнейшие дела в обустроенной стране), возлагающимися на армию. 126 воинских частей располагаются по стране, собирая налоги не только на своё содержание, но вроде бы и на все прочие государственные нужды.

В. О. Ключевский пишет: «*Полковые команды, руководившие сбором подати, были разорительнее самой подати. Она собиралась по третям года, и каждая экспедиция длилась два месяца: шесть месяцев в году сёла и деревни жили в паническом ужасе от вооружённых сборщиков, содержащихся при этом на счёт обывателей, среди взысканий и экзекуций. Не ручаюсь, хуже ли вели себя в завоёванной России татарские баскаки времён Батыя... Начала обнаруживаться огромная убыль в ревизских душах от усиления смертности и побегов: в Казанской губернии... пехотный полк не досчитался более половины назначенных на его содержание ревизских плательщиков... Создать победоносную армию и под конец превратить её в 126 разнузданных полицейских команд — в этом не узнаешь Преобразователя*».

Эту картину, нарисованную, в общем, большим сторонником Петровских реформ, я бы чуть подкорректировал. Да, ужасно это смешение военной, фискальной, полицейской работы. Но вспомним, кого, собственно, сменяла петровская Податная реформа? Кто предыдущие сотни лет выполнял всю «работу на местах»? Правильно, воеводы. Тоже, заметим, война, воинство в корне слова. Может, Пётр — тиран и милитарист, дошедший до крайности. А может, прагматик, менявший ни на что не годных стрельцов на гренадёров, поместных конников — на драгун, а изживших себя воевод — на полковников. Главный вопрос: какая в его Податной реформе была мера вынужденности, похоже, не разрешим. Остаётся только напомнить, что прежняя ситуация, когда Россия для защиты от поляков приглашала шведов, расплачиваясь частями государства, всеми осознавалась как нетерпимая, что и давало Петру простор для любых решений. Далее об этом будет подробнее.

Эта вынужденная (?), временная (?) мера Петра была отменена. К воеводам, разумеется, не вернулись, а функции государственной власти на местах переложили на помещиков. Важное уточнение: «на местах» — в деревнях. Именно в этот момент намечается важное расхождение русского города и деревни в правовом, если не сказать — философском смысле. Города, горожане остались в государственном управлении плюс иногда в общественном, но, в общем, оставались в сфере «публичного права». А крестьяне уходили под власть частных лиц.

Помещик был действительно заинтересован в сбережении, росте благосостояния своих «ревизских душ», и все последующие, уже перечислявшиеся шаги по закрепощению: право помещика продавать крепостных в рекруты третьим лицам (1747); право ссылать крестьян в Сибирь (1760), на каторжные работы (1765), запрет крестьянских челобитных (1767) — можно рассматривать как технологическое расширение менеджерских, директорских полномочий.

Я. Водарский в книге «Население России за 400 лет» фиксирует, что численность дворянских семейств выросла с 15 000 в 1700 году до 64 500 уже в 1737-м — тоже в своём роде «прикреплённых» к своим поместьям, в смысле — абсолютно ответственных перед государством за сбор налогов и рекрутов. И результаты этой реформы — от воинских команд — к помещикам — мы должны признать весьма положительными.

Рост населения: 1724 — 13,0 млн чел.; 1744 — 18,2; 1762 — 23,2; 1795 — 37,2; 1811 — 41,7. Госбюджет с 1701 по 1801 год вырос в 25 раз.

Понятно, что прирост бюджета — это совместные усилия помещиков, купцов, промышленников. Но прирост населения — почти весь в деревне, то есть в ведомстве помещиков.

В общем, как сказал бы Гегель (если б и он, как Имануил Кант стал бы на 4 года русским подданным и оглядел бы порядки нового отечества): *«Всё действительное (в России) — разумно»*.

Естественно, к этому растущему потоку общего блага примешивается тоненькая струйка яда. Сначала новые управители отменяют «майорат», здравый закон Петра, единонаследие, обеспечившее превращение европейского, особенно английского дворянства в деятельный класс. Старший сын наследует неделимое поместье, остальным — служить, двигать науки, промышленность. Пётр вводит единонаследие в 1714 году. Дворянство саботирует, а почувствовав свою силу в начавшийся «век дворцовых переворотов», добивается и официальной его отмены в 1736 году. *«Строгость к своим детям, к чадушкам, Митрофанушкам — это пускай у сухарей немцев!»* — и впереди у нас — раздробленные поместья, вплоть до 2–3 крепостных на одного помещика. Сатиры на тех помещиков хорошо известны: Радищев, Фонвизин, отчасти Крылов... Но тут я бы и от себя предложил сюжет, дорисовав картину XVIII века в духе абсурдов века XX: *«...0,5 или 0,73 крепостного на одного помещика»!* — Могло же у обладателя 3 ревизских душ родиться 5 детей.

Последующие шаги дворянства, набиравшего богатство и силу пропорционально не только общему росту богатства и силы государства (что тоже имело место, см. цифры выше), но и числу успешных дворцовых переворотов, хорошо известны. 1762 год — «Манифест о вольности дворянской»; 1785 год — «Жалованная грамота».

Вот что достойно размышлений, сопоставлений — именно эта «исподвольность» схожих тенденций. Ведь и комиссары после 1917 года были такие же новые управленцы, директора, как и помещики после 1725 года. И тоже показали хорошие результаты в первые пятилетки. Доказали, что НЕсобственник тоже может неплохо управлять, оставаясь при этом строго — представителем пролетариата.

И потихоньку, первый шаг в сторону: открыли спецстоловые для голодающих комиссаров. Далее: отмена *партмаксимума* — тут сегодня впору спрашивать не только: «Когда это произошло?», но вообще: «Что это такое?». Потом — закрытые распределители, 4-е Главное управление Минздрава СССР и его поликлиники и в итоге: отношение народа к директорам, партсекретарям в 1991 году не лучше, чем к помещикам в 1861-м.

Так что же нас сбило с предсказанного Августом Гакстгаузеном пути всеобщей справедливости или хотя бы «невозможности революций»?

Не замахиваясь на «смысл русской истории» вообще, а в соответствии с темой книги сосредоточившись на периоде династии Романовых, можно указать три главных фактора, действие которых совместилось в первой половине XIX века.

1. Дворянство в век дворцовых переворотов нарушило основной баланс государства, служилое и тяглое сословия перестали быть «равноудалены» от источника власти. Общенациональное государство стало на 99 лет дворянским.

2. Правительство, достигнув основных целей «романовской модернизации», упоминавшегося броска с предпоследнего места в Европе 1648 года на первое в 1814-м, не смогло сформулировать новые цели развития.

3. «Крестьянская модель» развития так же зашла в тупик в обстоятельствах демографического взрыва и, как следствие, столь же взрывного, стремительного обезземеливания.

Продолжим статистическую лесенку роста населения, начатую чуть выше:

1815 — 43,1 млн чел.

1857 — 59,2.

Ну и начало XX века — 150 миллионов человек.

В этой лесенке, по-моему, самая главная ступенька — 1795 год (37,2 млн). Вот почему я уделил некоторое внимание противопоставлению внешней политики Екатерины II и Павла I. Просмотр массы исторической литературы от учебников до научных и популярных книг, статей вроде бы (подсчёты тут весьма приблизительны) дают больше плюсов Павлу.

Общая тенденция угадывается такая: достижения Екатерины яркие, но поверхностные, всё это — *«гром победы раздавайся, веселися славный росс»*, списки выигранных сражений, Потёмкин, Суворов, Румянцев, Орлов-Чесменский — хорошо для школьников, для «патриотического воспитания». А интеллектуалы, начиная с Чацкого, должны смеяться над *«забытыми газетами времён Очаковских и покоренья Крыма»*, отыскивать философские глубины, любоваться парадоксами деяний Павла, которого величают «русским Гамлетом». Он обуздал помещиков, ограничил барщину тремя днями, жил, «опережая время», «жил слишком быстро»... Но он же, услыхав от кого-то однажды, будто участь помещичьих крестьян лучше участи казённых, за время своего царст-

вования роздал до 600 000 душ казённых крестьян помещикам. Вот пример действия основанного на «половин-
чатой» информации, а скорее всего — «уполовиненной» с
корыстными целями.

Да, в первой половине XVIII века заметили, что петровская система управления через расквартированные
воинские команды изжила себя и под «своими» помещиками крестьяне зажили лучше. Но 60 лет спустя тот некто, озвучивший Павлу сведения о жизни крестьян, наверняка сам получил немалую долю из тех 600 000 роз-
данных душ. И многие Павловы парадоксы, так сегодня
утончённо истолковываемые, были просто умножением
на минус единицу всех деяний ненавистной матери.

Воевала Екатерина с поляками, взяла (на поле боя) в
плен Костюшко. Павел выпускает его, да ещё дарит име-
ние и, опять же, русских крепостных в придачу. Хорошо
хоть Костюшко был искренним революционером и от да-
римых Павлом крепостных душ отказался. А то ведь, вообразите, какой вышел бы национальный позор: среди
подаренных Костюшко крепостных, допустим, оказыва-
ются родители солдат, победивших и взявших его в плен
в Польше! Впрочем, подобных гнусных парадоксов всё
же немало наприключалось в России конца XVIII — середины XIX века.

И ещё раз укажу на «инвариантность» внутри- и
внешнеполитических тенденций. Когда внутри вся политика сводилась к прикрытию колоссального обмана, за-
мещения общенародного государства дворянским, именно тогда с фатальной неизбежностью и внешняя политика сводилась к столь же гигантскому самообману
(апофеоз которого — Священный союз, бесплатная европейская жандармская служба).

Подробнее о войнах Екатерины и Павла будет сказано
далее. О геополитических итогах было сказано раньше:

(в екатерининских войнах достигнута важнейшая «естественная граница» — Чёрное море, воссоединены все три ветви русского народа). А с точки зрения темы этой главы пропасть между екатерининскими войнами и экспромтами её сына и обоих внуков следующая: до 1795 года каждая война означала присоединение земель, пригодных для расселения русских крестьян. Целая страна, Новая Россия, Новороссия вместила миллионы. После 1795 года 1) настал черёд и проигранным войнам, 2) войны, даже выигранные, теперь приносили только громадные проблемы (Польша, Финляндия, Священный союз...).

Вот парадокс! Вроде те же славные фамилии: Суворов, Кутузов, Багратион, Милорадович, тоже славные победы... Но за этими яркоцветными султанчиками, флагами, крестиками сражений на картах скрыты совершенно разные явления. Одна из статей неформального «общественного договора» была нарушена: власть, забирая у нации часть его сил, перестала решать национальные задачи.

Но может, после 1795 года и не было объективных возможностей, новых земель?

Тут-то и находится ещё один довод, подтверждающий правомерность выделения в самом начале этой книги периода *«ДвуАлександрия»*! Периода возвращения Александров II и III к осмысленной, национальной внутренней и внешней политике.

Айгуньский договор 1958 года даёт России Приамурский край, Пекинский договор 1860-го — Приморский край. И, что важно, Китай передаёт России эти почти незаселённые области НЕ после какой-либо проигранной им войны. Никакого военного конфликта не было вообще. *НЕ силой, но своей... нужностью* Россия получила Приамурье, Приморье. Правители Китая, громимого «натовцами XIX века» (Англия, Франция, «Опиумные войны») рассчитали, что появление на Тихом океане России уравновесит ситуацию. (Без Приамурья-Приморья выход России на Восток был неполноценным: по единственной горной тропе Якутск—Охотск через хребет Джугджур проходили лишь вьючные караваны, серьёзные же грузы, пушки... доставлялись кругосветными экспедициями.)

Колонизация новых земель началась сразу, морским путём. Именно так, через гирлянду 12 морей, в 1880-х годах на земли новосозданного Уссурийского казачьего войска переехали потомки Нежинского (на Черниговщине) казачьего полковника Прокопа Шумейко. Мои предки.

А после пуска задуманного Александром III и проведённого Сергеем Витте Транссиба переселение крестьян на Дальний Восток стало крупнейшим геополитическим фактором. Лишние (на землях европейской части страны) люди взяли и удержали самый важный рубеж России — Тихоокеанский, наш «мостик» в XXI век.

Получается, был, был ещё огромный клин земель, пригодных для освоения русскими крестьянами.

Итак, в конце XVIII века, ликвидировав внешние угрозы, Россия вошла в период бурного, уникального в истории демографического роста. Но если два российских сословия — крестьяне и казаки *расширенно воспроизводили* себя, так сказать — «без потери качества», «проецируя» на новые и новые земли свои сёла и станицы, поставляя тех же по качеству рекрутов и тот же хлеб (но в больших количествах), то «расширенное воспроизводство» учителей, врачей и священников, а также администраторов и чиновников требовало, похоже, совсем другой пропорции затрат и, главное, влекло за собой совершенно новые риски. Даже если их «профессиональный компонент» успевал, соответствовал уровню эпохи, то само появление большой популяции образованных людей

грозило неизвестными ранее интеллектуальными эпиде-
миями. Семинарии, университеты стали рассадниками
радикалов, вульгарных материалистов, террористов.
С этой точки зрения, наверное, и нужно рассматривать
печально известный *«Закон о кухаркиных детях»*: объёмы знаний без устойчивого мировоззрения ощущались
(справедливо) как потенциальная угроза. В целом «голова» начала отставать от тела, превращая Россию в эдакого бронтозавра, диплодока.

Потомок древнего рода, один из ведущих историков и
публицистов XIX века Борис Чичерин так нелицеприят-
но судит собратьев-дворян:

*«Человека, привыкшего расправляться палкою с сво-
ими крепостными, трудно удержать от подобного обращения и с свободными людьми... Вообще людей из низших
сословий дворяне трактуют как животных совершенно
другой породы, нежели они сами. Дворянская спесь имеет
корень в крепостном праве. Дворянин знает, что он дворянин, т. е. человек, по своему рождению предназначен-
ный жить чужой работой — и потому он личный труд
считает для себя бесчестием. (Как?) мелкопоместный
дворянин может снизойти на какое-нибудь коммерческое
предприятие или работу, поставляющую его в личную зависимость от другого, когда у него самого есть две, три
души, обязанные служить ему всю свою жизнь, и которых
он может безнаказанно сечь, сколько ему угодно? Неудивительно, что помещик стал вообще ленив, беспечен, рас-
точителен, неспособен ни на какое серьёзное дело, горд и
тщеславен, раболепен к высшим и груб в отношении к низ-
шим. Чувство нравственного достоинства человека и
гражданина исчезло у нас совершенно...»*

И уж так получается, что эту (словесную) критику
продолжил, но уже делом, племянник Бориса Чичерина,
Георгий Васильевич Чичерин, ставший большевиком и
народным комиссаром (иностранных дел).

Впрочем, набрать подобных и куда более остро критических цитат — слишком лёгкое дело, *тысячи их*. Если же открыть книгу *«Голоса из России»* 1856 года, изданной в Лондоне, но целиком составленной из российских *«криков души»*, можно по любому пункту найти что-нибудь вроде: *«...русский дворянин, как русский человек вообще, ничего не сделает для общественной пользы иначе как по принуждению»*.

Важнее признать: русские дворяне, правительство не были как-то особо глупы, недальновидны. Политические решения по многим частным вопросам являли порой образцы искусства управления. Но именно общий вненациональный вектор государственной жизни относил всё к бессмыслице.

В марте 1842 года Николай I выступает перед Государственным советом:

«Нет сомнения, что крепостное право, в нынешнем его положении у нас, есть зло, для всех ощутительное и очевидное, но прикасаться к нему теперь было бы делом ещё более гибельным. Покойный император Александр в начале своего царствования имел намерение дать крепостным людям свободу, но потом сам отказался от своей мысли, как совершенно ещё преждевременной и невозможной в исполнении. Я также никогда на это не решусь, считая, что если время, когда можно будет приступить к такой мере, вообще ещё очень далеко, то в настоящую эпоху всякий помысел о том был бы не что иное, как преступное посягательство на общественное спокойствие и на благо государства. Пугачёвский бунт доказал, до чего может дойти буйство черни. Позднейшие события и попытки в таком роде до сих пор всегда были счастливо прекращаемы...» («Эпоха Николая I». Под ред. М. О. Гершензона. М., 1910).

Он организует Тайный комитет по подготовке реформы и тогда же, в 1842 году, признаётся в кругу семьи:

«Я стою перед самым значительным актом своего царствования. Сейчас я предложу в Государственном совете план, представляющий первый шаг к освобождению крестьян» («Сон юности. Записки дочери императора Николая I, великой княжны Ольги Николаевны, королевы Вюртембергской» Париж, 1963).

Дворяне, оставаясь (почти) в рамках лояльности, тормозят великое дело. Советчики, подобные тому, кто с помощью исторической справки надоумил *друга крестьян и врага дворян Павла* раздать 600 000 крепостных дворянам, всегда найдутся. Наконец, подоспел 1848 год, в Европе — революции, и надо (непременно надо!) напяливать жандармский мундир и идти спасать *злейших друзей*, евромонархов и особенно австрийского кесаря — уфф, кажется, пронесло! Министр граф П. Д. Киселёв, сделавший абсолютный максимум возможного для крестьян — государственных, и готовивший «Великую реформу» — по помещичьим, свидетельствовал, что после 1848 года *«вопрос о крестьянах лопнул»*.

И как осторожно, робко начинались после Крымской войны эти разговоры — даже царём! Вот как Александр II высказывается в «дворянской столице России» Москве, можно сказать, перед всероссийским съездом крепостников:

«Слухи носятся, что я хочу объявить освобождение крепостного состояния. Это несправедливо... Вы можете это сказать всем направо и налево. Я говорил то же самое предводителям, бывшим у меня в Петербурге. Но не скажу вам, чтобы я был совершенно против этого. Мы живём в таком веке, что со временем это должно случиться. Я думаю, что и вы одного мнения со мною; следовательно, гораздо лучше, чтобы это произошло свыше, чем снизу».

«Чёрно-белый передел»

Итак, пародовольцы объявили войну и убили Александра II за то, что он, освобождая в 1861 году крестьян... *«обманул, не дал им землю»*, как с ещё дымящимся пистолетом, сказал царю первопокушенец Дмитрий Каракозов. Но большинство дворян и составлявшие государственный аппарат чиновничество, офицерский корпус, наоборот, считали, что крестьянам дали слишком много земли.

Трагизм. Именно царь Александр, по свидетельству Ключевского (да практически всех историков), личными стараниями, не имея помощников в правительстве, несмотря на упорное сопротивление помещиков и высших чиновников, лично разъезжая по губерниям, смягчал ожесточение помещиков: убеждал, уговаривал, стыдил. *«...Благодаря его личному авторитету был утверждён наиболее либеральный из возможных в то время вариантов освобождения (с зёмлей за выкуп)».*

Из моря документов по этому направлению выберем два, хронологически обрамляющих долгий период, когда Россия решалась на Великую реформу. **Начало и Конец**: от периода сразу после 1815 года, окончания Наполеоновских войн, когда вся страна поняла, что крестьянский вопрос всё же надо решать, и до самой зимы 1860/61 года, периода последних споров.

Начало

В 1817 году в журнале, называвшемся *Дух журналов*, некто, представившийся в стиле XVIII века «русский дворянин Правдин», писал, что и сами крестьяне — за крепостничество, и *«...ясным доказательством тому служит 1812 год, когда они не только отвергли ко-*

варные обольщения врага общего спокойствием при вторжении его в наше Отечество, но и вместе с помещиками своими устремились все на защиту домов своих и милой родины...»

В пьесах XVIII века фамилии раздавали именно так, и *Правдиным* обычно противостояли *Вороватины, Ножовы*... Но легион дворян, чью позицию выразил выше цитированный автор, правильнее назвать Глупцовы, или всё же, скорее, Подлецовы, Мерзавцовы. От так запредельно гнусно истолкованного патриотизм русских крестьян 1812 года под свою подлую помещичью корысть!.. Одна надежда, что «*дворянин Правдин*» 1817 года и на том свете как-нибудь увидел бы, ровно 100 лет спустя, своего родного праправнука и его последние минуты жизни в окружении крестьян, комиссаров... и осознал бы свою ответственность за это...

Именно хор таких «*русских дворян Правдиных*», слившись, повлиял и на насмерть запуганного ещё с 1801 года царя Александра I, уделившего крестьянам в своём историческом Манифесте по случаю победы над Наполеоном только одну глумливую строчку: «*Крестьяне, добрый наш народ, да получат мзду свою от Бога*».

Именно глумливую, потому как следом за Манифестом крестьяне и получили «*от Бога*» (из рук Его помазанника) военные поселения. Все царские любезности, льготы, преференции, да и большая часть царского времени, внимания достались полякам.

А ведь такое объявление «мзды от Бога» и такое потом реальное наполнение этой «мзды» попахивает даже и богохульством.

Понятно, что столь коренная ломка сложившегося уклада, освобождение крестьян чревато потрясениями, ослаблением на некоторое время внешнеполитической безопасности. Сродни тяжёлой операции. Но именно ситуация после 1812 года была благоприятна как никогда.

Россия обеспечила себе лет 40–50 полной внешней безопасности. Моральный подъём в обществе был огромен. Александр II решился в 1861 году па реформу — в неизмеримо худших внешних и внутренних обстоятельствах!

Grand finale

И второе свидетельство — из «Дневника» графа Петра Валуева, только что, 7 января, назначенного управляющим делами комитета министров. Заседание Государственного совета 28 января 1861 года. На седьмом часу заседания, когда «...*в прениях принимали участие все почти языком владеющие члены... генерал Н. Н. Анненков с обычным бледным словоизобилием рассказывал длинную историю о каком-то саратовском помещике из севастопольских героев, которому надлежит выдать дочь в замужество и которого разорит проект Редакционных комиссий...*»

То есть до объявления царским Манифестом освобождения крестьян остаётся три недели, «Редакционные комиссии» представляют итог многих лет работы и споров — проект. Ещё несколько дней задержки, и крестьяне на местах просто не успеют начать новый сельскохозяйственный год, провести тот самый «чёрный передел» на миллионах земельных клочков... И генерал Анненков рассказывает длинную и совершенно справедливую историю о севастопольском герое, офицере, помещике, ущемляемом проектом. Историю абсолютно, кричаще справедливую, но до того момента, пока не начать вспоминать, что в Севастополе, кроме офицеров-помещиков, оказывается (!), были и солдаты, которые из крестьян...

Именно этот важнейший период, подготовку и проведение Великой реформы я пропускаю принципиально.

Здесь набрать исторических цитат, расписывающих практически каждый день 1856–1861 годов, описывающих и оценивающих каждый мельчайший шаг под любым, наперёд заданным углом зрения, — дело ещё более лёгкое, легковесное, бессмысленное.

Оставлю только одну, даже и не содержательную цитату, а скорее — итоговый вопль изумления. Надо сначала только вообразить, какие легионы чиновников десятилетиями готовили страну к этому прыжку в неведомое. Поколения сменялись, а мудрецы в Тайных (и не тайных) советах писали «аналитические записки», готовили и отдавали царям «всеподданнейшие доклады», побивали доводы друг друга мудрыми контрдоводами, и в итоге... Как пишет Константин Кавелин Дмитрию Милютину (племяннику упомянутого николаевского министра графа Киселева): *«Это ж Ростовцев! Яшка Ростовцев, косноязычный плут и негодяй, политический шулер дурного тона — освободил крестьян! Ведь это было бы вопиющей к небу нелепостью, если бы не было правдой!»*

Задумаешься тут. Нет, не о том, что реформа была неудачна, потому что шулер (якобы!) Ростовцев сделал на её пути решающий шаг. В конце концов это письмо — лишь частная оценка одного видного деятеля эпохи в письме к другому. Но каков общий тон!

Надо лишь сообщить, что Константин Кавелин — не только учёный, чей проект освобождения крестьян ходил по всей стране, *«выдвинув его в ряды выдающихся русских публицистов»* (Брокгауз), но и практик этого направления деятельности. Именно ему великая княгиня Елена Павловна доверила освобождение и обустройство крестьян в своём имении Карлово, Полтавской губернии. (7000 ревизских душ). Ещё более значим и адресат этого «крика души» — граф Дмитрий Милютин, ключевая фигура того царствования, военный министр, создавший новую русскую армию, первую после столетий рекрутчины, на основе им же проведённой «всеобщей воинской повинности». К подготовке крестьянской реформы он тоже внимательно присматривался, его министерства это касалось теснейшим образом...

Когда меня спрашивали, как именно, по моему мнению, была проведена Великая реформа, и я видел, что собеседник явно настроен услышать что-то не очень длинное, занудное, что газета/журнал, его пославшие, планирует под возможный ответ примерно полтора абзаца, то всегда отвечал: *«Реформа проведена абсолютно по-русски!»*

Я уже упоминал о звёздном часе русской литературы, как царь Александр II признавался и даже просил «передать господину Тургеневу», что в момент самых тяжёлых раздумий об освобождении крестьян ему лично помогло решиться чтение его «Охотничьих рассказов»... Это, согласитесь, делает картину освобождения ещё более русской.

Вот и Ричард Пайпс прослеживает долгую предысторию нашей Реформы, опираясь на работы многих экономистов, отметает узко экономические аргументы и об итоговой решимости и решении пишет так: *«Решение освободить крепостных, и будь что будет, было принято... воцарившимся Александром II... Оно было проведено наперекор сильному сопротивлению землевладельческого класса и невзирая на внушительные административные препятствия. Было время, когда учёные полагали, что шаг этот был сделан в основном по экономическим причинам, а именно в результате кризиса крепостного хозяйства. Но мнение это не имеет под собою достаточных оснований».*

А среди экономистов, оценки которых приводит Пайпс, — знаменитый авторитет Пётр Струве, доказавший, что «накануне своей отмены крепостничество достигло высшей точки экономической эффективности», а также Н. Л. Рубинштейн со своей работой «Сельское хозяйство России во второй половине XVIII в.» и Michael Confino. Domaines et seigneurs en Russie vers la fin du XVIII siecle (Paris, 1963).

Да и вся история последних 50 лет императорской России говорит об ухудшившемся экономическом положении основной массы крестьян: плата за освобождение. Тут, в этот период, в общем, правы и марксисты, говорившие об «усилении эксплуатации крестьян» (только у них это усиление как началось от призвания Рюрика с братьями, так и продолжалось до 1917 года).

Вспомним теперь весь тот необъятный период пошагового закрепощения, те парадоксально прожитые 99 лет, когда после освобождения дворян государство, желавшее остаться (обще)национальным государством, обязано было освободить и крестьян... Вспомним, что ещё Екатерина Великая первой начала эти мучительные попытки, и вот видим, как заканчивается это — просто гениальным пассажем: *Это ж Яшка! косноязычный плут и негодяй Яшка — освободил крестьян!*

Не — хорошо/плохо/гениально/непродуманно... а именно — *по-русски.*

Примерялись сто лет многие... и мудрые и Великие (по официальному титулу), а решил — *Яшка.*

Напомню название одной и предыдущих глав этой книги: **«Как довести проблему до статуса "неразрешимая"?»**

Крестьянская, земельная проблема к середине XIX века действительно достигла этого статуса. Единственно, тут необходимо уточнить: «неразрешимая» означало: *не разрешимая* в тех условиях, при сохранении той страны и той структуры общества. А если без терминологических экивоков: «при сохранении жизни дворянству — неразрешимая проблема».

После 19 февраля 1861 года «неразрешимая» проблема стала: «неразрешённой». Возьмём навскидку оценку Бориса Чичерина: *«Преобразования Александра Второго были наименьшим, что можно было дать обществу, и оно быстрым усвоением показало, что было готово к этому»*. Чичерин тут, конечно, говорил вообще о мере гражданских свобод, отпущенных обществу (интеллигенции). Можно распространить эту формулу и на интересующий вопрос: *«Преобразования Александра Второго дали минимум земли, что можно было дать (крестьянскому) обществу»*. Но: даже если б дали и максимум, т. е. у помещиков забрали бы всю землю, российский демографический бум через два поколения привёл бы крестьян к тому же состоянию «земледефицита». Да можно и без «бы». И привёл.

И вновь неразрешимая (в наличных тогда условиях) проблема и вновь Великая реформа, на этот раз — коллективизация 1929 года, главной задачей которой было не столько изъятие у крестьян хлеба, сколько изъятие самих крестьян из деревни.

В последующих главах обратим взгляд на эти «неразрешимости», «неразрешённости», а сейчас, завершая тему «Реформы 1861 года», следует пройти по такой логической цепочке: «И всё-таки, при всей неразрешимости земельного вопроса, Великое освобождение было? — Да. — Тогда, можно ли уточнить: освобождение — от чего?»

То есть желательно дать завершающий аккорд на взгляд на русское крепостничество, по возможности, без полемических перехлёстов. И здесь я предлагаю в экскурсоводы того же Ричарда Пайпса, повторюсь — добросовестного сумматора множества историографических концепций:

«Каково же было положение русских крепостных? Это один из тех предметов, о которых лучше не знать вовсе, чем знать мало!»

Вот за что Пайпс заслуживает большого уважения. Фраза настоящего учёного, «пропустившего через себя» тысячи книг, авторов, писавших *о крепостничестве*, и отбросившего сотни из них, хотя зачастую и самых громких, раскрученных, но «*знающих мало*»... Читаем Пайпса далее:

«Прежде всего следует подчеркнуть, что крепостной не был рабом, а поместье — плантацией. Русское крепостничество стали ошибочно отождествлять с рабством, по меньшей мере ещё лет двести тому назад. Занимаясь в 1770-х гг. в Лейпцигском университете, впечатлительный молодой дворянин из России Александр Радищев прочёл *“Философическую и политическую историю европейских поселений и коммерции в Индиях”* Рейналя. В книге одиннадцатой этого сочинения содержится описание рабовладения в бассейне Карибского моря, которое Радищев связал с виденным им у себя на родине. Упоминания о крепостничестве в его *“Путешествии из Петербурга в Москву”* (1790 г.) представляют собою одну из первых попыток провести косвенную аналогию между крепостничеством и рабовладением путём подчеркивания тех особенностей (например, отсутствия брачных прав), которые и в самом деле были свойственны им обоим. *Антикрепостническая литература последующих десятилетий, принадлежавшая перу взращённых в западном духе авторов, сделала эту аналогию общим местом, а от них она была усвоена русской и западной мыслью* (курсив мой. — *И. Ш.*). Но даже в эпоху расцвета крепостничества проницательные авторы нередко отвергали эту поверхностную аналогию. Прочитав книгу Радищева, Пушкин написал пародию под названием *“Путешествие из Москвы в Петербург”*...»

Далее Пайпс приводит отрывок из этой пародии. И продолжает:

«Русский крепостной жил в своей собственной избе, а не в невольничьих бараках. Он работал в поле под началом отца или старшего брата, а не под надзором наёмного надсмотрщика. Хотя, говоря юридически, крепостной не имел права владеть собственностью, на самом деле он обладал ею на всём протяжении крепостничества — редкий пример того, когда господствующее в России неуважение к закону шло бедноте на пользу.

Помещик обладал властью над крепостными прежде всего в силу того, что был ответственен перед государством как налоговый агент и вербовщик. В этом своём качестве он распоряжался большой и бесконтрольной властью над крепостным, которая в царствование Екатерины II действительно близко подходила к власти рабовладельца. Он тем не менее никогда не был юридическим собственником крепостного, а владел лишь землёй, к которой был прикреплён крестьянин. Торговля крепостными была строго запрещена законом. Некоторые крепостники всё равно занимались таким торгом в обход законодательства, однако в общем и целом крестьянин мог быть уверен, что коли ему так захочется, он до конца дней своих проживёт в кругу семьи в своей собственной избе... крепостной принимал своё состояние с тем же фатализмом, с каким он нёс другие тяготы крестьянской жизни. Крестьянин вынес из самой ранней поры колонизации убеждение, что целина — ничья и что пашня принадлежит тому, кто расчистил её и возделал. Убеждение это ещё более усилилось после 1762 г., когда дворян освободили от обязательной государственной службы. Крестьяне каким-то инстинктом чуяли связь между обязательной дворянской службой и своим собственным крепостным состоянием. С того года крестьяне жили ожиданием великого "чёрного передела"...»

Тщательно собирает Пайпс все объективные оценки современников, например Роберта Бремнера (Robert

Bremner), сравнение которых с той самой «Библией русофобии» «Россия в 1839 году» маркиза де Кюстина создаёт впечатление, что они ездили не то что по разным странам, но по разным планетам. Роберт Бремнер пишет:

«Безо всяких колебаний говорю я, что положение здешнего крестьянства куда лучше состояния этого класса в Ирландии. В России изобилие продуктов, они хороши и дёшевы, а в Ирландии их недостаток, они скверны и дороги. Здесь в каждой деревне можно найти хорошие, удобные бревенчатые дома, огромные стада разбросаны по необъятным пастбищам, и целый лес дров можно приобрести за гроши. Русский крестьянин может разбогатеть обыкновенным усердием и бережливостью, особенно в деревнях, расположенных между столицами...

И в тех частях Великобритании, которые, считается, избавлены от ирландской нищеты, мы были свидетелями убогости, по сравнению с которой условия русского мужика есть роскошь. Есть области Шотландии, где народ ютится в домах, которые русский крестьянин сочтёт негодными для своей скотины...»

Но тот же Роберт Бремнер после этих хвалебных оценок продолжает: «...Однако дистанция между ними огромна, неизмерима, выражена быть может двумя словами: у английского крестьянина есть права, а у русского нет никаких!»

И снова Пайпс:

«В царской России было гораздо меньше крестьянских волнений, чем принято думать. По сравнению с большинством стран, русская деревня эпохи империи была оазисом закона и порядка... На самом деле большинство так называемые крестьянские "волнения" не были сопряжены с насилием и представляли собою просто неповиновение. *Они выполняли такую же функцию,*

как забастовки в современных демократических общест-
вах (курсив мой. — *И. Ш.*)».

Далее Пайпса делает блестящий анализ, как эти *«заба-*
стовки» нашими пропагандистами, статистическими фо-
кусниками и... заинтересованными *«силовиками»* превра-
щались в «волнения», а затем и в «крестьянские бунты».

«Особенно важно избавиться от заблуждений, связанных с так называемой жестокостью помещиков по отношению к крепостным... Пропитывающее XX век насилие
и одновременно "высвобождение" сексуальных фанта-
зий способствуют тому, что современный человек, балуя
свои садистские позывы, проецирует их на прошлое; но
его жажда истязать других не имеет никакого отношения
к тому, что на самом деле происходило, когда такие вещи
были возможны. Крепостничество было хозяйственным
институтом, а не неким замкнутым мирком, созданным
для удовлетворения сексуальных аппетитов... Тут никак
не обойтись одним одиозным примером Салтычихи, уве-
ковеченной историками помещицы-садистки, которая в
свободное время пытала крепостных и замучила десятки
дворовых насмерть. Она говорит нам о царской России
примерно столько же, сколько Джек Потрошитель о викторианском Лондоне. Там, где имеются кое-какие статистические данные, они свидетельствуют об умеренности
в применении дисциплинарных мер. Так, например, у помещика было право передавать непослушных крестьян
властям для отправки в сибирскую ссылку. Между 1822
и 1833 гг. такому наказанию подверглись 1283 крестьянина. В среднем 107 человек в год на 20 с лишним миллионов помещичьих крестьян — не такая уж ошеломи-
тельная цифра...»

Эта блестящая ирония гарвардского профессора —
в адрес штампов русофобской пропаганды. Тут и нам хороший повод задуматься: а где собственно была макси-
мальная концентрация этих штампов, тщательно опро-

вергаемых гарвардцем?! *Голод, Холод, Кровь, Царизм...*
Чахотка и Сибирь — последние два слова может уже посредством стихотворного размера напомнят вам об авторе. Да-да... Некрасов, Добролюбов и иже... Наши «народнички», «к топору зовители». А ещё бы как-нибудь взять да и сравнить *удельные концентрации* подобных «фактов» на страницах ленинских «Искр» и гебельсовской «Фёлькише Беобахтер»...

Пайпс:

«Русское обычное право, которым руководствовались сельские общины, считало признание обвиняемого самым убедительным доказательством его вины. *В созданных в 1860-х гг. волостных судах, предназначенных для разбора гражданских дел и управляемых самими крестьянами, единственным доказательством в большинстве случаев было признание подсудимого* (курсив мой. — И. Ш. — *Сей пример поможет и на "процессы 1930-х годов" — посмотреть без помощи дьявольщины, мистики или конспирологических окуляров*)... Крестьянин верил, что царь знает его лично, и постучись он в двери Зимнего дворца, его тепло примут и не только выслушают, но и вникнут в его жалобы до самой мелкой детали. Именно в силу этого патриархального мировосприятия мужик проявлял по отношению к своему государю такую фамильярность, которой категорически не было места в Западной Европе. Во время своих поездок по России с Екатериной Великой граф де Сегур (deSegur) с удивлением отметил, насколько непринуждённо простые селяне беседовали со своей императрицей...»

Я добавлю к сказанному Пайпсом и тот известный факт, что *только крестьяне* говорили царю «ты». Нельзя даже вообразить — ухо режет — крестьянина, обращающегося к монарху: «Вы, царь...».

Надеюсь, перечитав, с моими минимальными комментариями, «русофоба» Пайпса, вы не просто отдохнули от настоящих современных клевет, бжезинсинуаций, но и мимоходом выяснили кое-что. Например, кто первый запустил в публику уравнение *«крепостничество = рабство»*. И тщательное Пайпсово расследование: *«Антикрепостническая литература, принадлежавшая перу взращённых в западном духе авторов, сделала эту аналогию общим местом, а от них она была усвоена русской и западной мыслью»,* — поможет понять и ближайшие к нам сегодняшние события.

И последние манипуляции с российской деревней

Итак, *освобождение крестьян XIX века* от крепостничества я здесь дополнил, надеюсь, хотя бы частичным... *«освобождением читателя XXI века»* от некоторых штампов, связанных с крепостничеством.

Главное, что стоит повторить: «Великая крестьянская реформа 1861 года» при любом варианте передела земли: *«чёрного передела»,* давшего имя народовольческой организации, *«чёрно-белого...»,* какого угодно — не разрешала проблему крестьянского малоземелья.

Данные Министерства земледелия России. *Средний сбор с 1 десятины в четвертях:*

	Рожь	Пшеница	Овёс
1870	4,4	4,4	4,1
1871	3,5	3,6	2,7
1872	3,8	2,9	3,7
1873	4,3	3,0	3,4
1874	4,9	4,8	3,3
1875	3,7	2,8	2,8
1876	3,7	2,9	3,6

1877	3,6	4,4	3,6
1878	4,9	3,7	3,8
1883	3,8	4,4	3,6
1884	4,8	5,4	3,2
1885	4,9	4,3	2,5
1886	4,6	3,2	3,6
1887	5,2	6,2	4
1888	5,2	5	3,5
1889	3,9	3,8	3,3
1890	3,9	4,2	3,1
1891	2,3	2,1	2,6
1892	3,9	4,9	2,6
1893	5,5	5	2,7
1894	5,3	5	3,9
1895	5,7	6	4,1

Соотнесём с нынешними единицами. 1 гектар = 0,9 десятины, 1 четверть = 209,9 литра (т. е. примерно баррель. По немного странному совпадению, хотя четверть — мера объёма, а не веса, именно в случае удельного веса зерна этот наш старинный показатель *четверть/десятины* весьма близок к новому, метрическому *центнер/гектара*). Но в пределах данной главы достаточно просто отметить, что роста урожайности за 25 лет **почти нет**. Далее сравнение с урожайностью в Западной Европе (в тех же четвертях с десятины):

	Пшеницы	**Ржи**
Россия	4,5	4,3
Франция	11,4	10,1
Пруссия	11,4	11,1
Австрия	9,5	9,7
Великобритания	33,9	—

По данным Statistique agricole de la France, средняя урожайность главных хлебов была на один гектар для 9 [Германия, Франция, Австрия, Великобритания, Бельгия, Швеция, Соединённые Штаты, Канада, Австралия] государств Западной Европы и Америки, по сравнению с Россией, такова:

	Средняя урожайность 9 иностранных государств	Средняя урожайность России	Урожаи России состав. % иностр. госуд.
	Гектолитров		
Пшеница	16,69	8,10	48,5
Рожь	15,96	8,92	57,1
Ячмень	21,38	7,33	34,3
Овёс	27,60	13,90	50,3
Картофель	9,27	6,40	69,0

Статья в Брокгаузе, базируясь на работах Докучаева и Фортунатова, объясняет: «Подобная громадная разница в средней урожайности зависит, конечно, не столько от более благоприятных условий климата и пр., сколько от общего уровня техники и экономической обстановки хозяйства».

Фиксация именно этого факта — хорошая отправная точка для рассмотрения следующего грандиозного заблуждения той эпохи (опускания на *дно династии*).

Самый авторитетный (как ни крути и как ни печально, но это так!) учёный и политик периода рубежа веков, будущий глава партии кадетов, член Временного правительства Павел Милюков в «Очерках по истории русской культуры» писал:

«От количества населения в стране зависит степень экономического развития данной страны. Чем гуще населена известная местность, тем больше труда может проявить население, тем лучше оно может распределить между собой этот труд, тем больше оно может накопить сбережений... Ко времени смерти Петра Великого (1725) в России было всего около 13 миллионов жителей. Теперь в ней насчитывается 150 миллионов... При Петре в Евр[опейской] России жило, средним числом, всего по 3,7 человека на кв. километр... примерно столько, сколько теперь живёт в Архангельской или Вологодской губ. На том же пространстве петровской России в наше время помещается... 59 миллионов. На километр это даст 17 человек. Между тем в Австро-Венгрии живёт 73,1 чел./кв. км, во Франции — 73,8, в Германии — 112, в Италии — 117,6, в Англии — 140, в Бельгии — 243... Во всей Европе только Балканский полуостров и Испания до некоторой степени могут сравниться с Россией по слабой населённости.

...Один этот факт покажет нам, как далеко Россия должна была отстать от западных государств по своему экономическому развитию... Пруссия уже двести лет тому назад достигла той плотности, которую имеет теперь старая Россия, и больше ста лет, как превзошла её... Франция уже в начале XIV века, т. е. полтысячи лет назад, имела 40 чел./кв. км... сколько теперь имеют только хорошо населённые местности России. Что же касается Англии, она достигла средней плотности теперешней России ещё во времена Вильгельма-Завоевателя (середина XI века). Тогда уже в ней жило около 21 человека на кв. км... *Правда, ни в одной из названных стран нет такой огромной массы неудобных и пустынных земель, как в России* (курсив мой. — *И. Ш.*)... Есть, очевидно, для каждой страны и для каждого времени какой-то естественный предел насыщения страны населением... Судя по низкой степени населённости, по большому количеству браков и рождений... русское население находится в периоде свободного возрастания...»

Видите, как, отталкиваясь от факта в общем банального — «рост населения положительно влияет на экономическое развитие», Милюков быстро заводит читателя в полные дебри, пророча тогдашней России «свободное возрастание плотности населения» до степеней французских, германских...

Правда, есть у него признание, что... *«ни в одной из названных стран нет такой огромной массы неудобных и пустынных земель, как в России»*. И тут Милюков прав и неправ. Прав, сделав это примечание, и в корне неправ, не уточнив, а **какова именно удельная часть** этого *неудобья*. А ведь разница феноменальная! У меня нет под рукой статистики конца XIX века, но исходя из того, что это за фактура, что стоит за этим показателем (доля болот, лесов, тундр, гор), понятно, что как-то измениться эти условия за сто лет не могли.

Я обращусь к работе *Г. В. Добровольского* «Почвенные ресурсы России за 150 лет» из аналитического ежегодника «Россия в окружающем мире: 2002» (Отв. ред. *Н. Н. Марфенин*. Под общ. ред.: *В. И. Данилова-Данильяна, С. А. Степанова*).

«...Более половины площади России занимают разные северные почвы и около третьей части — почвы горных ландшафтов, преимущественно также холодных. На половине площади России залегает вечная мерзлота.

Лишь четверть земельного фонда страны в разной степени благоприятна для сельского хозяйства, так как в северной и средней лесной зонах недостаёт солнечного тепла... Всего 13% территории России занято сельскохозяйственными угодьям, а пашнями и того меньше — всего 7%... Для сравнения в США на них приходится 68%, в Англии — 80%, во Франции — 66%...»

То есть шестикратный разрыв с Англией! Милюковское невнимание к фактуре напомнило мне здесь «главного русского философа эпохи» Вл. Соловьёва, а именно, рассмотренное нами его обвинение Европе, «не сумевшей за 2000 лет решить еврейский вопрос», и огульное включение им в число обвиняемых России (кое-как решавшей этот вопрос 100 лет). Дальнейшими уличениями он вывел Россию и в «худшие ученики» по «предмету» «еврееобустроение», а про изначальную **двадцатикратную (!)** разницу в сроках и вовсе забыл... *Серебряный век — на марше*. Декаданс — в политике, экономике, даже в статистике, даже в арифметике.

Другой фактор, забытый кадетско-декадентским историком и политиком, — относительная доля сельского населения в Европе и России. Фиксируя отставание России от Европы по плотности населения на кв. км и истолковывая это как большой задел для «свободного возрастания плотности российского населения», он не придаёт должного значения факту, что европейские ориентиры плотности населения достигнуты за счёт городов. А в России на 1914 год сельское население составляет 115,9 млн человек, а городское — 18,5 млн.

С. Г. Кара-Мурза в работе «Советская цивилизация» говорит о «секторном разрыве»:

«На Западе промышленность развивалась таким образом, что город вбирал из села рабочую силу и численность сельского населения сокращалась. Село не беднело, а богатело. В 1897 г. при численности населения России 128 млн человек лишь 12,8% жили в городах. В Германии в 1895 г. сельское население составляло 35,7%, а в 1907 г. — 28,7%. А главное, уменьшалась и его абсолютная численность вследствие оттока его в промышленность. В Англии и Франции абсолютное сокращение сельского населения началось ещё раньше (в 1851 и 1876 гг.). В России же абсолютная численность сельского населения быстро возрастала. Таким образом, в странах Западной Европы длительных периодов аграрного перенаселения вообще не было, при этом сокращение сельского населения сопровождалось ростом производства в расчёте на одного занятого вследствие перехода к интенсивной травопольной системе...»

В одном пункте я слова автора не опровергну, а уточню. Говоря: «В странах Западной Европы длительных периодов аграрного перенаселения вообще не было», Кара-Мурза, похоже, имеет в виду ситуацию начиная с XIX века, наладившуюся благодаря продуманной политике. ДО того это «аграрное перенаселение» как раз и было, его называют одной из главных причин Великой французской революции. В Англии проблему аграрного перенаселения решали (столь же трагически и кроваво) ещё раньше, в XVI веке, во время известного «периода огораживаний».

Но потом государственная машина заработала более разумно, и приток сельского населения стал поглощаться городами.

Давно были высчитаны — я назову здесь это примерно так: *«уравнения устойчивого, воспроизводимого травопольного хозяйства»* (сочетания пашни с выпасами и паром) при отсутствии минеральных удобрений. Это требует в год порядка 10 тонн навоза на 1 га пашни — т. е. 6 голов крупного рогатого скота. В России рубежа веков на десятину (примерно гектар) было 1,2 головы скота. В свою очередь для прокорма этой одной головы надо иметь 1 десятину луга. А в России в тот период на десятине кормили 2–3 головы. Это не позволяло повысить урожайность, но заставляло ещё больше распахивать пастбища. Порочный круг.

В 1870–1900 годах в европейской части России площадь пашни выросла на 40,5%, сельское население — на 56,9%, а количество скота — всего на 9,5%. Ещё император Павел, задумывая грандиозную реформу, планировал выйти на показатель 15 десятин земли на двор, — эта цифра была вполне добротно вычислена, это и есть рубежная цифра в России, условие устойчивой жизни. Но к 1877 году 28,6% крестьянских хозяйств имели уже менее 8 десятин/двор. В 1905 году таких уже — 50%. Количество лошадей на один крестьянский двор: в 1882 году — 1,75, в 1900–1905 годах — 1,5. Понятно, это из-за катастрофического сокращения площади выпасов. А сокращение тягловой силы — ещё и удар по возможному внедрению конных жаток, веялок, молотилок и т. д., всей тогдашней *дотракторной* механизации. И это ещё один важный фактор падения производительности труда в сельском хозяйстве, на который, увы, почти не обращают внимания. Ещё один порочный круг, захлестнувший Россию.

Тут надо самокритично припомнить один весьма едкий наш анекдот про китайцев времён «культурной революции». Что у них-де самое скоростное сельхозпроизводство: утром картофель посадили, а уже вечером выкапывают — *«потому что оцень куцать хоцется»*.

Вот и положение многих наших крестьян рубежа XIX–XX веков имело, если вдуматься, почти абсурдную черту: использование сельхозтехники уверенно шло вспять, и в пределе могло подойти к ситуации 6000-летней пещерной давности, ДО одомашнивания лошади! Пасти негде, всё распахали: тоже «кушать хочется».

Что же это такое — «сельское перенаселение»?

Этот вопрос, как изначальный, фундаментальный «Закон стоимости» не вызывает разногласий, и современные экономисты пользуются определением, принятым и в марксистских учебниках:

«Скрытое перенаселение, аграрное, одна из форм относительного перенаселения при капитализме (см. Промышленная резервная армия труда). Проникновение капитала в сельское хозяйство приводит к тому, что и в этой отрасли экономики рабочая сила становится относительно "лишней". "Часть сельского населения находится поэтому постоянно в таком состоянии, когда оно вот-вот перейдёт в

ряды городского или мануфактурного пролетариата, и вы-
жидает условий, благоприятных для этого превращения"
(*Маркс К.*, см. Маркс К., Энгельс Ф. Соч., 2 изд., т. 23,
с. 657). Рост органического строения капитала сопровождается абсолютным и относительным уменьшением спроса
на с.-х. рабочих, степень "выталкивания" из с.-х. производства ручного труда повышается. В условиях научно-техни-
ческой революции, с переходом сельского хозяйства к ма-
шинной стадии производства из сельского хозяйства в ряды городского пролетариата вынуждены переходить не
только наёмные рабочие, но и мелкие товаропроизводите-
ли и землевладельцы, превращаясь фактически в наёмных
рабочих с наделом. В развитых странах капитализма инду-
стриализация сельского хозяйства сопровождается массо-
вым разорением средних крестьянских и фермерских хозяйств. Скрытый характер аграрного перенаселения состоит в том, что разорившиеся крестьяне, мелкие и средние
фермеры, оставаясь формально самостоятельными хозяе-
вами, вынуждены пополнять армию наёмного труда в городе, расширяя т. о. сферу капиталистической эксплуатации.
Особенно велико С. п. в развивающихся странах.

Лит.: см. при ст. Всеобщий закон капиталистического
накопления».

Своим студентам, требующим пояснений, я объясняю
это примерно так. Вот, например, завод: 500 человек рабочих и служащих. Не расширив, не модернизировав его,
не добавив станков, можно кое-как трудоустроить на нём
(допустим, по приказу властей, боровшихся с безработи-
цей) ещё 50 человек. Ну, можно по блату принять в заво-
доуправление ещё 20, 30 родственников, племянников,
друзей. Но не может на заводе, созданном под 500 человек (без его расширения), устроиться 2000.

А в деревне, на землю, которую обрабатывали 500 человек, получалось со временем выходили работать и 2000

и даже 5000 человек. Таковы были примерно пропорции роста населения в сельской России с начала XVIII века.

И ведь главное — нельзя даже и мысленно, про себя осуждать этот «безответственный рост сельского населения». Это же сродни естественному росту тела. Это Голова обязана думать, как спроворить новую, большего размера одежду для своего растущего Тела!

Допустим, читателю не понравится этот образ, — ладно, в книгах, даже в учебниках полно сравнений той ситуации со «взрывом пара в котле». Применяясь к тому, более популярному образу, я всё равно повторю: *Голова, Город, Правительство, Столица* просто обязаны подсоединить к этому «котлу» цилиндр с поршнем и пустить пар на работу, а не на взрыв. Без этого умения Город, Правительство, Столица, Элита не **Голова,** а тоже *Тело* — причём очень даже непочётная, непечатная часть *Тела...* хотя и в очках, и шляпе порою.

Вот чем преступна политика первой половины XIX века, и прежде всего Александра I, имевшего для реформы гораздо лучшие условия, чем его наследники, и не сделавшего ничего (кроме опять же «военных поселений», преступных уже в высшей степени).

И когда в своей докторской диссертации *«Боярская дума Древней Руси»* В. О. Ключевский мимоходом говорит, может, даже... иронизирует по *поводу «...неповторимого умения русского хлебопашца истощать почву»*, тут он тоже часть той Головы, столь скверно заботившейся о своём Теле.

Освобождение крестьян и «освобождение от крестьян»

У многих авторов можно прочесть, что, отменив в 1861 году крепостное право, правительство переложило функции помещиков (прежде всего сбор налогов и поддержание порядка) на сельскую общину, которая как раз и «запирала пар в котле», не давая всё растущему населению покинуть переполняемые деревни. В том-то и драма, что освобождение крестьян оказалось гораздо более долгим процессом, чем мог предположить кто-либо из причастных, сторонников или противников отмены крепостного права. Замена контроля помещика общинным — один из неизбежных этапов. Больше их, помещиков, в середине XIX века заменить было некем/нечем.

Гакстгаузен прав, живописуя достоинства русской сельской общины.

Именно её гибкая сила позволила:

а) заменить ушедшего уже помещика и ещё не пришедшее государство,

б) как-то поддерживать социальный мир в условиях лавинообразно наступающих перенаселённости и малоземелья.

Только через 45 лет в России приступили к следующему этапу, когда развившийся технически оснащённый (связь и транспорт) госаппарат смог дойти/добраться и до отдельного крестьянина.

Всего 56 лет было отпущено России, считая от реформы до революции. Ничтожно мало, если вспомнить, что за это время страна должна была **дважды** сформировать не что-нибудь, а *уклад*, устойчивый образ жизни, опирающийся не только на законы (о слабости нашего законоправия уже говорилось), но ещё и на традицию, привычку.

Первый шаг — налаживание жизни без (власти) помещика, второй — без (власти) общины. Ещё раз нужно подчеркнуть: знаменитым Законом 9 ноября 1906 года Столыпин не разрушал, не запрещал — упаси Боже! — общину, а только упрощал выход из неё. Крестьянский мир должен был успеть научиться, привыкнуть жить рядом с... кулаком — такова была грубая, богатая тяжёлыми ассоциациями кличка сильных крестьян, рискующих первыми выйти из общины, забрать свой надел, начать скупать чужие, нанимать батраков, *«мироедствовать»* и т. д.

Примерно от трети до половины историков называют «разрушение общины» ошибкой Столыпина, одной из причин революции. Умалчивая или недодумывая, что единственной спасительной альтернативой могло бы стать... разве что получение территорий США и Канады, да при том ещё малонаселёнными, нераспаханными, готовыми под принятие новых крестьянских волн — какими ранее были получены Поволжье, Кубань, Южная Сибирь, Алтай, Новороссия...

Вступая на полшага в область сослагательного наклонения, которого «не любит история», можно всё же предположить, что с течением некоторого времени пластичный мир русской деревни, смог бы научиться жить рядом с кулаком. Ведь когда-то он же научился жить рядом с помещиком. А что помещик образца первой половины XIX века (собственник, крепостник и монопольный представитель государства) отнюдь не был в деревне изначален, что он только полтораста лет как туда свалился — это уже было рассмотрено в главе 10.

А полувеком позже описываемых событий сельский мир, получив из города ещё более суровую новинку — «Устав колхоза», так же в течение одного поколения освоился, как-то переварил его и сформировал ещё один Уклад: советско-колхозной жизни. В одном разговоре знаток деревенской жизни русский классик Валентин Григорьевич Распутин сказал мне, что к концу 1950-х годов деревня свыклась с колхозом, сформировала устойчивый образ жизни. Речь шла не об экономических показателях, не сравнении их с фермерскими или ещё какими. Нет, именно психологию, самоустойчивую привычность, освоенный цикл жизни он имел в виду.

А ещё он мне тогда (прочитав рукопись этой книги) указал на громадную разницу крестьянства 1950 и 1980-х годов, между колхозом и совхозом. Колхозы, чуть подправленные жизнью, «на земле», стали более органичными для деревни, точкой формирования Уклада. И насильственные замены их совхозами обернулись тяжёлым ударом по психологии деревенской жизни. Со свойственным ему самоограничением, Валентин Григорьевич несколько раз оговорился, что может утверждать это — *только* для сибирской деревни, но всё равно мне это замечание (при общей благожелательной оценке) запомнилось как суровая критическая статья. Я-то ведь и не ведал о важности сего различия. Представлял только, как в 1970-х годах для какого-нибудь *показателя отчётности по республике* могли одним цэковским циркуляром перевести пять—семь сотен колхозов в совхозы. Значит, полагал, если так легко, формально: что *колхоз «Заветы Ильича»*, что *совхоз «Заветы...»* — *его же*, лишь таблички поменять, то и разницы-то особой не было!

И та, в общем, мимоходная, дополняющая реплика Валентина Распутина (книга-то моя касалась только крестьянского вопроса XIX века) стала эдакой «иголкой», напоминанием. Вот так, что в XX, что в XIX веке смотрели из города на деревню, особо не вдаваясь в тамошние частности.

Но на формирование нового modus vivendi нужно хотя бы одно поколение (33 года по Геродоту), а Столыпин выделял всего 5–6 лет. Начинался век больших войн, не просто *Мировых* по «титулу», а именно — войн за жизненное пространство. Войн, ставших решающим экзаменом — не для правительств, полководцев, как ранее, а для — цивилизаций. Экзаменом для наций. И скорее всего, 65 лет из числа бездарно протраченных Павлом, Александром и Николаем хватило, чтобы беспомещичий, а затем и безобщинный уклады успели бы сложиться в русской деревне. И ещё раз подчеркну, что «безобщинный» здесь стоит только в столыпинском смысле: без абсолютной власти общины, без тождества крестьянин = общинник.

Новый уклад не только прочертил бы границы более-менее устойчивого сожительства кулака и общины, но, главное, наладил бы механизм плавного выдавливания избыточного сельского населения в города и на новоприобретённые в период «ДвуАлександрия» земли Приамурья и Приморья.

Социальная напряжённость в деревне снизилась бы, а товарность сельхозпроизводства, наоборот, резко поднялась. Товарность, несколько упрощая этот важнейший показатель, можно определить как разность между тем, что деревня всего произвела, и тем, что съела сама. То, что в итоге получает страна. Именно товарность в условиях аграрного перенаселения теоретически стремится к нулю.

И, наконец, надо же кому-то сказать и это: вечный объект идеализации — крестьянство стало во второй половине XIX века весьма неоднородным, и эта неоднородность уже была отнюдь не похожа на разницу между хрестоматийными, «проходимыми в школе» тургеневскими *Хорем и Калинычем*, воспитавшими несколько поколений русских читателей.

Максим Горький в статье *«О русском крестьянстве»* (1922) писал:

«В юности моей я усиленно искал по деревням России того добродушного, вдумчивого русского крестьянина, неутомимого искателя правды и справедливости, о котором так убедительно и красиво рассказывала миру русская литература XIX века, и — не нашёл его. Я встретил там сурового реалиста и хитреца, который, когда это выгодно ему, прекрасно умеет показать себя простаком... Он знает, что "мужик не глуп, да мир дурак", что "мир силён, как вода, да глуп, как свинья". Он говорит: "Не бойся чертей, бойся людей". "Бей своих — чужие бояться будут"...»

Возможно, слова Горького, чьи *юность и поиски* как раз и приходились на 1880–1890-е годы, не истина в последней инстанции. Но что можно заметить нам на стыке «литература/жизнь»?

Ведь это, пожалуй, ещё один штамп, инерция восприятия: считать, что популярные в русской литературе «лишние люди», сознававшие, что не созданы для своей среды, тяготящиеся ею, — но этот *синдром* может быть только у дворян. (Как «дворянская болезнь» подагра.) А крестьянин, если уж он родился в деревне, то, значит, вместе с руками-ногами снабжён заветной мечтой — всю жизнь пройти за сохой.

Даже и сегодня у любимых писателей-деревенщиков сохранилось это: крестьянин, переехавший в город, — или лентяй, эгоист, не удержавшийся в деревне, отторгнутый крестьянским миром, или — объект сожаления, сочувствия... Но это-то нормально, настоящий русский писатель должен, просто *по определению обязан* — жалеть крестьянина, как его, кроме Максима Горького, жалели все: Некрасов, Лев Толстой, Тургенев (помогший Александру II решиться...), Глеб Успенский, Лесков.

Жалеть крестьянина и *желать* ему остаться таковым.

Но правитель, политик, должен был кроме любования и жалости решиться на некоторые шаги, операции. Столыпина как раз и проклинали за то, что он запустил эдакую центрифугу, и вчерашние селяне полетели в города. А вся «вина» Столыпина лишь в том, что он не появился на 40 лет раньше. А он и не мог прийти и начать своё дело раньше, потому что... и так далее (см. все вышеописанные уравнения и временные графики).

Новый уклад не только уменьшил бы количество, но и улучшил бы качество российского крестьянства. Как и всякий механизм «естественного отбора». Он позволил бы «лишним людям» деревни, не любившим труд и жизнь на земле (назовём их *Онегины в зипунах, Печорины в лаптях*) — уходить в города. Ведь именно они стали катализаторами волнений, бунтов, поджогов в деревне летом 1917 года и далее. Превратив деревню из опоры стабильности Русского государства в открытую рану. А в городе какая-то их часть становилась вполне нормальными, средними рабочими, другую часть город просто ломал, «перемалывал»: ведь тут не было «мамки»-общины. Народная поговорка *Питер — бока повытер* отражала именно эту реальность. Ну и какая-то часть, допустим, одна десятая, осталась «несгибаемыми» бандитами, запалом всех революций. Но в том и фокус (нанёсший русской государственности один из сильнейших ударов), что в деревне-то «запалом революций» они оставались — не 10%, а все «лишние»! Плюс в городе полиция, — в целом силовой аппарат был неизмеримо мощнее. А в деревню становой пристав наезжает по большим случаям, оставляя поддержание правопорядка на саму общину, где эти «лишние люди» крестьянского звания — такие же полноправные дольщики. Поджоги усадеб, а потом «комбеды», «раскулачивания» — их работа.

И ещё одна из обязанностей города перед деревней: вбирать в себя, переварить не только количественные излишки, но и сей потенциально поджигательский элемент. И эта обязанность российского Города тоже из числа невыполненных. (О других обязанностях города перед деревней, головы перед телом было уже сказано.)

Именно так ситуация в деревне и подошла летом 1917 года к грабежам и поджогам усадеб. А письма, шедшие на фронт из таких деревень, добили и армию. Уж сколько написано про агитаторов и заговорщиков 1917 года: «*кадеты, масоны, большевики, немецкие шпионы...*» Победа историков: практически доказана связь немецких и шифовских денег с взлетевшими тиражами предательских, пораженческих газет. Но главной, по-моему, была связь газетной агитации с вестями из деревень: «*пока мы в окопах вшей кормим там, без нас, начали делить землю*».

Далее — уже совершенно общеизвестное положение, что большевики в 1917 году смогли получить власть, пообещав Мир и Землю. Как 70 лет писали: «*Первый декрет товарища Ленина "О мире и земле"... и т. д.* Или вариант нынешний, с противоположной части политического спектра: «*Ленин — первый обманщик, пообещал крестьянам землю...*»

В интервью газете «Московский комсомолец» (октябрь 2012 г.) мне пришлось опровергать: если и обманщик, то отнюдь *не первый*. Вот ситуация сразу после 1905 года, когда власть и оппозиция вели хоровод вкруг крестьянства. Считалось, что крестьянство — оплот самодержавия и царь избирательными законами стремился дать им как можно большее представительство. Далее: граф Витте изумлялся в своих «Воспоминаниях»: «Крестьянство в значительном числе явилось, но оказалось... имеет одну лишь программу: дополнительный надел землёю. Правительство (отказало)... и крестьянство пошло за теми, которые сказали: "Первое дело — мы вам дадим землю да в придаток свободу", т. е. за кадетами (Милюков, Гессен) и трудовиками»...»

Видите, и граф Витте, первый русский Председатель Совета министров, свидетельствует, что задолго до большевиков крестьянами начали манипулировать либералы.

У кадетов, конечно, и полмысли не было: где взять эту обещанную крестьянам землю, но... интрига завертелась, «думская работа закипела». Не хочу свести всё к «цинизму думцев», но и интрига кадетов Милюкова—Гессена была более длительней, и значительная часть интеллигенции искренне «верила в народ»...

Есть ещё и тема необозримых споров, связанная с тем, что и этот, столь недостаточный клин крестьянской земли долгое время был обременён неподъёмными долгами. Правительство платило помещикам примерно 80% стоимости земли (по оценке податных чиновников). Остающиеся 20% должен был помещику уплатить крестьянин. Закон 1861 года оставлял крестьянам решать: выкупать свою долю или нет. В 1883 году выкуп стал обязательным.

Деньги крестьяне брали в долг у деревенских ростовщиков («мироеды, кулаки») под большой процент. Позже заработавший Крестьянский Банк обеспечил займы на лучших условиях. Задолженность по выкупным платежам накладывалась на проценты по займам. Только в 1907 году, склоняясь перед неизбежным, (правительство) вообще отменило выкупные платежи и аннулировало недоимки...

«...Но (*заключительная цитата из надёжного сумматора множества оценок Ричарда Пайпса*) нанесённого ущерба было уже не поправить... Радикальные критики Положения 1861 года, утверждавшие, что землю надо было передать крестьянам без выкупа, задним числом оказались правы не только в нравственном, но и в практическом смысле... Экономическое состояние русского крестьянина ухудшилось, в 1900 г. он в целом был беднее, чем в 1800 г... Мужик, которого в конце XVIII в. иноземцы изображали весёлым и добродушным, около 1900 г. предстает в рассказах путешественников угрюмым и недружелюбным...»

А вот свидетельство НЕ иноземца: Иван Бунин, «Окаянные дни»:

Октябрь (1917) года. Пошли плакаты, митинги, призывы:

«— Граждане! Товарищи! Осуществляйте свой великий долг перед Учредительным собранием, заветной мечтой вашей, державным хозяином земли Русской! Все голосуйте за список номер третий!

Мужики, слушавшие эти призывы, говорят:

— Ну и пёс! Долги, кричит, за вами есть великие! Голосить, говорит, все будете, всё, значит, ваше имущество опишу перед Учредительным собранием. А кому мы должны? Ему, что ли, глаза его накройся? Нет, это новое начальство совсем никуда. В товарищи заманивает, горы золотые обещает, а сам орёт, грозит, крест норовит с шеи сорвать. Ну, да постой: кабы не пришлось голосить-то тебе самому в три голоса!..»

Итог. Решение проблемы малоземелья, не обрадовавшее никого

Сегодня, как известно, «свобода печати», и можно найти массу статей, книг, описывающих эту главную русскую проблему начала XX века с диаметрально противоположных позиций. «Белые» цитируют, например, те самые «Окаянные дни» Ивана Бунина:

«Какая чепуха! Был народ в 160 миллионов численностью, владевший шестой частью земного шара, и какой частью? — поистине сказочно-богатой и со сказочной быстротой процветавшей! — и вот этому народу сто лет долбили, что единственное его спасение — это отнять у тысячи помещиков те десятины, которые и так не по дням, а по часам таяли в их руках!

Бунинская правда в том, что к 1917 году земли у помещиков оставалось не так уж много. Столько, что если и отнять её всю до последнего квадратного метра и поделить, «малоземелье» крестьян всё равно останется. Только я бы посоветовал «белым» публицистам, для большего эфекта базироваться не на *своего* Бунина, орловского помещика, а на *чужие* (с противоположной стороны) свидетельства. Например, на **Материалы** XV съезда ВКП (б). (Стенографический отчёт. Ч. 2)».

«Крупнейшей отрицательной чертой современной деревни, выражающей её историческое прошлое и остатки общей отсталости страны, является так называемое "аграрное перенаселение"...

Перенаселение в деревне должно преодолеваться наряду с развитием промышленности, ростом интенсификации сельского хозяйства и развитием культур большой трудоёмкости, что в свою очередь связано с индустриализацией сельского хозяйства и постройкой заводов по первичной переработке сельскохозяйственных продуктов, а также правильной переселенческой политикой...

Необходимо составить план переселенческих мероприятий и на его основе усилить работу по переселению, которая, содействуя подъёму производительных сил сельского хозяйства и улучшая положение неимущих и малоимущих групп крестьянства, будет способствовать уменьшению "аграрного перенаселения"...»

То есть, даже несмотря на серьёзную убыль населения, крестьян в Первой мировой и Гражданской войнах, эпидемиях и т. д. (потери оцениваются в 25 миллионов человек, понятно, что абсолютное большинство — крестьяне) и раздачу всего помещичьего, монастырского, удельного (Министерство уделов управляло землями царя и великих князей) клана, земли уже к середине 1920-х годов не хватало.

Даже удивительно! Попадалась ли вам, читатель, в книгах, касающейся этой темы, — такая убийственно простая арифметика?! Землю у царя, помещиков отобрали до последнего метра, раздали крестьянам, которых стало на 20–22 миллиона меньше, и... далее читайте Материалы XV съезда партии, это 1927 год.

Но какая между тем разница подходов!

1917 год: «спасение в том, чтоб раздать нашим дорогим крестьянам землю ненавистных помещиков».

1925–1932: «спасение в том, чтобы вышвырнуть лишних крестьян из деревни на стройки пятилеток (пускай ценою даже голодоморов)».

Так в чём же «Парадокс»? В том, что большевики пришли к власти под лозунгом решения проблемы «малоземелья» — и действительно решили её (да ещё как решили! деревни теперь местами просто пусты, свободной земли, хоть...).

Но решили с противоположного конца: не увеличения кол-ва земли, а уменьшения кол-ва крестьян. Это мне напоминает поговорку, популярную среди нашего брата — разработчика АСУ (автоматизированных систем управления) в советских министерствах, главках, объединениях, заводах: *Дадим заказчику не то, что он просит, а то, что ему нужно!*

Это декадентско-кадетские циники Милюков, Гессен, Родичев могли обещать крестьянам прибавления земли. А правители периода 1929 года, «Великого перелома», понимали, что не только новой земли не прибудет (она перестала прибывать уже после эпохи Екатерины Великой), но и за сохранение старой придется в XX веке повоевать и повоевать совсем по-другому. Это в XIX веке можно было баловаться походами во имя Священного союза, во исполнение «торжественной монаршей клятвы над гробом Фридриха Великого» (известная мелодрама с участием Александра I и прусских короля с королевой Луизой)... И, главное, соседи России в XIX веке ещё не провозглашали «Борьбу за Лебенсраум» (за *жизненное* пространство, за *выживание,* а не за династические бантики).

А теперь, соответственно целям, менялись и средства войны. И прежняя модель — дворяне дадут офицеров, крестьяне — солдат, а три тысячи туляков наделают им шпаг и ружей — тоже должна быть забыта. Теперь половина нации должна *пахать* (уже в кавычках!) в городах, на рудниках, электростанциях, шахтах, железных дорогах, конструкторских бюро, чтобы *вооруженная нация* могла отстоять своё жизненное пространство.

И в города, на заводы, стройки (но и в институты (!), и в академии, рабфаки, военные училища... и в органы НКВД, чтобы заодно поквитаться с комиссарами «ленинской гвардии») были изгнаны миллионы крестьян. А точное их число, подобно нашим потерям во Второй мировой войне, по-моему, никогда не подсчитают, потому что оно вообще в сфере действия не арифмстики, а политики или даже философии.

Для подобного, столь жёсткого и жестокого решения большевикам и надо было получить запас власти и авторитета, какого и близко не было у царских правительств. Точнее выражаясь, всем, принявшимся за эту мучительную роформу, нужен был запас доверия, запас уверенности крестьян, что уж это правительство точно НЕ помещичье! Что там нет потомков и даже духа того гнусного прохиндея, *«русского дворянина Правдина, образца 1817 года»*, и что они, комиссары, пусть по своим причинам, но ненавидят дворян так же сильно, как крестьяне.

Долгое время задумываясь о причинах сжигания помещичьих усадеб, даже в условиях полного силового, физического контроля крестьян над ситуацией в деревне, я мысленно вешал табличку с великой, знаменитейшей цитатой из Пушкина про *русский бунт, бессмысленный и беспощадный* и... закрывал вопрос. Вроде выгоднее было бы как-то делить эти усадьбы, использовать, но ведь... *«бессмысленный»* же бунт.

И как-то мне попалась весьма полезная работа, включавшая цитаты аутентичных крестьянских листовок, периода — начиная с лета 1917 года. Оказывается, писали их безвестные авторы, и писали, что надо было «...*уничтожать помещичьи имения, чтобы некуда им было возвращаться*». То есть и ласковая барыня Раневская, продавшая последний вишневый сад, оставшаяся буквально с домом, сараем, палисадником (чьи несколько метров никак, даже теоретически, не могли — справедливо возмущался вышеозначенный Иван Бунин — выручить малоземельных крестьян), была таким же опасным, вредным элементом в деревне, как те жуткие крепостники Закревские, перед которыми в 1860 году вынужден был хитрить, лавировать даже сам царь Александр Освободитель.

И, отнимая у помещиков землю, большевики проблему малоземелья решали, условно говоря, на 5%, но при том приобретали право решать её и далее, так, как и решили в 1929–1932 годах.

Помните то изумление Константина Кавелина и Дмитрия Милютина, видных российских деятелей: «*Это ж Ростовцев! Яшка Ростовцев, косноязычный плут и негодяй — освободил крестьян! Это было бы вопиющей к небу нелепостью, если бы не было правдой!*»

И этот контраст многовековой проблемы и итогового её решения мог вызвать аналогичный вопль, что-то вроде: «*Это же Вовка! Картавый плут Вовка Ульянов (плюс рябой негодяй Оська Джугашвили!) покончили с русским малоземельем!*»

Видно, судьба такого интеллигента — быть вечно огорошенным Историей. Вечно удивлённым: как же это без него всё решилось?

И напоследок. Есть такая популярная «тема исторических споров», наполнитель журналов последних 25 лет: «Было ли убийство царя Николая ритуальным?».

Я несколько в другом смысле назвал бы «убийство» *помещиков как класса* ритуальным. Ведь простая ликвидация *помещика* как класса требовала отнятия только поместья. Но всё случившееся в 1917–1921 годах соответствовало известному термину — «ритуальная жестокость».

Глава 16
Самоценность русского самодержавия

В главах 1–9 рассмотрены преимущественно субъективные причины кризиса Российской империи. Политическая жизнь сползала к связке: террор–антитеррор. Как верно тогда подметил М. Н. Катков: *«Революционер говорил правительству: Уступи, или я буду стрелять! Либерал говорил правительству: Уступи, или он будет стрелять!»* Логика террора обнимала всю противостоящую власти часть общества. И в правительственном лагере «силовой, антитеррористический блок» постепенно становился всей собственно властью, начиная от Лорис-Меликова, назначенного Александром II во всероссийские диктаторы именно по результатам антитеррористической работы в Харьковской губернии. Пример Лорис-Меликова показателен: в послужном списке и Кавказская война, и Русско-турецкая, и запомнившееся всей России борьба с чумой в Поволжье, потом — губернаторство в Харькове, отмеченное успешным противостоянием террору. 5 февраля 1880 года, взрыв в Зимнем дворце, высший (как тогда казалось) успех народовольцев Желябова и Халтурина, сбор высшего руководства страны в Петербурге по обсуждению мер войны с террористами. 12 февраля учреждается Верховная распорядительная комиссия с огромными полномочиями, 14 февраля Лорис-Меликов назначен её начальником. Известны определения того периода: «диктатура в бархатных перчатках», «диктатура сердца», а в общем антитеррористический блок становится правительством над правительством страны.

И так вплоть до 1911 года, до смещения именно им, «антитеррористическим блоком», премьер-министра Столыпина. *Смещения*, проведённого «охранковским» методом: общим терроро-антитерористическим заговором, вложением пистолета в руки Богрова, революционера и агента полиции (к этому совместительству можно добавить и третье: «символ эпохи»).

Сие всё — политика, общественное действие на *«дне династии»*. А общественная мысль в тот период деградировала и *истеризировалась* (истерии, декадансу, «соловьёвщине», Мельхиоровому веку и его кумирам было уделено, возможно, даже слишком много места). В сумме — то, что называется субъективные причины революции 1917 года.

Главы 10–15 посвящены объективным причинам кризиса. Подробно рассмотрен только крестьянский вопрос, хотя, надеюсь, было проиллюстрировано его глобальное, всепроникающее значение для России. Экономика, демография, обороноспособность были его функциями.

И субъективным, и объективным причинам, кризисным тенденциям противостоит то, что обычно называется *власть* в самом общем смысле: от качества и количества чиновничьего аппарата до характера монарха, настроения его семьи, здоровья детей.

По поводу определения понятия «*власть*» люди спорят вечно, перебирая её источники (вера, традиции, знания, насилие, авторитет), её формы, функции, «ветви»...

Но есть один весьма популярный словесный оборот, в который входит слово «*власть*», формулировка, не оставляющая места спорам об определениях: *«власть справилась»*, *«власть не справилась»*.

Часто в этом словосочетании, без какого-то ущерба для логики, для смысла фразы, слово «власть» заменяется словом «государство». Хотя интуитивно всеми понимается, что *власть* — нечто ближе относящееся к свойству, возможности, а *государство* — ближе к объекту, тем не менее русский глагол совершенного вида «справиться» равно им годен, функционален.

Для цели данной книги вполне достаточно упомянутой формулировки, остаётся рассмотреть варианты приложения, с чем *справлялась/не справлялась* власть. То есть: войны, восстания, революции, экономические кризисы, ну, может, ещё — эпидемии.

События этого ряда, конечные их результаты, и «власть в лицах» (лицах некоторых монархов, министров, полководцев) станут предметом дальнейшего рассмотрения.

Общее состояние государства в какой-либо период можно, хотя и приблизительно, оценить по имевшим место войнам и их результатам. Милитаризм давно осуждается всеми (в том числе и «продвинутыми» военными), но другого, безоговорочно надёжного теста, экзамена для проверки силы и здоровья государства, направления развития общества вроде пока не придумано. Сегодня речи, документы в ООН, ПАСЕ, ВТО, G8, G20 как-то вытесняют силовые меры, а Нобелевские премии мира стараются закрепить эту сублимацию... но уж в рассматриваемый период, при Романовых, ничего подобного точно не было.

Экзамен вообще
Небольшое историческое отступление

Хорошей приметой, некими «полными вёдрами навстречу», для меня стал факт, что именно Сергей Кара-

Мурза, историк с прекрасной естественно-научной базой, доктор химических наук, в работе *«Причины краха советского строя»* среди многообразия тех самых причин оставляет место формуле «Война = экзамен для государства».

И я, готовясь отстоять эту в общем почти тривиальную формулу от попрёков в «милитаризации мышления», вдруг вспомнил, что сегодня-то критикуют и вторую часть этого «уравнения». *«Война»*, понятно, не комильфо, но таким же неполиткорректным становится и *«экзамен»*. Вообще экзамен, как идея. Во-первых, соревновательность самим наличием победителей/побеждённых напоминает о конфликтах, может, даже о войнах. Во-вторых, это стресс для экзаменуемого. И, главное, недемократичная иерархия: Экзаменуемый и Экзаменатор. Тут сегодня вступают и *«права* (экзаменуемого) *ребёнка»*, и политкорректность, и «ювенальная юстиция», и ещё мощный ряд факторов и трендов, подрывающих саму идею «экзамена».

Вдобавок и итоговая, по результатам экзаменов, иерархия тоже нарушает идею «демократического равенства». Тут в свою очередь сегодня тоже много *антиэкзаменационных* примеров: специальные льготы для различных меньшинств, квоты на занятие должностей и т. д. Уже лет 10–15 в США, Европе принята толерантная замена: *умственно отсталый = альтернативно одарённый...*

Посчитав неполиткорректными, противоречащими новой картине мира многие ранее привычные слова (негр, калека, слепой), изобретательно составили список замен: *негр = афроамериканец*, а ближе к нашей теме: *провал, проигрыш = отложенный успех; слепой = визуально затруднённый (visually impaired)*.

Источник этой боязливой вежливости — доведённые до предела, до абсурда права меньшинств. Любое право любого меньшинства — свято. В пределе этой политкорректной тенденции можно дождаться, допустим, госсекретаря, назначенного по квоте для секс-меньшинств, *визуально затруднённого* астронома, директора картинной галереи или *альтернативно одарённого* министра обороны.

Да и у нас ЕГЭ тоже внёс солидный вклад в выравнивание, выглаживание умственного уровня поколения. Это только кажется, что игра-угадайка, ЕГЭ — подобие соревнования. В одной из наших бесед профессор Сергей Петрович Капица сформулировал разницу: прежние экзамены выявляли способность думать, а ЕГЭ, по сути — проверка наличия некоторого запаса информации. То есть, если продолжить тезис Капицы, экзамен, дифференцируя поток экзаменуемых на *умный/глупый*, — «против всеобщего равенства». А вот ЕГЭ очень мне напоминает телевизионные игры, всякие викторины «Кто хочет стать миллионером?» — они все за равенство. ЕГЭ успешно уравнивает участников игры, подобно самому демократичному собранию в мире — телеаудитории. Знание или незнание — м-м-м... *самой длинной реки в Мозамбике*, или *«в скольких художественных фильмах снялась Алла Пугачёва?»*, или чего-то подобного — уж конечно, не основание для какой-либо глубокой дифференциации аудитории.

Не углубляясь далее в подобные противопоставления, оставляю одну, как я её понимаю, идею Экзамена — технологичность. Учёба — 11 лет, экзамен — час. Можно, наверное, без стрессов, плавно направлять, поправлять процесс обучения все 11 лет, приставив каждому ученику тьютора, куратора. Но разово экзаменовать — проще, технологичнее.

Потому и в книгах, где по большинству исторических персон наличествуют сотни взаимоисключающих сведений, оцснок, технологичнее будет использовать «оценки», проставленные историей на экзаменах-войнах.

«Божий суд»

Вот второе, предлагаемое мной уподобление, — «война = Божий суд». Чем далее мы отступим по шкале исторического времени, тем понятнее, основательнее будет это уподобление. Идея судебного решения — по результату поединка — как раз не новая, идущая из Средневековья. Но: если, как тогда признавали, воля Божия проявляется в сражении двух человек, то, значит, с ещё большей (статистической) достоверностью её, волю Бога, можно узнать в военных результатах.

Здесь мне некоторым подтверждением послужит родоначальник большей части современных военно-юридических положений и терминов Гуго Гроций.

Гуго Гроций — голландский учёный XVII века. Историк и юрист. Автор теории «естественного права». Его *«Три книги о праве войны и мира»* — основа военной юриспруденции. Его *идея национального суверенитета* стала теоретической базой Вестфальских мирных договоров 1648 года.

Более подробно о Гроции я говорил в книге *«Вторая мировая Перезагрузка»*. Здесь скажу только о его исследовании происхождения слова *«война»* — bellum. Оказывается, оно произошло от древней римской формы duellum, что означало *поединок*.

В общем, как экзамен, или как Божий суд, но войны воспринимались главным итогом жизни стран, народов. А вся история — как войны или подготовка к ним.

Романовых вполне обоснованно называют династией реформаторов. Контраст с Рюриковичами действительно поразителен. И согласно постулату «война — экзамен для государства» историю непрерывных романовских реформ вполне возможно и продуктивно рассматривать как или войну, или «военное строительство» (подготовку), или их совмещение.

Собираясь оценить череду государственных деятелей романовской эпохи по результатам войн, необходимо кое-что сказать о войнах в мировой истории, несколько систематизировать их, и если так можно выразиться, понизить их... живописность.

Собственно, знаменитая «История» Геродота, «отца истории» — это Греко-персидские войны плюс все географические отступления — от Африки (проблемы истока Нила) до систематизации скифов, и всё это даётся в связи с Греко-персидской войной. Равно и у следующего великого историка, Фукидида, мировая история = история Пелопоннесской войны + всё прочее, вплоть до определения природы демократии, той самой надгробной речи Перикла, изучаемой в западных школах по сей день.

Проследив путь «отцов истории», невозможно не отметить, что, перебрав все этнические, политические, ментальные особенности, линию важнейшего подразделения тогдашнего человечества на европейцев/азиатов античные авторы проводят именно на основе военных успехов/неудач.

Правда, те же «отцы истории» задали ещё и высокий литературный стандарт: столь живыми, интересными вывели и эллинских, и азиатских персонажей, так красочно нарисовали картины походов и битв, что с тех пор военная история заняла громадный сектор популярной литературы мира.

И в этой книге мне приходится, снимая слой богатой живописи, оставлять некоторые закономерности, прежде всего: величины армий, качество подготовки солдат, вооружения, результаты сражений.

Военным специалистам эти закономерности известны, но на сферу популярной исторической литературы именно они спроецированы хуже всего. Своеобразные затемнения, искажения этих закономерностей, по моим наблюдениям, дают большие помехи в оценке двух важнейших периодов нашей истории: Петровские реформы, кризис и гибель империи Романовых. Я и постараюсь использовать конкретность результатов войн для характеристики российской власти, в том числе в эти ключевые периоды истории.

Засечки на российской шкале времени

Когда 1917 год называют *концом петровского (имперского, Петербургского) периода российской истории*, в этом есть и правда, и терапия. **Терапия:** «пала не Россия, а лишь одна определённая модель Российской власти», — осознание этого врачует. **Правда** (что не Россия исчезла в 1917 году) — и на это есть своя лакмусовая бумажка: ведь уже через 24 года после «спорной засечки» страна занялась привычным «российским делом», спасением человечества (1941–1945), значит это точно — Россия.

Взаимосвязанное рассмотрение войн и власти вынудило ещё в «крестьянских главах» этой книги противопоставить весьма критикуемый ныне пышный Екатерининский век Павловскому периоду «осмысления, наведения порядка...». Войны Екатерины решали и решили важнейшие национальные задачи (приобретение территорий, пригодных для бурно растущего населения, достижение «естественных границ», воссоединение наследия Киевской Руси...). Войны Павла были эдакими... «мальтийскими» войнами. Баловством, дарением евромонархам (правда, не насовсем, а на — «поиграть и вернуть... частично») по 8000 «оловянных солдатиков».

Но ещё более, на мой взгляд, нуждается в коррекции популярное современное восприятие Петра I — создателя империи, эпонима «петровского периода российской истории», главного русского царя.

Из необъятного моря критики Петровских реформ можно выделить два направления. Славянофилы: «Пётр исказил историю развития России, насильно привнёс чуждые европейские элементы, заплатил слишком высокую цену за реформы».

Вторую линию ведут историки вроде бы абсолютно несовместимые, противоположные по духу, но их неприятие петровского периода сводится к ещё более уничижительному для Петра выводу: настоящих реформ у него и не было, только лихорадочная, бессмысленная суета.

Знаменитые *«историки школы Покровского»*, по сути — идейные русофобы, для которых Россия — клякса мировой реакции, враг человеческого прогресса, единственная польза от которой — что она после 1917 года послужила детонатором мировой революции.

Покровский утверждает, что главная Петровская военная реформа была уже в значительной мере осуществлена до Петра, а *в его царствование, при всём произведённом им шуме и самовосхвалении, продвинулась очень слабо*. А в административной реформе 1698 г *Пётр лишь переименовал «воевод» в «бурмистров» (модное слово, привезённое из Голландии)...*

Но, парадокс, со «школой Покровского» в итоге соглашаются и безусловные патриоты. Иван Солоневич, автор широко известной книги «Народная монархия», где весьма выразительно, убедительно он показал суть «московского проекта» князя Андрея Боголюбского — *Народную монархию*, погубленную в итоге Петром.

Один из самых популярных сегодняшних историков — *А. М. Буровский*, помощник депутата Госдумы (ныне министра культуры) Владимира Мединского, а названия его книг ещё более говорящи: *«Правда о Допетровской Руси»*, *«Пётр Первый — проклятый император»*, *«Несостоявшаяся империя. Россия, которая могла быть»*.

Общий лозунг Солоневича, Буровского, огромного числа их последователей — «Россия, *которую мы потеряли* — это допетровская Россия». Вот их картина Петровских реформ:

«Пётр выпустил 20 000 одних только указов, большей частью совершенно нелепых или недоступных для понимания (в том числе с примесью голландских слов или просто написанных неразборчиво). Причём его почти никогда не интересовала их дальнейшая судьба; большую их часть видело только его ближайшее окружение, лишь малая часть этих указов рассылалась, и уже совсем немного попадало в глубинку».

«Деятельность Петра есть лишь имитация деятельности государственного человека... У Петра с детства проявился и развился так называемый синдром гиперактивности и дефицита внимания» (Буровский).

«Пётр всю свою жизнь куда-нибудь ехал, так как принципиально не мог усидеть больше нескольких дней на одном месте; а управлять государством, будучи всё время в дороге, во всяком случае, в то время, было просто невозможно. Это подтверждают иностранцы, путешествовавшие с Петром: они писали, что не понимают, когда русский царь управляет государством, они целыми днями или даже неделями неотлучно находились возле него и ни разу не видели, чтобы он занимался какими-то государственными делами» (Солоневич).

«Неудачность Крымских походов (Василия Голицына, предшественника и противника Петра. — *И. Ш.*) сильно преувеличена, чтобы поднять престиж Азовских походов Петра.

А сам Пётр в тех Азовских походах потерял половину всей армии и получил лишь выход ко внутреннему Азовскому морю...»

Солоневич в книге *«Народная монархия»*, часть 5 «Пётр Первый», пишет о военной реформе:

«На путь этой реорганизации стал уже Грозный. За несколько лет до воцарения Петра — в 1681 году — из 164 тысяч московской армии — 89 тысяч, *т. е. больше половины* были переведены на иноземный строй, т. е. были превращены в регулярную постоянную армию. Как видите, "реформа" проводилась и без Петра. При Петре она была, во-первых, снижена и, во-вторых, искалечена...»

Этот ряд основательных обвинений можно длить до бесконечности. Потому-то я и предлагаю применить «экзамен войны», считать именно её результаты итоговой оценкой.

Пётр действительно был не совсем нормальный человек, после стрелецких бунтов стал... по русскому выражению, *припадочный*. Можно сколь угодно живописать его поведение, и я могу даже пополнить копилку ярких петровских ошибок одним очень существенным фактом, упущенным его обвинителями. Как биограф рода Голицыных, автор книги о них, я отыскал этот факт среди достоверных, но недооценённых, забытых из Северной войны. Узнав о нём (будет приведен позже), читатели или слушатели на конференциях или телепередачах, даже вполне квалифицированные специалисты выказывали огромное удивление, желание перепроверить.

Но важнее привнести в набор петровско-антипетровской фактуры объективный критерий. Внимательный читатель и сам, наверное, заметит в вышеперечисленных книгах подозрительный перекос в пользу глаголов несовершенного вида в ущерб, соответственно, виду совершенному. То есть в основном это — «*как* дслал» (*глупо, непоследовательно, имитируя, бестолково мечась...*) и гораздо реже — «**что сделал**».

Итак, что было Петром сделано безусловно и зафиксировано прочно на картах мира.

Крымская теорема

Крымское ханство даёт прекрасную базу для сравнительного анализа. Войдя, по определению Гумилёва, в стадию «гомеостаза», состояния равновесия со средой обитания, Крымское ханство замечательно тем, что более 200 лет ставило перед Россией задачу с одними и теми же «изначальными условиями». Со времён Ивана Грозного и до времён Екатерины II всегда выставляло армию 100–150 тысяч человек. Вооружение и тактика тоже оставались практически неизменны.

Русская, ДОпетровская армия по удельной боеспособности была примерно равна крымской. И если основные наши силы бывали задействованы, допустим, в Ливонии, то крымчане Девлет-Гирея доходили и до Москвы. И поражение русской армии под Конотопом в 1659 году историки объясняют (извиняют) подходом крымской армии к гетману-изменнику Выговскому. Объединённое казацко-татарское войско численностью 40–43 тысячи человек разбило 36 000-тысячную русскую армию Трубецкого. Показательно, что к нашему командующему не было тогда претензий, а командовавший арьергардом «немец» (датчанин) полковник Николай Бауман (Бодман) был произведён в генералы, и с этого сражения началась его российская слава. Да и сегодняшние наши историки извиняют поражение численным перевесом казацко-крымской армии...

Россия была на подъёме и со временем получила возможность наращивать численность армии (качественное соотношение сохранялось!), теснить крымского хана. НО: сам Крым был принципиально недоступен, что доказали в том числе и два похода Василия Голицына в 1687 и 1689 годах.

(Для точности упомянем, что казаки делали лёгкие набеги, наскоки с моря на Крым, и однажды, во время помощи Вишневецкому, к ним присоединился небольшой отряд Даниила Адашева.)

Татарская конница, 100—150 тысяч всадников, легко проскакивала пустынные, безводные места от Перекопа до Днепра, менее подвижная русская армия не могла этого сделать, просто не позволял тогдашний уровень логистики, не хватало запасов. Но и выйти в поход русской армии числом, меньшим порогового значения — 100—150 тысяч, означало уже проигрыш в бою. Потому-то Василий Голицын и собирал те самые 100—150 тысяч, но при этом превышал порог сохранения подвижности. Доползти до Перекопа и отступить (только из-за недостатка припасов, продовольствия, как извиняли его) — предел возможности логистики, манёвренности допетровской армии.

Настоящая военная революция (при Петре дошедшая до России) — это увеличение боеспособности европейских армий в 5—7 раз. И для новой русской армии стало обычным делом атаковать количественно многократно превосходящие турецко-татарские армии. Битва при Кагуле, 1770 год: у Румянцева 35 000 солдат против 90 000 турок и 80 000 татар — полная победа. Битва при Рымнике, 1789 год: у Суворова 25 000 солдат против 100 000 турок — победа. Утвердилась европейско-азиатская боевая пропорция. Победа (спасшая Грузию) генерала Котляревского при Асландузе над 15-кратно превосходящей персидской армией Аббаса-мирзы была, конечно, заметным событием даже и в этом ряду... но в целом российское руководство в XVIII—XIX веках, составляя планы кампаний против крымчан, турок, персов, хивинцев, никогда уже не стремилось к количественному паритету. Победы калькулировались заранее, при допущении 2–3- и более кратного количественного превосходства противника.

Солоневич ядовито, очень подробно критикует неудачу петровского Прутского похода 1711 года. Да, одновременно со шведской войной вести турецкую ему было не под силу (а его наследникам — вполне!). Пётр и сам описал результаты 1711 года в указе абсолютно, на мой взгляд, понятном, «не тарабарском»: *Я за Прутский поход заслужил 100 ударов палками. Но получил только 50*. Он был окружён в лагере, вырвался лишь ценой возвращения Азова и подкупа турецкого командующего Балтаджи-паши.

Но если говорить всё же не о Петре, а о всей Петровской военной реформе, то продолжение следующее. Через 11 лет после смерти Петра новая, 40-тысячная *петровская* армия под командованием Миниха ворвалась в Крым и в 1736 году *впервые* в истории взяла столицу, Бахчисарай, правда, понеся тогда огромные потери от болезней. Но надо же и это понимать: русская армия впервые забралась так далеко на юг! А в 1739 году при Ставучанах Миних с 60 000 армией атакует и разбивает 95 000 турок. И на критику типа солоневичской о «бездарной войны 1735–1739 годов» можно ответить старым рекламным лозунгом: *Наш джип завязнет там, куда другие и не доедут*. (Конечно, таким ответом ограничиться и «закрыть вопрос» нельзя, дойдёт дело и до детального рассмотрения.)

А в эпоху Румянцева и Потёмкина Крымское ханство было покорено. Генералу Василию Долгорукому хватало 30 000 солдат для разгрома 70- и 95-тысячных крымско-татарских армий. «Крымская теорема» была доказана. Но подобно другим теоремам, «Крымская» имеет одно важное следствие, прямо относящееся к теме этой книги.

Утверждения, что *«военная реформа — была уже в значительной мере осуществлена до Петра»*, несовместимы с реальностью. Солоневич насчитал аж 89-тысячную российскую армию «нового строя», созданную *до* Петра. Можно бы просто усмехнуться наивности человека, словно незнакомого с реалиями жизни, когда одним росчерком пера могут назвать старую толпу — «полками нового строя», да ещё и поделить награды *«за успешную модернизацию армии»*...

«Можно бы усмехнуться...» — если бы это и вправду была *только* наивность. Нет, конечно, была и огромная заинтересованность в этом гомерическом вранье: у Софьи с Василием Голицыным своя заинтересованность, у нынешних историков — своя (о чём будет сказано).

Но именно война, результат Крымских походов Василия Голицына показали, что «новая армия» — не та, что названа (заинтересованными людьми) «новой», а та, что может побеждать количественно большую «старую». В 1687–1789 годах на Крым с Голицыным ходила всё же старая 150-тысячная неповоротливая — и в сравнении с будущей армией — всё же толпа.

А довод, что *«неудачность Крымских походов сильно преувеличена, чтобы поднять престиж Азовских походов Петра»*, это и вовсе на уровне известных надежд, что пропаганда может заменить собой всё. В том числе простую военную определённость: взят/не взят Крым, Варшава...

В книге «Голицыны и вся Россия» я рассматривал эту тенденцию, наличествующую что в романе Алексея Толстого «Пётр Первый», что в некоторой части историографии, особенно советской: на фоне неудачных реформ Василия Голицына — подчеркнуть успех Петра. Но, поверьте, это было мелкое, косвенное принижение, вплоть до неупоминания того, что иностранными авторами князь

Василий часто назывался «Великий Голицын». Но это принижение никак не может заслонить объективных материальных итогов... Как ни преувеличивай или ни приуменьшай, траектории голицынских и петровских походов зафиксированы, навсегда прочерчены на картах войн.

Допетровская русская армия была вполне *азиатской*. Здесь я ступаю на свою давнюю евразийскую стезю. 60% нашего дворянства — выходцы из орды. Со времён битвы па Калке то были наши главные учителя и соперники. Известный «выбор Александра Невского», то есть евразийство — «союз на Востоке, оборона на Западе». В различных статьях, телсдебатах я предлагал такую формулировку: «Русь освободилась от орды — с ордою в придачу».

Так что читатели моих предыдущих книг, аудитория теле- и радиопередач подтвердят, что эпитет «азиатская армия» мною здесь применён без малейшей мысли унизить азиатскую часть нашего евразийского союза. Походу монголов до Северной Италии, униженным письмам германского императора монгольскому хану, зарождению некоей европейской «монголофобии», «татарофобии» я тоже уделил место в книге *Большой Подлог, или Краткий курс фальсификации истории» (2010)*.

Но миссия России не ограничивалась завоеванием первенства в Улусе Джучиевом, и, начиная с Ивана III, европейские контакты принесли на Русь новые технологии.

Об удивительном факте — появлении в Европе **«нового военного строя»**, по итоговой важности даже *превосходящего* появление огнестрельного оружия (и об этом будет сказано), в России узнали во время второй половины царствования Ивана Грозного. И с тех пор модернизация армии стала практически главной целью, порой почти наваждением русских правительств. Иностранные наёмники в русской армии, начиная примерно со времён Бориса Годунова, — не выдумка русофобов. Их выучка, боеспособность поражали россиян, вызывали желание освоить этот пресловутый «новый строй».

В чём его суть? Самая поверхностная ошибка — списывать превосходство европейской армии над азиатскими на техническое превосходство в вооружении. Предлагаю взглянуть на проблему глазами Николая Спафария, русского посланника в Китае 1670-х годов. В его книге *«Какая природа китайцов и каковы природные их обычаи и к чему наипаче склонны»* (1678) есть и историческая база с времён Аристотеля и современный взгляд:

«Что в древнихъ книгахъ писалъ Аристотель про асиадцкихъ народовъ, что асиадцкие *разумнее* суть европейскихъ народовъ, а европейские народы в воинскихъ дѣлехъ гораздо храбрѣйшии суть нежели асиадцкие. Также нынѣтъ же суть рѣчи и про китайцов, который есть народ асиадцкой, мочно нам говорити, потому что в дѣлехъ воинскихъ китайцы пред ними, пред европейскими, будто жены противо мужей. А что в разумъ гораздо превосходятъ, потому что зѣловостроумны...»

Глава 17

Европа–Азия
(необходимая предыстория)

Первое достоверно описанное столкновение европейской и азиатской армий — знаменитый Марафон, ясное утро европейской цивилизации. Держа в руках практически *одно и то же оружие*, 11 000 греков побеждают 60 000 персов.

А, например, самый знаменитый из учеников Аристотеля (процитированного русским послом Спафарием в объяснение главной черты всех европейско-азиатских войн) закрепил пропорцию: при Иссе Александр Македонский с 35 000 армией громит Дария с 120 000 армией (причём уже тогда выявлена тенденция: лучше всех в персидском войске воюют греческие наёмники-гоплиты). Ну а в знаменитой битве при Гавгамелах 47 тысячам греко-македонцев Александра противостояла персидская армия, количеством... уже уходящая к азиатской неопределённости, почти к абсурду. Автор самой подробной античной истории «Поход Александра» Арриан насчитывал у Дария миллион человек пехоты, 40 000 — конницы, 200 колесниц, 15 слонов. Однако цифра 500 000 признаётся большей частью историков, этой цифрой хвастался (!) и сам несчастный Дарий...

Но график результатов европейско-азиатского военного противостояния — отнюдь не прямая линия. Перевес, достигнутый греческой, римской цивилизациями значительно сократился к моменту кризиса античности.

Средневековье фиксирует лишь минимальный рост этой искомой удельной боеспособности, от почти полного равенства в период Крестовых походов до небольшого преимущества к периоду примерно до битвы при Лепанто 1571 года (разгром турок).

Затем дисциплина и технологичность выводят Европу в отрыв. Порох, как известно, изобрели китайцы. Что они использовали его лишь на развлечения (фейерверки) — популярное заблуждение. В китайских, а затем и монгольских армиях применяли самые настоящие гранаты, *огневые копья* (ружья). Даже боевые ракеты. Но усовершенствовать, стандартизировать, поставить производство огнестрельного оружия на поток, переработать тактические построения с учётом его использования и, главное, обучить, довести до автоматизма его применение значительными воинскими массами — вот европейский подход. Доведение до результата.

Мне, давнему евразийцу, конечно, хотелось бы поподробнее остановиться на одном важном исключении — на монголах Чингисхана, тоже, подобно европейцам, воевавших *не числом, а умением* и с боями дошедших аж до Кремоны (Северная Италия). Но... Яса Чингисхана (Библия, Конституция и Воинский устав монголов) работала, оставалась действенной лишь небольшой временной отрезок. Далее, начиная с XV века, о боевом поведении и монголов, и всех их военных наследников, татар, русских, турок, было сделано точное наблюдение: азиатская битва — это грозный первый наскок, с криком и мыслью, адресованной врагу *«Бегите, или мы побежим!»*

Да, русский боевой клич «Ура!», перешедший из монгольского «Хурра!», в определённое время перестал быть безоговорочно *победным* кличем. Как и всё военное наследие Чингисхана. Что уж тут скрывать: «сдувшаяся», снова забившаяся на окраине Китая Монголия — это НЕ империя Чингиса, покорителя Евразии. Преемственпость её и, главное, её части — Улуса Джучиева — нам исторически чрезвычайно важна, это и есть легитимное обоснование российского владения Поволжьем, Уралом Сибирью, т. е. собственно этим Улусом. Но и отрицать полный военно-политический его крах при Чингисидах — глупость и обессмысливание самой сути истории.

Которая, в общем, проста: новая столица Улуса, бывшая его периферия Москва, вобрав важные элементы европейской (в том числе военной) культуры, подхватила падающее знамя Чингисидов...

Особо подчеркну, речь идёт не о каком-либо антропологическом европейском преимуществе. Более того, именно из Египетской кампании Наполеон вынес одно важное наблюдение, опровергающее любые расистские построения. Все прочие его, Наполеона, военные кампании были сугубо европейскими, и соответствующие его высказывания, афоризмы заслонили это, по моему, недооцененное, раскрывающее суть европейско-азиатского состязания.

Предыстория. За время Египетского похода (1799–1801) в штабе накопилась изрядная боевая статистика — от генеральных сражений до стычек и городских драк. Вот как её суммирует Наполеон:

Один француз в изолированной схватке почти *всегда проигрывал* одному мамелюку. Пятеро французов — пяти мамелюкам — никогда.

20 французов (взвод) — легко побеждали 40–60 мамелюков.

100 французов (рота) — всегда побеждала 500–600 мамелюков.

Французский полк (1,5–2 тысячи) — побеждал 7–8000 мамелюков

Ну и, наконец, вся наполеоновская армия, например, в Битве при пирамидах 1799 года — 20 000 французов громят 60 000 мамелюков. Пропорция потерь в том бою была тоже вполне европейско-азиатская — 300 против 10 000.

Надо только понять суть этой лестницы сопоставлений. В основании — «отдельно взятый» мамелюк, дальний социальный родственник янычара и, подобно ему, с детства обученный стрелять, махать ятаганом, скакать на лошади. Вся его жизнь — боевая, но практикуется только индивидуальная тренировка. А француз — ремесленник, крестьянский сын, бродяга, городской пролетарий, выпивоха, гуляка, в общем, *санкюлот,* составивший французскую армию, про которого написано порядочно.

Взяли в руки оружие и стали в строй они, санкюлоты, в среднем 20–25 лет от роду, когда их визави мамелюки уже лет 10–15 отмахали саблями. Дальше — организация, дисциплина, тактика — тот самый победительный «новый строй» (ставший со второй половины XVI века главной целью русского правительства). И результат.

Необходимо уже перейти к собственно российским подробностям, но вся громада просмотренной мной антипетровской литературы заставляет остановиться, дать ещё один пример. Критиковали Петра славянофилы, с противоположных исходных позиций критиковала «школа Покровского», а сегодня — Солоневич и Буровский (повторю, что названы двое наиболее популярных из числа нескольких десятков писателей. Количество и «качество» шлейфа авторов, влачащихся за ними, поражает).

И только в промежутке между этими волнами советская послевоенная историография успела сказать о главном. Когда Покровский уже был свергнут, Карамзин, Соловьёв, Ключевский официально ещё не «реабилитированы», но самое суровое и здравое слово было донесено и до наших советских школьных программ: *дореформенная Россия вполне могла потерять государственную незави-*

симость. Представляю, что сейчас этот довод всё труднее и труднее донести до сознания. Но именно эта угроза и дала Петру столь гигантский запас согласия общества на его реформы.

И живописать громадность петровских репрессий, жестокость без признания **факта** той реальной угрозы — это и есть в самых конечных логических выводах настоящая русофобия. Нацию, столь покорно склонившуюся перед столь «бессмысленными и жестокими» действиями царя, действительно можно было бы посчитать толпой самых жалких рабов.

На тезис «Пётр решил проблему военной безопасности России» вы найдёте бездну возражений, каковые в итоге можно свести к двум контртезисам: *1) «нет, не решил», 2) «и проблемы такой не было»*...

Потому и прошу ещё раз глянуть на подробности европейско-азиатских военных кампаний. Как произошло покорение Индии? Знаменитейшая **Битва при Плесси** 1757 года. У англичанина Роберта Клайва — 910 европейских солдат + 2000 обученных сипаев, 8 пушек. У индийского Сирадж ул-Даула — 50 000 солдат, 50 пушек.

Полный разгром индийцев, *деморализация, раскол правящей элиты, общая внутренняя смута* (траектория знакомая?) и в результате... 200 лет английского господства.

Но пропорции участвующих в сражениях сил ещё не все перечислены. Для объяснения геополитических итогов (создание колониальных империй, в российском случае — расширение и достижение естественных границ, исчезновение с карты целых государств) совершенно необходимо учесть и такой специфически военный показатель, как пропорции потерь.

В битве, решившей участь Индии, англичане потеряли *7 своих солдат и 16 сипаев,* индийцы — около 500 на поле боя, а остальная армия практически разбежалась.

Задумайтесь вот над чем: если бы потери сторон были хотя бы близко сопоставимы, могла бы Британия покорить географически весьма удалённую страну, 20-кратно превосходящую её населением? Победы *«малой кровью»* (а если оставить эту формулировку известной нашей бравой песни 1940 года и выразиться точнее): *победы, ориентированные на достижение нужного результата*, с расчётными потерями. А расчёты эти, конечно, не могли и близко допустить равных потерь — вот результат работы новой армии в отличие от старой. Или, условно говоря, европейской в отличие от азиатской.

И этот показатель, пропорции потерь, новой русской армией тоже был достигнут. Например, Румянцев при Кагуле потерял 353 человека убитыми, а турки — 3000 + 5000 пленными, на поле боя и при преследовании — ещё 7300. То есть примерно 1 : 40. Не имея «новой армии», машины, работающей с такими показателями, Британия и не пошла бы в Индию, а Россия и не приблизилась бы к Крыму, к Чёрному морю, к Кубани.

Часто называемый «первым русским экономистом» Иван Посошков в действительности охватывал взглядом многие сферы жизни государства. Вот его живое свидетельство (Посошков родился около 1670 года) о допетровской армии: *«У пехоты ружьё было плохо и владеть им не умели, боронились ручным боем, копьями и бердышами… и на боях меняли своих голов по три по четыре на одну неприятельскую голову»*.

Важным и результативным станет анализ того, за счёт чего была достигнута такая новая пропорция потерь. Ведь Европа отнюдь не вырастила 5-метровых великанов, неуязвимых суперменов, и даже качество оружия в XVIII веке оставалось практически одинаковым, по нему Европа пошла в отрыв только в первой половине XIX века (нарезные, скорострельные ружья и пушки). В упомянутом сражении 1809 года при Асландузе генерал Котляревский разбил 15-кратно превосходящих персов, имевших английские ружья и **артиллерию.** Сто с лишним лет грузины, спасённые в той битве как нация, любовались в Тбилиси на выставленные экспонаты трофейных пушек с литыми надписями: *«От Королл (Англии) Шахиншаху».* (После чего саакашвильев *«Музей* (русской) *оккупации»* и его заигрывания перед англичанами, американцами — это... Но это отдельная тема.)

Полагаю вполне основательным следующее подразделение на части *«Всемирной истории войн»* Эрнеста и Тревора Дюпюи:

Часть XIII. 1500–1600 гг. Испанское каре и линейный корабль

Часть XIV. 1600–1700 гг. Зарождение современных стратегии и тактики

Часть XV. 1700–1750 гг. Военное превосходство Европы

Часть XVI. 1750–1800 гг. Господство манёвра

Названия этих частей отражают самое главное из произошедшего в тот период. Правда, авторы не вдаются в вопросы, обсуждаемые в данный момент, и как-то особенно не выделяют европейско-азиатские войны, не высказываются о возможной причине (это и не входит в задачу глобального их труда), а просто фиксируют, «фотографируют» *Военное превосходство Европы, 1700–1750 гг.* Имея в виду, конечно, не то, что оно, превосходство, якобы закончилось в 1750 году, а то, что этот «выход в лидеры», подготовленный ранее, стал символом XVIII века, самым заметным военным трендом того периода, совпавшим с волной колонизации мира.

Итак, вопрос: «За счёт чего именно достигнуто многократное превосходство?»

Иначе говоря: «В чём собственно был главный *поражающий фактор* полков нового строя?» Зрительный образ: безупречно ровный, геометрически правильный строй (каре, линия, колонна) 10-тысячной новой армии отражает натиск, почти без потерь повергает в бегство 100-тысячную тучу старой, азиатской армии... — это ещё не объяснение. Сама по себе ровность строя никакого противника не убьёт, не ранит. Однако она имеет сильное деморализующее значение на толпу. Анализ десятков европейско-азиатских сражений констатирует: азиатские армии, потеряв много больше, чем противник, но всё равно оставаясь в значительном численном превосходстве, тем не менее просто бежали с поля боя. Данная многими опытными военными характеристика их обычного первого порыва с подразумеваемым *«Бегите, или мы побежим!»* — вовсе не оскорбление, это обобщение, вынесенное из многих сражений. По причинам политкорректности эти факты редко выносятся на общественное внимание из своей узкоспециальной военно-исторической ниши. Потому в редких обсуждениях всплывают и такие объяснения: турецкая армия никогда не выдерживала штыкового удара русской армии потому, что именно штыковая рана в лицо считалась у турок особо ужасной, имеющей влияние даже и на загробную судьбу. (Обещанные в раю 72 девственницы-гурии будут не так ласковы?)

Политкорректность, упреждающий страх обвинений в расизме просто закрывали этот многостолетний опыт от обсуждения, но в действительности, если вдуматься, дело не сводится к простому и неправильному выводу: европеец храбр, азиат труслив. Более того, прошу ещё раз припомнить точное наблюдение Наполеона, вынесенное из Египта, что... один француз в изолированной схватке почти *всегда проигрывал* одному мамелюку. Пятеро французов — пяти мамелюкам — никогда... и в итоге французский полк, 1,5 тысячи солдат — всегда громил 7–8000 мамелюков...

Обученность, дисциплина, муштра нового европейского солдата позволяла вывести за скобки вопрос его личной храбрости/трусости. А азиат (или «старый европеец») на поле боя оставался человеком со всеми своими человеческими характеристиками, поэтому и первый порыв, и естественный человеческий страх потом. Вот парадокс, над которым мало задумывались писатели. Есть популярный вывод тысяч исследований: Европа-де позволяет раскрыться человеческим индивидуальностям, а Азия их нивелирует, заставляя подчиниться традиции, «стадному чувству».

НО... парадокс: в сражениях именно азиаты оставались *человеками*, с человеческими слабостями, а европейцы в строю делались машиной, единым механизмом, правильность, неумолимость хода которого внушает мысль и о его неуязвимости, бесполезности сопротивления.

Македонская фаланга — хороший, в том числе и зримый пример. Наползающая на толпы противника неуязвимая машина (каток или танк). Некоторые сражения против многократно больших толп фаланга завершала, не потеряв ни одного человека. И при этом никакого технического превосходства в вооружении: те же самые копья, мечи, щиты. И если кто (хотя бы для справки) возразит, что-де копья, македонские «сариссы», в 2–5-х рядах фаланги были длиннее, вплоть до 6 метров (выставленные сквозь ряды они умножали силу удара первой шеренги) — это и будет подтверждением моего довода: ***никакого технологического отрыва!*** Выстругать и приладить 6-метровые древки к своим копьям персы (азиаты) могли бы за один день. Но обрести достаточную психологическую устойчивость, выучиться слушать и выполнять команды, «ходить фалангой» (там в действительности был набор перестроений сложнее, чем просто *«Вперёд шагом марш!»*) азиаты не смогли и за сотни лет.

И потому повторю то, что наш посланник в Китае Николай Спафарий зафиксировал: «Что писалъ Аристотель, что асиадцкие *разумнее* суть европейскихъ пародовъ, а европейские народы в воинскихъ дѣлехъ гораздо храбрѣйшии ... в дѣлехъ воинских китайцы пред ними, пред европейскими, будто жёны противо мужей».

Только необходимо постоянное уточнение: не антропологически, **а социально** — «гораздо храбрѣйшии».

Всё вышесказанное даёт сильно упрощённую картину военной истории. Есть ещё ведь казаки, «особь статья», достигшие мирового первенства в своём разряде — «лёгкая кавалерия» практически без влияния европейской культуры. Но «лёгкая кавалерия» — вспомогательный род войск, стратегическую роль она сыграла лишь в 1812 году, в войне на коммуникационных линиях (как и признал побеждённый Наполеон).

Равное качество европейских и азиатских ружей и пушек в «гладкоствольную, до-нарезную эру» — тоже некоторое упрощение. Но всё же более высокая европейская скорострельность достигалась в основном тоже вымуштрованностью, механистичностью действия артиллеристов, пехотинцев.

Машинность, автоматизм действия нового европейского солдата, выводящие, как говорилось, «за скобки» вопросы его личной храбрости, проявились и в боестолкновениях Российской армии с северо-кавказскими народами. По личной храбрости, дерзости, физической тренированности горцы, наверное, на вершинах мировых рейтингов. Плюс горная война — самая тяжёлая для новоевропейских армий именно по тому, что там трудно действовать массами, война распадается на большее число индивидуальных стычек, а тут — см. «Египетские уравнения Наполеона»... Но во время Кавказской войны дисциплина русских — её можно назвать формой коллективного героизма — победила индивидуальное мужество горцев. Пропорции армий совсем не те, что в битвах с турками, чаще всего русским приходилось направлять численно превосходящие силы. Однако и тут русская армия побеждала, в том числе и в меньшинстве. Например, знаменитое сражение при реке Валерик 1840 года, описанное его героем Михаилом Лермонтовым: 3400 русских победили 6000 горцев.

Далее процитирую, но с определённым уточнением, такого авторитета, как историк, философ Арнольд Тойнби:

«Начиная с XVII века на Западе происходил непрерывный прогресс технологии, развитие которой представляло вызов остальному большинству человечества. У него не было другого выбора, кроме освоения западной технологии или подчинения державам, владевшим ею. Россия, столкнувшись с такой проблемой, первая решила сохранить свою независимость, приняв широкую программу технологического преобразования на западный лад... Пионером решения задачи был Пётр Великий. Счастье России, что Пётр оказался прирождённым технократом, который кроме того обладал диктаторской властью московского царя...»

Уточнение моё в том, что эти «западные технологии» — не только и не столько технологии оружейников. Это — социальные технологии. Дисциплина.

Понять всю пропасть между двумя культурами, кроме военной статистики, надеюсь, поможет и такая выразительная деталь. По новому военному уставу Петра, офицер в бою может и должен заколоть своего солдата, самовольно закричавшего «Ура!» Не *Караул! Спасайся, кто может! Бежим!*. И то и другое с точки зрения строгой целесообразности — просто вопль, мешающий другим солдатам *расслышать слова команды*.

Полное, гробовое молчание — идеальная требуемая реакция. И только в определённый момент, когда офицер крикнет «Ура!», солдаты обязаны разом подхватить его клич.

И, если вдуматься, в этом есть железная логика, понятная даже... например, театральному режиссёру: долго сдерживаемая эмоция, получив выход на фоне тишины, а не птичьего *базара*, подействует гораздо сильнее. Да и психолог подтвердит: тем самовольным «Ура!» кто-то, возможно, просто заглушал свой страх, и соседям это становилось понятно, и, следовательно, этот «боевой» клич не выполнял *нужную коммуникативную функцию*.

Дальнейшее обдумывание одной только этой детали, одного пункта «воинского устава» может дать важный и уж точно свежий, дополнительный аргумент в споре о «цене Петровских реформ», «искажении русской народной психологии». Раскрытие и предъявление главных логических и даже арифметических «прорех», нестыковок у критиков Петровских реформ ещё впереди. Сейчас обращаюсь к тем читателям, которые всё же отметили непривычное повышенное внимание автора к военной стороне государственной жизни.

Если непредвзято пересмотреть историю Карамзина, можно отметить высокий удельный уровень внимания царей, правительств к военной стороне жизни. Но династия Рюриковичей закончилась, следом, на эпохе Смуты обрывается и история Карамзина. Дальше, если, например, взять в «провожатые» Сергея Соловьёва, почти вся история Романовых — это или война, или дипломатические переговоры, сводившиеся в свою очередь или к фиксации результатов прошедшей войны, или к дипломатической подготовке новой. И кто обвинит Романовых в «милитаризме», в том, что ценой этих усилий страна избежала участи той же Индии?

Социальное, слишком социальное

Вот для чего пришлось уточнять и самого Арнольда Тойнби: что следовало бы понимать под «западными технологиями». Для чего подчёркивал долгие исторические периоды побед европейцев, вооружённых ни на йоту не лучше азиатов. И то, что порох, гранаты, *огневые копья* (ружья) первыми изобрели азиаты.

Дисциплина, муштра, т. с. сугубо социальные технологии были гораздо важнее, результативнее — до первой трети XIX века включительно. В этом и объяснение политики Петра, неожиданное для многих, порой рационалистически сожалеющих, что он-де «не ограничился европейскими ружьями, пушками, а занялся бородами, кафтанами, ассамблеями, обычаями...» (А в преддве тенденции сугубо технических заимствований видится и сегодняшний «новый русский», купивший «Мерседес», «права» и кроваво сшивающий на дорогах.)

Шаг несомненного технологического, уже — технического отрыва Европы — это лишь рубеж второй трети XIX века: нарезные, скорострельные ружья, пушки, бронированные пароходы, затем пулемёты. Картина сражений радикально меняется только в этот период: англичанин, спокойно лежащий у пулемёта перед растущей горой тел восставших суданцев с копьями, ружьями в руках...

Но важно заметить, что и эта картинка — отнюдь не последняя в калейдоскопе мировой истории. Следующая до конца сегодня ещё не проявлена. Но если окажется, что за научный прогресс, давший авиацию, танки, ядерное оружие, Запад заплатил полной потерей религии (вопрос до конца не ясный), то эта следующая картинка может быть печальной для «белого человека». Ведь тогда рухнут все те «социальные технологии», шедшие, как подчёркивалось, впереди, бывшие всегда важнее, результативнее технических новинок. В безрелигиозном обществе будет утрачен изначальный импульс к принятию дисциплины, к самосовершенствованию и самоограничению, шедшим все 3000 лет рука об руку и дававшим то могущество, примеры которого были кратко упомянуты.

И картинка может вдруг напомнить герберт-уэлсовскую: студенистый, медузообразный командир всемогущего, с лазерами, химоружием, марсианского самоходного треножника беспомощно валится из-за пульта управления, сражённый лёгкой «инфлюэнцей».

Не хочется, конечно, повторять, при всех к ним симпатиях, славянофилов, весь XIX век живописавших упадок и крах буржуазного Запада, а в 1918 году, отправивших своих детей таксистами в Берлин и Париж... но присмотреться тут есть к чему.

Глава 18

Тряпичные штыки

(Полулирическое отступление)

Подобно войне, экзамену в истории государств, военная тема становится хорошим экзаменатором для историографов. Характерный пример — Евгений Анисимов, доктор исторических наук, профессор Санкт-Петербургского института истории РАН, лауреат, автор и ведущий циклов передач на канале «Культура» — «Дворцовые тайны», «Пленницы судьбы», на канале «Россия» — «Кабинет истории». (Википедия вводит Анисимова в число 9–10 авторов, чьи оценки в сумме становятся итоговой оценкой Петру I и его эпохе.)

Вот книга Анисимова «*История России от Рюрика до Путина*». Что 90% объёма её — пересказ общеизвестных фактов, это ещё не обвинение. Не придумывать же автору альтернативную историю, на это есть отдельная когорта писателей, смешивающих историографию с фэнтэзи, порой даже в пропорции 1 : 3 — коктейль весьма ходовой сегодня. Конечно, хотелось бы и в пределах настоящей, *не*альтернативной истории обнаружить какой-нибудь свежий взгляд на старые факты, найденную новую взаимосвязь, историческую параллель, яркий пример... И вот, накликал!

Страница 299, присоединение Грузии к России:

«С кончиной Ираклия II в 1801 г. его царство распалось, и Восточная Грузия стала принадлежать Российской империи. В 1803–1810 гг. Россия присоединила и

Западную Грузию. "Под сенью дружеских штыков" грузины нашли спасение от своего врага — Персии...»

Т. е. сверх обычного книгонаполнителя, справочных связок — «дата-факт», Евгений Анисимов от себя здесь приводит ещё и цитату, закавыченное *Под сенью дружеских штыков*, имея в виду Лермонтова, «Мцыри»:

> И божья благодать сошла
> На Грузию! Она цвела
> С тех пор в тени своих садов,
> Не опасаяся врагов,
> **За гранью дружеских штыков.**

Дело не в ошибке цитирования (что-де Лермонтов, «Мцыри» — школьная программа), а в тотальном непонимании исторической фактуры, которая в ту эпоху была в значительной мере военной фактурой. Спутаны *сень и грань*. **Сень — это занавесь**, полог. По фактуре: материя, тряпка... **Грань** (грань кристалла, алмаза) — граница чего-то твёрдого. Устойчивый, надёжный и правильный строй русских солдат, выставивших штыки, действительно был похож на твёрдый кристалл. Пехотное каре и на картах сражений весьма похоже на алмаз, а ровные линии выставленных штыков — на грани. О русские пехотные каре разбивались в десятках сражений волны многократно превосходящих турецких, персидских войск, а их пехоте, в свою очередь, твёрдо держать строй каре — было недоступным искусством, откуда и все вышеупомянутые результаты, пропорции потерь...

Лермонтов был младшим офицером, смотрел на картины сражений отнюдь не сверху, не с командного холма, но образ ровного русского строя, похожего на твёрдый неприступный кристалл увиден им абсолютно точно, и был понятен (как я раньше полагал!) абсолютно всем — и штатским, и женщинам, и детям. За этим точным образом стоит реальность: Россия, носитель новой, более высокой культуры, в том числе и военной, пришла на Кавказ, укрыв за спасительной «гранью штыков» (а не накрыв тряпкой, «сенью») от резни, геноцида грузин, армян. За этим образом как раз и стоят исторические результаты сражений и дважды упомянутый генерал Котляревский, с 2000 солдат побеждающий 30 000 персов.

Сегодня сказать, как в предыдущем абзаце: *носитель более высокой культуры*, на фоне закадрового политкорректного фона («все культуры равны, все равноценны, всякий равен всякому»), — чревато вовлечением в бесконечный, я бы выразился, безкритериальный спор. Потому и важны такие сугубо специфические, приземлённые свидетельства. Да, полководец армии противника, возможно — второй Гарун ар-Рашид, а его офицеры — сплошь Фирдоуси, Омары Хайямы, Авиценны... Просто такого-то числа, при реке Кагул их было 170 000, а в армии Румянцева — 35 000. Результаты сражения такие-то...

Именно на «военном экзамене» сбивается ровный пересказ справочников. Книга Евгения Анисимова. Страница 294:

«Во главе русско-австрийских войск Суворов совершил поход в Северную Италию, где в сражениях на реке Адде, Требии, а также при Нови одержал победы над французскими войсками. Однако, оказавшись в фактическом окружении, русские поспешно отступили через Альпы. Одновременно с сухопутными войсками русская эскадра Ушакова побеждала в Средиземном море, изгоняя французов из Ионического архипелага, где под протекторатом России возникла республика — первое независимое от турок греческое государство.

После этого император довольно неожиданно порвал союз с Англией, запретил ввоз и вывоз английских товаров...»

Опять ошибка на уровне *«тряпичных штыков»* — и вся картина войны катится к полной бессмыслице. Суворов действительно победил французов на рсках Адде, Требии, а также при Нови, но после этого оказался НЕ в «фактическом окружении», а — полным хозяином Италии. Французов в Италии практически не осталось, потому даже небольших десантов Ушакова хватило для взятия Неаполя и Рима. Имея Италию как прочную базу, Суворов планировал наступать далее, на южную Францию, но получил приказ идти в Швейцарию.

Там, в Швейцарии стоял русский корпус Римского-Корсакова и австрийская армия эрцгерцога Карла. Далее — отдельная интрига: Карл, против договорённости дождаться прихода Суворова, уходит на Рейн. Оставленного в Швейцарии Римского-Корсакова разбивает француз Массена, и перешедший Альпы Суворов действительно оказывается в окружении. Но **в Швейцарии**. Подробности австрийской интриги раскрывать не будем, что бы ни у кого не создалось впечатление, будто Анисимова я критикую с «ура-патриотических» позиций. Но тем не менее... Суворов в 1799 году в Северной Италии был не «окруженцем», а полным хозяином очищенной страны (за исключением Генуи, где прижавшиеся к морю французы были осаждены и сдались чуть позднее). Это доказывается ещё одним простым фактом: выпроводившие Суворова из Италии (цель их интриги) австрийцы ещё *почти год спокойно владели* этой страной, пока вернувшийся из Египта Наполеон не привёл новую армию и не разгромил их 14 июня 1800 года при Маренго.

Итог: Анисимов перечёркивает освобождение Суворовым Италии. Фразой *«окружённые в Италии... русские поспешно отступили через Альпы»* оскорбляет русскую армию и искажает смысл военных действий. Суворову просто *не было* перед кем поспешно отступать.

Полки современных книжных магазинов помимо подобной вялых, необязательных исторических книг наполняют ещё и критические их разборы. И как вы, возможно, замечали, очень часто критики обвиняют автора за невключение в их историю того-то и того-то события. Сложность момента в том, что критикуемый автор может ответить: «Моя книга не безразмерна, я должен отбирать только самое главное (характерное, важное, интересное)».

Чтобы показать несправедливость отбора, надо привести фрагменты текста, сравнить уделённые тому и тому событию объёмы. И всё равно остаётся возражение автора, «его особое видение».

Для чего вышеприведённую цитату из 294-й страницы Анисимова я теперь довожу до предложения: *«После этого император довольно неожиданно порвал союз с Англией, запретил ввоз и вывоз английских товаров»*.

Чтобы зафиксировать, что повествование о походах Суворова и Ушакова на этом закончилось, и дальше пошёл разговор о другом, и к Итальянскому походу автор больше не вернулся. Это всё легкопроверяемые факты. Один абзац, восемь строчек уделено трём важнейшим и славным событиям русской истории: Итальянский и Швейцарский походы Суворова, Средиземноморский — Ушакова...

А теперь приведу начало фрагмента о цесаревиче Константине. Страницы 320–321:

«Константин, назначенный после войн с Наполеоном командовать польской армией, давно поселился в Варшаве. Здесь у него завязался роман с графиней Иоанной Грудзинской, которую Константин страстно полюбил. После развода с женой Анной Фёдоровной (они прожили раздельно более 20 лет) он женился на Грудзинской, получившей от Александра I титул княгини Лович. Константин искренне полюбил Польшу, её культуру и народ, странным образом сочетая любовь к полякам с репрессивными идеями русского самодержавия...»

И так далее, в книге ещё 37 строк, а всего 45: о Константине, его польских делах и княгине Лович. Гранд-финалу анисимовской «Истории...» позавидует любой дамский роман из карманных мягкообложечных серий:

«До самого конца возле него была княгиня Лович. Накануне погребения она срезала свои роскошные волосы и положила их под голову Константина. Лович поселили в Царском Селе и она пережила своего мужа всего на пять месяцев, скончавшись в ноябре 1831 г...»

В одиннадцати моих историко-публицистических книгах подобная калькуляция применена мною первый раз, почему именно в случае Анисимова — объяснится далее. Чувствуешь себя мелким придирой, буквоедом, понимая при этом, что даже точно «сфотографированная» пропорция (8 строк на походы Суворова + Ушакова и 45 строк на Константина и *роскошные волосы* княгини Лович) — ещё не свидетельство вздорности книги.

НО если бы у Анисимова нашлось место хотя бы ещё для одной строки о взятии Неаполя и Рима (!) ушаковскими десантами, то может, вдруг, случайно прояснилась бы и обстановка с этим, как бишь его... Суворовым. Якобы *окружённом в Италии* и якобы *поспешно отступившем в Альпы*. А то ведь две фактических ошибки в 8 строках...

Может, неуместно лезть к тонкому ценителю красоты, эстету, второму Оскару Уайльду с какими-то жалкими армейскими, солдафонскими калькуляциями? Но тем и показателен «военный экзамен», что высвечивает *всего автора,* целиком. И сразу видно, что спутавший Италию со Швейцарией, освободивший своё профессорское внимание от Ушакова с его взятиями всяких там Римов... — он что, в сэкономленное время как-то особо вникал в красоту княгини Лович?! Наводил справки, реконструировал её причёски?!

Да ведь слово *«роскошные»* — это же просто самый первый, подвернувшийся эпитет к слову *«волосы»*! (Была такая школьная игра «в подсознание», мгновенные ответы. *«Дерево?»*   *«Берёза!»*. *«Поэт?»* — *«Пушкин!»*)

И уж если я предположил, что «военная история — прекрасный индикатор», то должен, значит, добраться здесь и до стиля (*«Стиль — это человек»*, — гласит французская максима), должен показать уровень эстета, поклонника *роскошных волос*, бесследно закрывших Суворовых—Ушаковых:

«Константин, **назначенный после войн** с Наполеоном командовать польской армией, **давно** поселился в Варшаве. Здесь у него **завязался роман с** графиней Иоанной Груздинской, **которую** Константин **страстно полюбил...**»

И сопроводить выделенные (примеры не собирались по всей книге Анисимова, это действительно *два подряд идущих предложения!*) стилистические перлы сухой филологической **справкой**:

ПЛЕОНАЗМ (греч. *pleonastos* — «излишество») — дублирование некоторого элемента смысла; наличие нескольких языковых форм, выражающих одно и то же значение, в пределах законченного отрезка речи или текста; а также само языковое выражение, в котором имеется подобное дублирование. Пример: «Каждый покупатель получает *бесплатный подарок*»...

Увы, это далеко не всё. Далее — по восстанию в Польше. Страница 319:

«Между тем восстание началось, как прямое следствие нарушений конституции 1815 г., дарованной полякам Александром I. Посланный в Польшу фельдмаршал И. И. Дибич не справился с подавлением мятежа. Его заменили более решительным фельдмаршалом Паскевичем, ранее воевавшим на Кавказе. Кровопролитные сражения под Гроховым и при Остроленке завершились победой русских войск, и в августе Паскевич взял Варшаву...»

И опять подтверждается идея: *война — экзамен (для государства и его историографов)*!

О качестве прочих трудов Анисимова мы можем только подозревать. Тем более что диссертации, как правило, имеют несколько уровней «корпоративной» защиты: изложены специфическим «птичьим» языком, часто посвящены темам, называемым *«важными, актуальными»* только лишь в том специфическом *«диссертационном производстве»*. Там все положенные рецензии начинаются фразой-клише: *«Диссертация такого-то посвящена актуальной теме...»* Ну и наконец они зачастую просто нечитабельны.

Но вот историк рискнул написать что-то доступное *не только* внутрицеховой критике — и сыплется на военных темах так, что и тройка по курсу «Отечественная история» под вопросом.

Фельдмаршала Дибича назвать не справившимся, недостаточно решительным (менее решительным, чем Паскевич) — это авторское видение? Но есть простые факты! Указанные Анисимовым сражения под Гроховом, Остроленкой выиграл-то ещё Дибич! Правда, 29 мая 1831 года, через три дня **после** блестящей Остроленской победы 26 мая, *последнего* крупного сражения, Дибич скончался от холеры. *После* этого приехавший в армию Паскевич и взял Варшаву...

Вообще-то это немного как-то даже и мерзко: столь небрежно, вальяжно тасовать исторических героев, словно старые засаленные игральные карты, роняя их, пачкая, путая...

Кто же он такой — «обокраденный» фельдмаршал Дибич-Забалканский?

Историки насчитывают 12 войн России с Турцией. Только на 6-й войне, 1768–1774 годов русские впервые пересекли Дунай. Румянцев стал графом Задунайским. 7-я и 8-я тяжёлые войны закончились победами, но примерно на том же рубеже. И только в 9-ю войну, 1828–1829 годов русская армия под командованием Дибича впервые *решительно* пересекла следующий рубеж — Балканы, взяла Адрианополь, подошла почти к Стамбулу!

Именно ту кампанию выше всех прочих ценил такой военный авторитет, как Мольтке. Правда, тогда гигантские потери русских от эпидемий намного превысили боевой урон — опять расплата за прорыв до мест, куда **ни один полководец** ранее не доходил! Дибич, граф Забалканский, заключил там один из самых триумфальных договоров с побеждённой Турцией — Адрианопольский. Здоровье его было подорвано уже тогда. Холера на польском театре добила Дибича-Забалканского. Анисимов же добил (в глазах своих читателей) и его репутацию полководца. Перебросил 2 победы Паскевичу, а Дибича, умершего через три дня после победной Остроленки, записал в несправившиеся...

Вослед к *окружённому и поспешно отступившему из Италии* Суворову.

А вообще-то граф Иван Иванович Дибич-Забалканский (Иоганн Карл Фридрих Антон фон Дибич) был интересным человеком, сочетавшим, по воспоминаниям Фаддея Булгарина, вспыльчивость, за которую был прозван «самоваром», с доброй душой, отходчивым характером. И просто трогательным вниманием к литературе. Дибич очень много читал, носился со всяким попавшим в его круг писателем...

А если заглянуть наудачу далее (книга-то Анисимова: «*История России от Рюрика до Путина*»), то по XX веку... идёт пересказ вроде бы других фактов, но в целом картина столь же безрадостная.

Страница 449:

«1 сентября 1939 г. Германия напала на Польшу, началась Вторая мировая война. 17 сентября советские войска вошли в Польшу и заняли оговоренные пактом территории. Польша же, подвергшаяся нападению с двух сторон, не смогла оказать сопротивления, и вскоре победители устроили совместный парад в Бресте...»

Что польское правительство сбежало из страны еще 16 сентября (в Румынию, потом в Англию) ДО начала вхождения советских войск — Анисимов или не знает, или умалчивает. Ну и весь прочий набор: *Сам по себе нацизм не особенно беспокоил Сталина, создавшего в своей стране даже более суровый тоталитарный режим* (стр. 447). — Это ведь тоже его, Анисимова, посильная работа на приближение заветной цели: известной резолюции ПАСЕ, приравнявшей сталинизм, СССР к нацизму, Германии...

В книге «Вторая мировая. Перезагрузка», неоднократно переиздававшейся с 2006 года (до Обамовских и Хиллариклинтоновских «перезагрузок»), обсуждавшейся и во «Временах» Познера, где её цитировал Юрий Поляков, и во многих других ТВ-передачах, я уже приводил аргументы по этому периоду.

Что самое большое (по суммарному тоннажу, количеству участвовавших, потерям линкоров, крейсеров...) морское сражение Второй мировой войны на европейском театре военных действий — это Битва у Мерс эль-Кебиры (побережье Алжира), 3 июля 1940 года, где англичане сражались против... французов — во избежание даже теоретической возможности попадания их флота немцам. Что, когда Гитлер напал на Данию, англичане без объявления ультиматума, вообще без объявления хоть строчки чего-либо, захватывают часть Дании — Исландию, важный пункт в Северной Атлантике. Вся разница между Англией и СССР — фактурная. Они готовились к морской войне и занимались «сомнительными» флотами и островами. Мы — к сухопутной и занимались «сомнительными» республиками, вроде той шелушащейся в руки Гитлера Литвы (отдавшей Гитлеру Мемель без возражений, так что страны-гаранты Англия, Франция и придраться не могли). То, что сухопутная континентальная война в сотни раз тяжелее морских операций, это, в общем, очевидно. Но сравните ещё и тяжесть **после**военных претензий!

Но чтобы сама международная ситуация стала «современной», «правовой», политкорректной, в общем, той, какая она сейчас, требуется победа в Большой Войне! **Сначала** Страсбург (столицу ПАСЕ), Прагу и Вильнюс надо освободить, чтобы там смогли вновь обосноваться те умники, которые расскажут, КАК правильно надо было их освобождать и какие цены полагаются за нарушение их правил.

И здесь зарубежные заинтересованные исторические передёргивания совпадают с хором внутренним. В книге Анисимова 10 страниц уделено тому, как ситуация в мире подошла к развязыванию Второй мировой войны, Пакту Молотова—Риббентропа и его последствиям, НО нет вообще *ни одного упоминания о Мюнхенском соглашении*, ответом на которое собственно и был тот Пакт, который признаётся даже большинством антироссийски настроенных историков...

Завершаю это «полулирическое», начатое с лермонтовской цитаты отступление. Конечно, не одна анисимовская книга — весь корпус подобной литературы ответственны за то само *«искажение истории в ущерб России»*, против чего создавали известную комиссию. Яркий пример черпания воды решетом: государство вроде борется против фальсификаций истории и вместе с тем традиционно финансирует организации и корпорации, где сидят авторы подобного.

Анисимов, подробно расписывая Пакт, не упомянув «Мюнхен», хоть и стремится подыграть (в его понимании) Европе, но как раз в Европе на него могли подать в суд потомки Лермонтова, генералиссимуса Суворова и фельдмаршала Дибича на основании содержания страниц № 294, 299, 319 его книги. Обвинение: *«Диффамация»*.

Но дело не только в фальсификации, пропаганде/контрпропаганде. Я лет пять назад начал преподавать отечественную историю в МИИТе. Ректор Борис Алексеевич Лёвин в самом первом нашем разговоре сказал примерно следующее: «Сейчас нет организаций, инстанций, занимающихся гражданским, патриотическим воспитанием. Но и образование без воспитания, как я понимаю, — тупик. И нам остаётся формировать специалистов, граждан своей страны через преподавание истории».

Что тут добавить? Разве что сообщить, что книга Анисимова попалась мне случайно — увидел в руках у студента. Потому и такое к ней внимание.

Кроме всего прочего, доктор исторических наук, профессор Санкт-Петербургского института истории РАН, лауреат, представляет отечественную историю на федеральных телеканалах. Телепередач его я не смотрел, но так написано на обложке той книги. Которую, планируя сделать доклад на семинаре, и приобрел мой студент... бедняга.

Всё сие — результат краткого применения «военного критерия» к книге, которая, в общем, не хуже не лучше сотен подобных... изделий. Вялоравнодушный тон, среднеканцелярский язык (правда, для подтверждения надо цитировать страницами). Но, думаю, читателям и так знакомо подобное «творчество»... *«Юрий Долгорукий основал Москву, которая расположена на реке Москва, ко-*

торая, как известно, впадает в Оку, которая в свою оче-
редь впадает в Волгу, впадающую, должен это подчерк-
нуть, в Каспийское море...». Но и в этом книгонаполни-
тельном строю фактов-дат, неуязвимом, как... *каре* — ды-
ры, ошибки выявляются именно на военных фрагментах
истории.

Возвращаемся в XVII век.

Глава 19

Нарастание ожиданий новой русской армии

Полки «иноземного строя» стали предметом вожделения правительств со времён позднего Ивана Грозного. Вот как Карамзин описывает итоги известной победы войск Бориса Годунова над армией Самозванца при Добрыничах:

«Борис затрепетал от радости; велел петь благодарственные молебны, звонить в колокола и представить народу трофеи: знамёна, трубы и бубны Самозванцевы... послал золотые медали Воеводам, а войску 80 000 рублей и писал к первым, что ждёт от них вестей о конце мятежа, будучи готов отдать верным слугам и последнюю свою рубашку; в особенности благодарил усердных иноземцев и двух их предводителей, Вальтера Розена, Ливонского Дворянина и Француза Якова Маржерета; наконец изъявлял живейшее удовольствие, что победа стоила нам недорого: ибо мы лишились в битве только пятисот Россиян и двадцати пяти Немцев...»

О Самозванце:

«...Манифест, удовлетворяя любопытству баснями, дотоле неизвестными, умножил число друзей Самозванца, хотя и разбитого. Говорили, что Россияне шли на него только принуждённо, с неизъяснимою боязнию, внушаемою чем-то сверхъестественным, без сомнения, Небом; что они победили случайно, и *не устояли бы без слепого остервенения Немцев...*»

Иностранные наёмники в тот период не только становились защитой от внешних угроз, но уже и фактором внутренней политики. Наступал Бунташный век, твёрдость, дисциплина и преимущественная боеспособность «немцев» была очевидна, признана — не сегодняшними русофобами, а тогдашними *русскими* правителями.

Нарастала тревожная тенденция: Россия вынуждена была просто задаривать сильные в военном отношении государства.

Карамзин, том 10, глава 3 («Продолжение царствования Фёдора Иоановича»):

«Чрез несколько месяцев (в декабре 1594) приехал в Москву тот же Варкоч с уведомлением, что турки более и более усиливаются в Венгрии: он требовал немедленного вспоможения казною — и мы удивили Австрийский двор щедростию, послав Императору, на воинские издержки, 40 360 соболей, 20 760 куниц, 120 чёрных лисиц, 337 235 белок и 3000 бобров, ценою на 44 тысячи Московских тогдашних рублей...

В двадцати комнатах дворца разложив дары Фёдоровы пред глазами Императора и Вельмож его, он удовлетворил их любопытству описанием Сибири, богатой мехами, но не хотел сказать, чего стоила сия присылка Государева, оценённая Богемскими Евреями и купцами в восемь бочек золота. Вельяминов объявил Министерству Австрийскому, что вспоможение столь значительное доказывает всю искренность Фёдорова дружества, невзирая на удивительную медленность Императора и союзников его в заключении торжественного договора с нами...

Но пышность и ласки не произвели ничего важного. Когда Австрийский Вельможа, приступив к главному делу, объявил, что Рудольф ещё ждёт от нас услуг дальнейших; что мы должны препятствовать впадениям Хана в Венгрию и миру Шаха с Султаном; должны и впредь помогать казною Императору, в срочное время, в определённом количестве, золотом или серебром, а не мехами, коих он не можст выгодпо продавать в Европе...»

Потом дойдёт до требований оплаты не только золотом, но и кусками российской территории — шведам за защиту против поляков.

Да и позже, во время Тридцатилетней войны, когда по калькуляции Солоневича у нас уже было 89 000 солдат «нового строя», Россия кормила и финансировала шведскую армию в надежде, что её удары по Польше помогут нам вернуть Смоленск. Собственная попытка вернуть в 1632–1634 годах Смоленск обернулась победой поляков, растворением нашей армии и казнью полководца Шеина.

Необходимое примечание: часто дихотомия «старая армия — новая армия» у меня подменялась для иллюстраций некоторых исторических тенденций на: «европейская — азиатская». Например, у Польши армия оставалась преимущественно старой, её можно сравнить с азиатской — именно по *итоговым показателям боеспособности*: **послепетровская** русская армия громила её примерно в тех же пропорциях, что и турок. Но потом последовал один выразительный поворот исторического сюжета, подтверждающий заявленную тенденцию. Проследим шаги.

«За разгром бунтовщиков под Ореховом Суворов был удостоен *чина* генерал-майора. Ляхи были так деморализованы, что не могли остановиться в бегстве, хотя под конец их преследовали всего 10 кавалеристов во главе с самим Суворовым. В *1770* Суворов разгромил под Ландскроной отряды Дюмурье (французский военспец у поляков). При этом с нашей стороны были ранены только 10 *человек*. Разбив последнего предводителя конфедератов Казимира Пулавского, Суворов за 17 суток прошёл 700 вёрст среди враждебно настроенного населения, почти ежедневно ведя бои. В *1771* восстал литовский великий *гетман граф* Огинский. У него был лучший среди бунтовщиков трёхтысячный полк "чёрных *гусар*". Суворов с отрядом в 800 человек прошёл за 4 дня 200 вёрст, напал на Столовичи, вражескую базу ночью и разгромил гетмана. В 1772 Суворов разбил большой отряд в Кракове — и война фактически закончилась...»

А после 1794 года поляки показали общеславянскую прекрасную обучаемость, способность «схватывать на лету». Массово двинулись добровольцами к Наполеону, и довольно быстро польские легионы по удельной боеспособности сравнялись с лучшими французскими частями, уступая, может, лишь Старой гвардии. Об этом повороте и двести с лишним лет спустя поётся в знаменитом гимне *«Ещё Польска не сгинела...»*. Удивительно, если вдуматься, упоминание в национальном гимне (!) фамилии иностранца и процесса военного обучения у него:

Вислу перейдём и Варту,
Будем поляками.
Дал пример нам Бонапарте
Как должны мы побеждать...

Извините, этот перевод буквален, неказист, но оригинал с музыкой мазурки очень красив.

«Польская теорема» говорит примерно о том же, что и «Крымская». В XVI–XVIII веках старые польские армии сражались с русскими с переменным успехом. В XVIII веке новая русская (послепетровская) армия регулярно побеждала старую польскую, как европейцы — азиатов.

А в начале XIX века «наученные у Бонапарта» новые польские части сражались с русскими гораздо упорнее. В тех же сражениях у Грохова, Остроленки 1831 года Россия выставляла даже численно превосходящие армии — 35 000 против 30 000. Пропорций 1770 года, суворовских, уже не было и близко.

История, элементарная логика, арифметика говорят: или не было в природе той русско-польской Смоленской войны 1632–1634 годов, не было капитуляции и казни Шеина, Измайлова, или не должно быть этих бессмысленных вагонов томов критик Петровской военной реформы. И не для обеления «проклятого императора», а для возвращения какого-то смысла «русской истории», как учебному предмету в частности.

Надеюсь, и сам факт наличия в национальном гимне наших ближайших славянских соседей этих строк о военном обучении вы признаете ещё одним аргументом в пользу моего подхода. «Военный экзамен» — главная, порой единственно объективно проявляемая из ролей государства.

Надеюсь, и начальная база для сравнения и последующей оценки *результатов* действий Петра обрисована. Уровень и состояние вооружённых сил, государственного аппарата России грозили нашей стране потерей независимости.

Исполнение ожиданий

Исполнить более чем столетнюю мечту России довелось Петру. Как это происходило в течение 35 лет его правления, из которых, как упоминалось, мирным был только один год? Как и на что он употребил почти все государственные средства, так же упоминавшиеся 80% бюджета, шедшие на военные нужды? Выше я приводил уже небольшой обзор критики Петра, фиксируя совпадение оценок историков-патриотов и «школы Покровского». Вот ещё краткая подборка мнений различных учёных.

С. Соловьёв: «Различие взглядов (на Петровские реформы. — *И. Ш.*) происходило от громадности дела, совершённого Петром, продолжительности влияния этого дела. Чем значительнее какое-нибудь явление, тем более разноречивых взглядов и мнений порождает оно, и тем долее толкуют о нём, чем долее ощущают на себе его влияние».

П. Н. Милюков: «Реформы проводились Петром спонтанно, от случая к случаю, под давлением конкретных обстоятельств, без какой-либо логики и плана, были "реформами без реформатора"... Ценой разорения страны Россия возведена была в ранг европейской державы... Население России в границах 1695 года сократилось в силу беспрестанных войн».

С. Ф. Платонов: «Пётр был заметнейшим и влиятельнейшим деятелем своего времени, вождём всего народа. Никто не считал его ничтожным человеком, бессознательно употребившим власть или же слепо шедшим по случайной дороге».

Н. И. Павленко и советские историки Е. В. Тарле, Н. Н. Молчанов, В. И. Буганов: «Преобразования Петра — прогресс, хотя и в рамках феодализма».

Пайпс, Каменский, Анисимов: «Реформы Петра имели крайне противоречивый характер. Крепостнические методы, репрессии привели к перенапряжению народных сил».

Анисимов: «Несмотря на введение целого ряда новшеств во все сферы жизни общества и государства, реформы вели к консервации самодержавно-крепостнической системы в России».

Петровская реформа, преломленная в глазах Ивана Солоневича

Фигура мощная, колоритная. Ивану Солоневичу удалось бежать из ГУЛАГа. Жил в Германии, после войны осел в Уругвае.

Его книга *«Народная монархия»* очень важна своей заглавной идеей «народной монархии», точным выбором из огромного массива исторических событий: «проекта князя Андрея Боголюбского», роли «мизинных людей» в Московской Руси, роли Земских соборов... Возможно, решив, что Сталин «работает под Петра», что в СССР исключительно позитивно трактуются Петровские реформы, он посчитал и Петра своим (экзистенциальным) врагом. И настолько Солоневич это прочувствовал, что пошёл на совершенно дичайшие (почти рекордные, как будет предъявлено) искажения и фактов, и смысла истории.

Сначала — его верный отчасти диагноз. Книга «Народная монархия»:

«Алексей Толстой (советский) в своём "Петре Первом" пытается канонизировать Сталина, здесь социальный заказ выпирает, как шило из мешка: психологически вы видите здесь сталинскую Россию, петровскими методами реализующую петровский же лозунг "догнать и перегнать передовые капиталистические страны". Сталин восстаёт продолжателем дела Петра, этаким Иосифом Петровичем, заканчивающим дело великого преобразователя. Официальная советская словесность возвращается к пушкинскому гиганту, а "мятежи и казни" приобретают, так сказать, вполне легитимный характер: даже Пётр так делал, а уж он ли не патриот своего отечества!»

Далее Солоневичем дана очень упрощённая трактовка мнения современников. И следом сразу перескок к состоянию допетровской Руси:

«Едва ли стоит говорить об оценке Петра его соратниками. И, если Неплюев писал, что "Пётр научил нас узнавать, что и мы — люди", а канцлер Головин, что "мы тако рещи из небытия в бытие произведены", то это просто придворный подхалимаж, нам нынче очень хорошо известный по современным советским писаниям об отце народов. Производить Московское государство "из небытия в бытие" и убеждать москвичей, что и они — люди, не было решительно никакой надобности: Москва считала себя Третьим Римом, "а четвёртому не быти", а москвич считал себя последним, самым последним в мире оплотом и хранителем истинного христианства. Комплексом неполноценности Москва не страдала. И петровское чинопроизводство "в люди" москвичу решительно не было нужно...»

«Комплексом неполноценности Москва не страдала»... А на мой взгляд, нормальное государство, вдруг потерявшее способность себя защищать, отдающее часть себя одним соседям, шведам, для защиты от других, поляков, вываливающее свой бюджет (запас пушнины) к ногам австрийского императора Рудольфа, и должно страдать комплексом неполноценности, понимать нетерпимость этого положения (что и стало залогом исправления). И допетровские цари Алексей Михайлович, Фёдор Алексеевич, по счастью, страдали «комплексом неполноценности», сосредоточив свои усилия на введении «полков *иноземного* строя». То, что эти усилия оборачивались неудачей, показухой, солоневичскими 89 тысячами «новых» солдат — обычное дело. У нас многое ограничивается показухой, пока главный экзаменатор, «жареный петух» не...

Солоневич о влиянии Стрелецкого бунта на формирование Петра:

«Этим первым перепугом можно, вероятно, объяснить многое в личной политике Петра: и зверское подавление стрелецкого мятежа, и собственноручные казни, и Преображенский приказ, и вечный панический страх Петра перед заговорами. Иван Грозный, который при всей своей свирепости был всё-таки честнее Петра, признавался прямо, что после восстания 1547 года, истребившего фамилию Глинских, он струсил на всю жизнь: "и от сего вниде страх в душу мою и трепет в кости мои". Застенки Грозного в такой же степени определялись страхом, как и застенки Петра. Но Петровский перепуг имел и некоторые военные последствия... Вспомним Нарву. Пётр, которому было уже 28 лет, повёл свою тридцатипятитысячную армию к Нарве. "Стратегических путей не было, по грязным осенним дорогам не могли подвезти ни снарядов, ни продовольствия... Пушки оказались негодными, да и те скоро перестали стрелять из-за недостака снарядов..." (Ключевский).

<...> Россия разбила Швецию не благодаря Петру, а несмотря на Петра, разбила их в частности та старомосковская конница, которую Пётр, слава богу, не успел, в помощь Швеции, разгромить сам. Но историки забыли Шереметева и Келина и тех неизвестных "вооружённых обывателей", всех тех людей, которым Пётр только портил всё, что только технически можно было портить. И русская официальная история, и досоветская, и советская ставят Петра наряду с Суворовым...

Перед Полтавой произошла ещё одна история — битва под Лесной. Советская история СССР об этой битве пишет так: "Незадолго перед этим Пётр преградил путь Левенгаупту, шедшему с большим обозом, и нанёс ему 28 сентября 1708 года при деревне Лесной на реке Соже решительное поражение. 5 тысяч повозок, груженных боевыми запасами и продовольствием, были захвачены".

Это не совсем так: "дорогу Левенгаупту преградил и его отряд разгромил не Пётр, а Шереметев". И вовсе не петровскими войсками, а **старомосковской "дворянской конницей"**, той самой, которой, **как огня, боялся Карл** ещё под Нарвой. Вспомним ещё одно обстоятельство: эта же **старомосковская конница**, под командой того же Шереметева, уже дважды била шведские войска — один раз под Эрестдорфом в 1701 году и второй раз при Гуммельсдорфе в 1702 году. Это случилось сейчас же после Нарвы, когда Эрестдорф и Гуммельсдорф, а ещё больше Лесная, были сражениями, в которых: во-первых, **дворянская конница**, никак не загипнотизированная, подобно Петру, шведской непобедимостью, показала всем, в том числе и петровской армии, что и шведов можно бить, и, во-вторых, лишила Карла его обозов и, что собственно важно, — всего его пороха... Напомним ещё об одном обстоятельстве: тот же Шереметев и во главе той же **старомосковской конницы**, в промежуток между Нарвой и Полтавой, пока Пётр занимался своими дипломатическими и прочими предприятиями, пошёл по Лифляндии и Ингрии, завоевал Ниеншанц, Копорье, Ямбург, Везенберг, Дерпт — словом, захватил почти всю Прибалтику...»

Всё же очень неприятно, что, перебирая материалы очень многих, даже заведомых русофобов вроде Бжезинского и авторов вроде Анисимова, именно у патриота Солоневича довелось столкнуться с такой кошмарной ложью, когда за белое выдаётся не что-нибудь промежуточно-серое, сероватое, а абсолютно чёрное. И вдобавок на таком периоде, как русско-шведская Северная война, описанная исчёрпывающе. Да, Пётр крупно ошибся, погнав по осенней грязи своё неповоротливое, ещё не обученное (не новое, кроме 2–3 полков) войско. Потом Пётр сбежал, бросил армию, но... нарвский разгром начался именно с позорного бегства старомосковской «дворянской конницы» Шереметева. Под Нарвой старомосковская «дворянская конница» была безусловным слабейшим звеном!

Есть же подробные описания Нарвской битвы, например...

Справка. Петров Андрей Николаевич — генерал-майор Генерального штаба, военный писатель; родился в 1837 году; учился в Павловском кадетском корпусе и

Николаевской академии Генерального штаба. Автор фундаментальных трудов: *«Война России с Турцией и польскими конфедератами, 1769–1774»*, *«Здоровье войск»*, *«Вторая турецкая война в царствование Екатерины II, 1787–1791»*, *«Война России с Турцией 1806–1812»*, *«Война России с Турцией. Кампания 1853–1854»*.

Авторитетнейший русский военный историк, которому и дела нет до всяких петровско-антипетровских комплексов. Приведём несколько выписок из главы *«Нарвская операция»* А. Петрова такого солидного издания, как **«Военный сборник»** (1872 года № 7, с. 5–38):

«В то время, как шведская армия сосредоточивалась у Везенберга, осада Нарвы продолжалась. Шеститысячный конный отряд Шереметева ещё 26 сентября был выслан для наблюдения по ревельской дороге и, пройдя около 100 вёрст до Везенберга, занял его 3 октября, нигде не встречая неприятеля.

Между тем Карл XII, 5 ноября выехав из Ревеля... получил 17 ноября сведение о нахождении русскаго отряда... Генерал-маиор Майдель с 400 челов. конницы получил приказание атаковать русский отряд, не имевший сведений о приближении всей шведской армии... Карл, лично присутствовавший при этом деле, велел неотступно преследовать наших фуражиров конницею Майделя, а сам, взяв из авангарда часть пехоты и несколько полевых орудий, также быстро перешёл через дефиле, находящееся на большой дороге; а по дороге, идущей вправо, на Сомнекюли, послал другой отряд. Отряд Шереметева был до того поражён этою неожиданностью, что без всякаго сопротивления обратился в бегство. Часть же его конницы, стоявшая в Сомнекюли, узнав, что шведы уже появились на нашей стороне дефиле у Пованды, боясь быть отрезанною, также бросилась бежать.

Образ действий Шереметева возбудил сильный гнев царя: "Шереметев так неосторожен и безопасен был, что многих своих людей на фуражирование разослал, а с прочими стоял весьма в непорядке и ушёл, не обороняя прохода".

Действительно, небрежность Шереметева ничем не может быть оправдана. Ему известно было уже давно, что шведския войска подходят к Везенбергу от Пернавы.

Из этого описания видно, что если бы Шереметев принял меры к заграждению четырёхвёрстной плотины между Пехатом и Повандой, на большой дороге, а также дефиле у Кохтеля и 12-вёрстной узкой дороги, идущей по болоту между Иеве и Пюхаиоги, обстреливая их продольно и во фланг артилериею, то шведы могли бы подойти к Пюхаиоги только по дороге, идущей по берегу Фипскаго залива. Но выход с этой стороны мог быть удобно защищён главными силами отряда.

Даже и один отряд Шереметева мог бы оказать значительное сопротивление и заставить неприятеля развернуть свои силы и понести не малыя потери. Но Шереметев бъжал к Нарве (32 версты), а Карл XII безпрепятственно двинулся к Лагене (11 вёрст от Нарвы), куда прибыл 19-го, накануне отъезда Петра в Новгород.

Шереметев мог только не знать, что против него наступает сам Карл XII, т. е. вся шведская армия. За темнотою нельзя было видеть сил противника; не захвачено ни одного пленнаго, а предварительных разведок не сделано...

...Никто не ожидал, что Шереметев оставит без боя позиции, на которой он мог, с малыми силами, задержать всю армию Карла XII в дефилеях. К тому же Шереметев, как все знали, собирался укрепить свою позицию и оборонять её с полною энергиею. Разведочная служба кавалерии была ниже всякой критики. Не выставлялись даже часовые, не высылались разъезды. Главная цель состояла в производстве фуражировок в местности, нами же опустошенной, на 10 миль вокруг Нарвы. Конница разделялась для этого на мелкие отряды, разбросанные по деревням. Все нападения шведов были внезапны, и наши войска застигались врасплох. Так было при Пурце, Варгилс, Раппиле, при движении Карла XII к Пюхаиоги...

Бой под Нарвой.

Было два часа пополудни. С криком "с нами Бог!" шведы пошли вперёд. В этот самый момент пошёл густой снег с градом и сильным ветром, дувшим русским в лицо, так что было трудно держать открытыми глаза. Снег был до того густ, что русские только тогда заметили двинувшихся на штурм шведов, когда они подошли уже ко рву и к пушкам атакованных пунктов.

Через полчаса обе атакующие части ворвались уже в укрепления, успев завалить ров фашинами, свалить с бруствера рогатки и сбить частокол.

В этот критический момент неприятелю дали сильный отпор полки Преображенский и Семёновский. На левом берегу Наровы, в том месте, где в неё упирался крайний правый фланг укрепленной линии С-С (статья в "Военном вестнике" сопровождена подробными картами, откуда и эти обозначения. — *И. Ш.*) был расположен артиллерийский парк армии, и здесь имелось несколько деревянных построек. Преображенцы и семёновцы воспользовались этими постройками и повозками парка и образовали из них преграду, прикрывшую мост F. В этом треугольнике, на нашем правом фланге, стали оба гвардейские полка, к которым примкнули и все не успевшие перейти через мост войска правого фланга. Завязался упорный бой. Заслышав сильную перестрелку, Карл XII, в сопровождении только одного Норда, поскакал на выстрелы, и при этом едва не погиб вместе с лошадью, завязшею в болоте. С трудом вытащили из него короля, оставившего в болоте свою шпагу и один из высоких сапогов. Несмотря на этот случай, Карл прибылъ к месту боя и, в одном сапоге, несколько раз водил на приступ свою пехоту. Было ужс 7 часов вечера. Наступили сумерки, русские стояли стойко, чего Карл вовсе не ожидал. "Каковы мужики!" — сказал он и после нескольких отражённых приступов приказал выслать к месту боя все пять батальонов гвардии, находившихся у Веллинга, в правой атаке шведов, к описанию которой теперь и обратимся.

В таком положении было дело на правом фланге шведов, когда наступили сумерки и все атаки шведов у моста F были отражены преображенцами и семёновцами. Для усиления атаки Карл XII приказал 5 батальонам гвардии, бесполезно стоявшим в отряде Веллинга, спешить к нему на помощь, к мосту F. Эти 5 батальонов (В.-В.) двинулись по наружной стороне укрепленной линии В.-В. до того места, где она упирается в Нарову, и оттуда свернули влево, направляясь к мосту F. Наступила уже полная темнота. Полк деликарлийцев, стоявших ужс у моста F, слыша шум от приближавшейся у него с тыла шведской гвардии, принял её за русских и открыл по ней учащённую пальбу. Гвардия остановилась и тоже открыла сильный огонь по деликарлийцам. Обе стороны, в самом близком друг от друга расстоянии, взаимно наносили одна другой страшные потери, и уже готовились ударить в штыки, когда стали различать голосовые команды, отдаваемыя с обеих сторон на шведском языке. Это объяснило обоюдную ошибку и пальба прекратилась...

(Припоминаете тот выразительный пример из петровского боевого Устава, заимствованного в Европе? В котором офицер должен был заколоть своего солдата, без команды закричавшего «Ура!»? Как раз для этого случая. В поднявшемся гомоне, восточном базаре, голоса команд расслышали бы не скоро. — *И. Ш.*)

Вскоре от русского правого фланга прибыл к Карлу XII генерал Бутурлин, с предположением капитуляции от имени русского генералитета, так как герцог де-Кроасо всем его штабом ещё в начале боя сдался шведам.

Бутурлин требовал свободного отступления находившихся у моста F войск, и дозволения беспрепятственно исправить разорвавшийся мост. Испытав неоднократную неудачу в приступе позиции, столь упорно защищаемой гвардейцами, Карл был очень доволен их готовностью капитулировать и потому согласился на исправление моста, предоставив войскам нашего правого фланга, не успевшим уйти на правый берег Наровы, беспрепятственно отступить по мосту, сохраняя знамя и оружие, но сдав пушки, так как и увезти их было не на чем. Действия прекратились, а к 4 часам утра мост уже был наведён...»

А теперь заметьте, сколько интересных следствий есть и у «Нарвской теоремы».

«Пётр — бессмысленно жестокий садист»? И: «Шереметев возбудил сильный гнев Царя», с бегства его «старомосковской конницы» начался нарвский разгром. Что же с Шереметевым — дыба, плаха? Нет, Пётр всё же понял и учёл главную причину: виновата боеспособность (почти нулевая против шведов) этой «старомосковской конницы». И со следующего, 1701 года Шереметев — наш главнокомандующий в Эстляндии. Победы Шереметева под Эрестдорфом в 1701 году, при Гуммельсдорфе в 1702 — это верно. Только Солоневич абсолютно не представляет, чем вообще занимался в это время Пётр, на что были направлены усилия *всей страны!* Полагает, что если это — Шереметев, то значит, к нему так навечно и приклеена абсурдная «старомосковская конница», будто театральная ремарка из «списка действующих лиц» на всё время пьесы.

В том-то и дело, что Нарва была последним позором той конницы, и на следующий год Шереметев получил другую армию. Да, реформа армии проводилась «на ходу», и заключалась в том, что старая армия: поместная дворянская конница и пехота — стрельцы со времён

Азовских походов вытеснялись новыми полками постепенно. Нарва решающим образом ускорила этот процесс и к 1703–1705 годам от старой армии остались в строю только иррегулярные части: казаки, калмыки, которые в качестве лёгкой кавалерии были безусловно нужны и служили ещё два века.

А что «*дорогу Левенгаупту преградил и его отряд разгромил не Пётр, а Шереметев и не петровскими войсками, а* **старомосковской "дворянской конницей"**, *той самой, которой,* **как огня, боялся Карл** *ещё под Нарвой*»... вот это и удивительно! Так запредельно врать про досконально изученную битву при деревне Лесной 1708 года, словно это... какая-нибудь Атлантида, Гиперборея, земля Тулс... Сражались у Лесной пересчитанные до человека: драгуны, Семёновский, Преображенский и Астраханский пехотные полки. Под руководством: Александра Меншикова, Михаила Голицына и царя: Петра Алексеевича Романова (1672–1725), а не *царя Салтана, или Гороха!* И сражались они с 16-тысячным шведским корпусом, а не с кентаврами, амазонками, пёсьеглавыми великанами. И под командованием генерала Левенгаупта, а не короля Артура.

Глава 20
Красота идей и 2900 русских военнопленных

В общем, перечисленные тезисы некоторых историков как-то особо не пугают. Вроде бы грозные обвинения, что-де у нас «проклятые императоры», что лет 400 (из 1000) у нас вообще была не история страны, а какая-то прореха, извращение. Пётр погубил выношенную, любимую идею Солоневича «народная монархия»? — «проклятый император»!

Видно, дело в том, что со времён великого Карамзина у нас историки состоят как бы «в одном профсоюзе с писателями». Видят историю своей страны в образах, в движении, борьбе идей. Виденье закономерно переходит в любование. И некоторым красота образов, идей заслоняет фактуру истории, жизни страны. Например, торжественная красота Земских соборов. По европейским меркам если у Собора не было фиксированных в законе прав, например, принимать/отвергать государственные бюджеты (основное право и занятие парламентов), то значит Собор — фикция, праздное собрание. А славянофилы, Солоневич, Буровский интуитивно чувствуют правду Соборов, их недоступность критериям работы европейских парламентов, приводят красивую формулу, описывающую наши Земские соборы: *«У царя — сила власти. У народа — сила мнения».*

Симфония царя и Церкви — тоже красивая идея.

Что против этих идей есть у Петра, кроме лексикона голландских портовых кабаков? (Хотя, если подробнее по идеям, то — и раскол, и стрелецкие бунты были до него...)

В чём сила воздействия бесподобной *«Истории Государства Российского от Гостомысла то Тимашева»* великого русского писателя Алексея Константиновича Толстого, автора исторических драм? Так гениально спародировать некоторые идеи, образы, общие места многих русских историографов можно, лишь когда сам прекрасно ориентируешься в этом море. В таком смысле Алексей Константинович Толстой — тоже русский историк и прекрасный пример эстетического, поэтического восприятия истории, писавший между прочим: *«Когда я вспомню о красоте нашей истории до проклятых монголов, мне хочется броситься на землю и кататься от отчаяния. В русской литературе ещё вчера были Пушкины, Толстые, а теперь почти одни проклятые монголы».* У Алексея Константиновича и монголы Батыя, и вульгарные материалисты Чернышевского — все «монголы», враги красоты русской истории.

Преодолеть эту тенденцию, чувствовать не только красоту идей, но и фактуру русской жизни, истории — это нужен такой гений, как Пушкин. Его абсолютно точное историческое чутьё отмечали и князь Вяземский, и... Ричард Пайпс.

А НЕпреодолевшие — как раз многажды повторенный здесь список: славянофилы, Солоневич, Буровский... (плюс сотни последователей).

И далее — обещанный пример «реальной» критики Петра, не как тирана, покорёжившего красивые идеи, а как полководца и государственного деятеля. Хотя опять же, странным образом художественные, эстетические начала присутствуют и в этом сюжете: впервые на одну важную черту Петра моё внимание обратил именно художник, наш знаменитый скульптор Михаил Шемякин. Обсуждая памятник Петру (не уже установленный им в Петербурге, а проект нового: Пётр на фоне процессии «всешутейшего, всепьянейшего собора»), Шемякин сказал нам (известному издателю Александру Никишину и мне) примерно следующее:

«Пётр бывал порой иррационален, на грани безумия. Представьте: ночь после Полтавы, он садится, пишет многостраничные инструкции, как именно князь-папе Бутурлину, князь-кесарю Ромодановскому надлежит в Москве отпраздновать это событие на "всешутейшем и всепьянейшем соборе". В мельчайших подробностях, кому какую личину надеть, что нести в руках, какого рисунка должен быть фейерверк... Ведь только что произошло сражение, день величайшего физического и нервного напряжения, риск гибели собственной, своей династии, государства... И всю ночь после — Пётр пишет "ордер машкераду и огненным потехам"!»

Мне шемякинский парадокс запомнился, и когда через несколько лет я писал историю князей Голицыных, то специально углубился в одну **после**полтавскую коллизию, где одним из героев был командующий гвардией, герой Лесной и Полтавы, будущий фельдмаршал Михаил Михайлович Голицын. Правда, в книге *«Голицыны и вся Россия»* я забыл упомянуть, что именно Михаил Шемякин первым обратил моё внимание на этот парадокс Петра, в ночь после Полтавы писавшего инструкции «всепьянейшему собору». С извинением возвращаю долг.

Какой же мне удалось найти «реальный компромат на Петра», не найденный его критиками «идеального толка»? Это вещица на уровне исторического анекдота, годная для заключения пари.

Дело в том, что из-под Полтавы шведы, *«разбитые, как швед под Полтавой»*, увели с собой **2900 (!) русских пленных**... Это факт. Все, мало-мальски представляющие батальные обстоятельства, признают, что «разгромленным, беспорядочно бежавшим» невозможно увести с собой плешных. *«Полтавской победы не было?!»* — предвижу и такие заголовки...

Нет, слава богу, была...

Начавшись, если считать от выхода шведов из лагеря — в полночь, Полтавская битва закончилась к 11 часам дня. Около полудня прошло торжественное богослужение, а в 13.30 начался тот знаменитый пир. И... дорога нашей историографии в этом пункте как бы раздваивается. Массовому читателю идут все подробности, знаменитый тост Петра за своих учителей в военном деле (*«Кто же это?» — спросил пленный фельдмаршал Реншильд. «Да вы же, господа шведы», — отвечал Пётр. «Хорошо же вы отблагодарили своих учителей!» и т. д.).*

А учёным достаётся полемика, попытки рационального истолкования, объяснения. Почему бой всё же был прекращён?! Шведы потеряли 3000 убитыми и 7000 пленными, включая главнокомандующего фельдмаршала Реншильда (король, как известно, был ранен накануне). Действительно, крупнейшая победа (следующий фельдмаршал на поле боя взят будет нами аж через 233 года — Паулюс), однако оставшаяся часть шведской армии (20 000 по цифрам Эглунда) собирается и, прихватив носилки с королём, потихоньку уходит на юг. Плюс *«разбитые, как швед под Полтавой»* шведы и увели с собой из-под Полтавы 2900 русских пленных...

Вот что я называю историографическим раздвоением: в массовый обиход пускаются пиры, тосты, знаменитые исторические фразы. В узконаучную полемику — полемика. На этом втором (узком) пути успех пока половинчатый: замолчать или, лучше, заслонить некоторые неудобные факты дополнительными «историческими подробностями» как-то удаётся, *но объяснить* — никак. Что-то вроде вялой перестрелки: шведские историки (Лильегранд, Эглунд) дадут какое-нибудь истолкование — наши возразят. Русские историки (Костомаров, Ключевский) объясняли ту невероятную паузу в битве тем, что *«успех вскружил нашим голову»* (ненароком подсказывая формулу для другого нашего правителя — *«головокружение от...»*). Советские историки — их суммирует Борис Григорьев, автор жизнеописания Карла XII, — заряженные на тотальное опровержение «любых измышлений буржуазной западной пропаганды», не упоминали уведённых пленных, а трудности преследования объясняли «объективно»: лесисто-болотной местностью к югу от Полтавы (вроде, получается, избирательно действующей на бегущих и догоняющих)...

Только **в семь часов вечера** царь послал войска вдогон за шведской армией. Командовать этим отрядом он доверил...

Совершенно, согласитесь, уникальный случай: этот царский «ордер на преследование ушедшей шведской армии» даёт, кроме всего, и возможность догадаться о питейных обстоятельствах нашего командования. Грубо говоря: кто сколько пил и кто как держался. Например, документальные источники упоминают, как один из наших лучших генералов, Халларт, напился просто «в зюзю» и начал задирать шведов: *«Что вот тут вам честь оказывают, а когда, например, я, Халларт, попался к ним в плен, со мной обращались отвратительно».* И Халларт тут был прав, и многие наши, побывавшие в плену, могли подтвердить это, но на Полтавском пиру русские шведам повторяли: «Извините Халларта, он, бедняга, сов-вершенно пьян».

Итак, только в семь часов вечера, после исторического пира с пленными шведами, царь послал войска вдогон за шведской армией. Командовать этим отрядом он доверил генералу Михаилу Голицыну. Что и даёт уникальное косвенное свидетельство: Голицын не только воевать, но и, получается, пить умел лучше других! *Утром, на следующий день* отправился и Меншиков. Они действовали великолепно, слаженно, и на берегу Днепра, у Переволочны пленили оставшуюся часть шведской армии (более 16 000 человек). Русские пленные, взятые в эту компанию, были освобождены именно там, у Переволочны.

По прохождении этого несколько иррационального участка, популярные узконаучные исторические дороги вновь смыкаются.

И ещё о пирах и пленных. Датский посланник Юэль пишет: *«27 февраля 1710 года царь Пётр пригласил* (дело происходит уже в Москве. — Авт.) *фельдмаршала Реншильда на свадьбу, чем тот начал очень чваниться... И в разгар пира Пётр, прикинувшись любезным, как бы в полудрёме спросил его, по какой причине он и его шведы через три дня после победы под Фрауштадтом хладнокровно умертвили русских пленных»?* Здесь надо напомнить: в Польше действовали наши вспомогательные корпуса, и после поражения у Фрауштадта 500 русских пленных были расстреляны.

«В оправдание Реншильд говорил, что сразу после битвы он должен был по приказу короля отправиться за 12 миль от Фрауштадта, и только вернувшись, узнал об этих расстрелах, которые он-де не оправдывает. На вопрос (царя), что же он тогда не наказал виновных, фельдмаршал ответа не дал. Пётр демонстративно отошёл от шведа, после чего Реншильд со свадьбы ушёл».

Как видите, *вся наша история* — фиал драгоценного вина! И пить его нужно — смакуя во всех подробностях. Тут всё великолепно: и этот «допрос» — на купеческой свадьбе, через полгода после пленения! И этот наш свадебный обычай. Это — понимаете? — Пётр порадовать хотел знакомого купца! Потрафил, достал ему, на свадьбу дочери, не «свадебного генерала» — аж фельдмаршала! А взять дотошность «писучих» шведов! Ведь во многом по их мемуарам нам стали известны уникальные факты — «изнанки» той войны. В Швеции с тех пор составился целый эдакий отдел литературы, «мемуары каролинцев», пленных офицеров и генералов: оправдания, взаимные склоки, но порой и ценные мелочи. И под Фрауштадтом была не жестокость, а просто шведская рациональность: пленных тогда сложно было вести, кормить (вот нарвских же пленных, например, шведы и сохранили)...

И если тот полтавский пример падает в «копилку компроматов на Петра» слишком гулко (я на послеполтавских шведах выиграл несколько пари, в том числе у историков), то это от того, что она, копилка, пустовата, бедна настоящими фактами. А богата она...

Буровский, книга «Проклятый император». Обратимся к фрагменту — не только критики Петра, но и в целом критериё деятельности государства. Момент, по-моему, потрясающий:

«...Все знают, что Софья и Голицын — это реформы, это движение. А Пётр — это стоящая за ним Медведиха (мать Петра. — *И. Ш.*) с её кланом людей не идейных, умственно не крупных, совсем не рвущихся что-то делать. В самом Петре ничто абсолютно не позволяло разглядеть будущего преобразователя.

Да, к этому времени у Петра уже было две или три тысячи "потешных войск". Но ведь полки "иноземного строя", офицеры-иностранцы, команды на голландском и немецком, вполне "иностранный" вид армейских соединений к тому времени вовсе не были в России чем-то необычным, чем-то вызывающим удивление и интерес.

В Преображенском и Семёновском полках вовсе не было чего-то, выгодно оттенявшего их, заставляющего выделить из всех остальных "полков иноземного строя", а ведь вся русская армия с 1680 года состояла из регулярных полков с европейской выучкой...

Якобы Пётр создал в Московии регулярную армию. Но это совершеннейшая неправда. Создание регулярной армии в Московии началось в Смутное время и завершено в 1679–1681 годах.

В 1621 году, всего через 8 лет после восшествия на престол Михаила Фёдоровича, Анисим Михайлов, сын Радишевский, дьяк Пушкарского приказа, написал "Устав ратных, пушечных и других дел, касающихся до воинской науки" — первый в Московии воинский устав. "Устав..." Анисима Радишевского начал писаться ещё в 1607 году, он и обобщал опыт Смутного времени, и содержал переводы многих иноземных книг.

Новый Устав определил, кто они такие, полковники и поручики, и какое место занимают в иерархии, а иностранные слова использовал только тогда, когда без них трудно было обойтись. Военная иерархия "в полках иноземного строя" не могла ограничиться двумя чинами, — ну и ввели ещё два "иностранных" — я имею в виду "маеора" и капитана.

В 1630 году армия состояла из таких групп войск: дворянская конница — 27 433, стрельцы   28 130, казаки — 11 192, пушкари — 4136, татары — 10 208, поволжские народы — 8493, иноземцы — 2783...

Правительство, готовясь к войне за Смоленск, намерено изменить эту традицию, и в апреле 1630 года по всем уездам отправлено распоряжение о наборе в солдатскую службу беспоместных дворян и детей боярских, а потом и всех желающих.

Вот это дало превосходный результат (курсив мой. — *И. Ш.*), и вскоре было создано 6 солдатских полков — по 1600 рядовых и 176 командиров. Полк делился на 8 рот. Средний комсостав:

1. Полковник

2. Подполковник (большой полковой поручик)

3. Маеор (сторожеставец, или окольничий)

4. 5 капитанов... (одну страницу параллельных терминов я всё же сократил. — *И. Ш.*).

Мне бы хотелось ещё раз отметить — новые названия чинов дублируются привычными, старомосковскими — вероятно, и для того, чтобы сделать их привычнее, приучить людей к новым словам. Но, полагаю, есть и другая причина — русский язык не хуже любого другого пригоден для воинских команд или воинских званий.

(Понятно, сиё — удар Буровского по всем этим петровским "плутонгам", "нидерфалам", "артикулам", "багинетам", "мушкетам". А заодно, с того ж размаху и по всей русской, советской армиям. Долгая, 400-летняя ошибка истории, из русскоязычных званий лишь "рядовой" и "полковник". — *И. Ш.*).

В декабре 1632 года существовал уже рейтарский полк в 2000 человек, в котором было 12 рот по 176 человек каждая под командой ротмистров, и была драгунская рота в 400 человек.

Пётр якобы уничтожил совершенно средневековое дворянское ополчение и ни к чему не пригодных стрельцов. Но дворянское ополчение давно не было средневековым, с 1676 года. Стрелецкие войска Пётр и правда начал расформировывать после Азовских походов, но после Нарвы, убедившись в качествах стрелецкого войска, прервал расформировывание. Стрельцы участвовали и в Северной войне, и в Прутском походе 1711 года. До 1720 годов происходит, по выражению авторитетного справочника, "постепенное поглощение стрельцов регулярными войсками"»

Чем сей фрагмент потрясающ? После выделенного курсивом **«*Вот это дало превосходный результат...*»** я добросовестно продолжил цитату, вы видели... Всю книгу перепечатать невозможно, но, поверьте, и далее речь о тех же ДОпетровских успешных преобразованиях и петровских провалах. У автора нет даже лёгкого подозрения, что в военных реформах оценка *«превосходный результат…»* должна же быть хоть ну как-то связана с результатами войн! Вообразите…

*…готовясь к Смоленской войне достигли **превосходных результатов:***

Создали … полков, дали … чины … новые названия чинов дублируются, старомосковскими… русский язык… пригоден для воинских команд, званий… …

История — из какой-то параллельной Вселенной! Да, возможно, Вселенной более красивой, более культурной, чем наша. Там армии сходятся, выясняют филологическую красоту своей военной терминологии и по результатам сравнений определяют победителя в войне. Под *такие* войны история готова, написана. Читайте *«Проклятого императора»* Буровского!

Собственно исходу той, «Смоленской войне», к которой и готовились, среди описания придуманных двуязычных чинов места не нашлось. (А если бы нашлось? Тяжёлое смоленское поражение *от тех поляков*, которых Суворов гонял по всей Польше с одним-двумя *петровскими* полками…)

Солоневич: «…Узнав о приближении восемнадцатилетнего мальчишки Карла с восемью тысячами, Пётр повторяет свой, уже испытанный приём: покидает нарвскую армию, как одиннадцать лет тому назад покинул свои потешные войска, — а **потешных у него по тем временам бывало до тридцати тысяч**, София же сконцентрировала против них *триста* **стрельцов**».

Это что? Для своих новых соотечественников, уругвайцев, было им написано? И то вряд ли поверят, что в России 30 тысячами можно было как-то исхитриться поиграть, *потешиться*. И эти 300 стрельцов... Чисто теоретически... вспомнив математику и представив график убывания числа сторонников вокруг Софьи... Да, действительно, в какой-то момент, миг, эта линия, начавшая падение с уровня *«Все Вооружённые силы России в распоряжении Софьи»* и до уровня *«Софья с **одной** служанкой посажена в монастырь»* по свойству «непрерывных функций» должна была бы где-то пересечь и уровень *«300 стрельцов»*...

Но почему именно 300? Как я предполагал, пишется это всё из поэтического подсознания — наверно, так, неосознанно всплыли и... 300 спартанцев. Ведь у этих историков со стрельцами ассоциируется всё красивое, героическое. Хорошо, а «30 000 потешных Петра», боровшихся с 300 стрельцами Софьи?

Было их, потешных, два полка — Преображенский и Семёновский, по 4 батальона в каждом, всего 3–4 тысячи человек. Косвенное сравнение их боеспособности со стрелецкой я давал посредством «Крымской» и «Польской» теорем: «потешные» побеждали тех, кому проигрывали 5–7-кратно большие стрелецкие армии. Но ведь и прямое, непосредственное сравнение тоже было — слава богу! — один только раз. Сражения меж соотечественниками — не тот доказательный пример, который хочется умножать. Пётр был в Голландии. Стрельцы, по обычаю, взбунтовались... Далее — архивные выписки Пушкина, готовившего роман о Петре:

«Беспокойства усилились. Наконец 4 полка: Чубаров, Колзаков, Гундемарков и Чернов (по другим известиям 12 полков), стоявшие в Великих Луках и по границе литовской, свергнув начальников и избрав новых, пошли к Москве, надеясь возмутить и тамошних стрельцов... Разбитие стрельцов происходило 18 июня у Воскресенского монастыря. Мятежники... не внемля увещеваниям, пошли на войско, состоявшее из 2000 пехоты... Генералы, думая их устрашить, повелели стрелять выше голов... Те закричали, что сам Бог не допускает оружию еретическому вредить православным, и с распущенными знамёнами бросились вперёд. Их встретили картечью, и они не устояли. 4000 положено на месте и в преследование. Прочие бросили оружие и просили помилования...»

Всё же, завершая сюжет, выдвину гипотезу, как могла явиться эта безумная цифра — *30 000 потешных*. Уже после свержения Софьи, получив всю власть в стране, Пётр, готовя армию, провёл в 1694 году так называемые Кожуховские манёвры, в которых вместе с преображенцами и семёновцами участвовали и стрельцы и «полки нового строя» (Лефортовский, Бутырский...), фактически вся армия, бывшая под рукой, в районе Москвы. Командующим Ф. И. Ромодановскому, И. И. Бутурлину, их армиям дали легенды, вымышленные титулы, названия стран... В Кожухово набралось может 18–20 тысяч человек, и теоретически манёвры, учения можно было Соловьевичу записать в «военную игру», «потеху». Тем более что у Петра всё было глупое, фальшивое, «потешное» (потешно завоеванная Прибалтика, «потешный Петербург»), а уж Кожуховские манёвры критиковали и многие современники...

Ещё Буровский, «Проклятый император»:

«Не менее яркий признак нездоровья Петра — его неспособность сосредоточиться, остановиться, углублённо задуматься о чём-то. Говоря о невероятной работоспособности Петра, часто забывают уточнить: никто никогда не видел его читающим серьёзную книгу (даже по его любимому морскому делу) или пытающимся вникнуть в тонкости юриспруденции, богословия или литературы. Всё сколько-нибудь сложное просто не привлекало его внимания, и времени и сил на это он не тратил. Пётр никогда не гулял один, его не заставали погружённым в размышления.

Пётр выпустил 20 000 одних только указов, большей частью совершенно нелепых или недоступных для понимания (в том числе с примесью голландских слов или просто написанных неразборчиво). Причём его почти никогда не интересовала их дальнейшая судьба; большую их часть видело только его ближайшее окружение, лишь малая часть этих указов рассылалась, и уже совсем немного попадало в глубинку.

Эти 20 тысяч указов — яркий пример душевного нездоровья Петра. Царь действительно писал эти указы постоянно, в том числе и в самых мало подходящих местах: например, во время поездок, в возке, в курной избе на лавке или сидя прямо на бревне или на пне, пока перепрягают лошадей.

Вроде бы, ну какая самоотверженность! Какая преданность долгу! Но в числе указов Пётра есть множество таких, например: "Подчинённый перед начальником должен иметь вид лихой и придурковатый, дабы разумением своим не смущать начальство"».

Ну и чем же были «указы, которые видело лишь ближайшее окружение»? По сути — некое хобби психически не всегда здорового человека, юридически — не факт публичного права, вообще — не политический факт. Частная жизнь. Психологически даже очень понятно. Жаждущие деятельности, многие бесцельно шагают по комнате. Пётр, и самое первое, любое движение мысли хочет встретить в психологически близкой нише: Издающий Указы. Это его связь с реальностью: да, колёсики госмашины работают, струны власти натянуты, указы пишутся.

А Сталин «бесцельно» ломал папиросы «Герцеговина-Флор», набивая трубку. Хотя ему подкладывали тот же самый табак в коробках. То же можно выстроить психологические этюды! Ещё удивляюсь, как это упустили: «...ломаемые тираном папиросы — это же человеческие судьбы!..».

Но повторю: это частная жизнь.

И, кстати, этот указ *«Подчинённый перед начальником должен иметь вид лихой и придурковатый, дабы разумением своим не смущать начальство»* — пример нормального армейского юмора, гиперболы, которые есть и в суворовской «Науке побеждать». Мне сей указ часто доводилось слышать, примерно 270 лет спустя в (советской) армии. Произносили его по-разному, совершенно не зная, чей он. Попасть в фольклор — мечта любого автора.

И по тому роду совпадений, которые я про себя давно определяю как косвенное подтверждение, именно в момент написания этой главы мне случайно попалась статья Константина Душенова с цитатой сщё одного Петровского указа: *«Тюрьма есть ремесло окаянное, и до скорбного сего дела потребны люди добрые, твёрдые и весёлые».*

Повторюсь: я не собирал специальное досье по Петровским указам, иначе, уверен, можно бы найти ещё десятки подобных шедевров. Уровень этого, согласитесь, почти лесковский. И если для Буровского это *нелепо, непонятно*, то тут или русский язык ему не родной, или он находится под непреходящим обаянием *лепых и понятных* брежневско-сусловских Указов, где над прямыми, выверенными двадцатью отделами, комитетами, параграфами и фразами люди вывихивали челюсти от скуки, мучительно переспрашивая друг друга: «Так о чём же тут всё-таки?».

Или просто даже зависть писательская: одна вышеприведённая строчка перетянет и десяток книжек, вроде...

Что касается «правильного, строгого указописания», Пётр имел отношение к созданию Устава Вейде (1698), написав *«Учреждение к бою по настоящему времени»* *(1708)*, *«Инструкцию Нарышкину»*, *«Воинский устав»*

(1716). Фридрих Великий охотно признавал, что правила действия конной артиллерии Вейде скопировал с петровских.

И ещё по поводу петровской «мании бессмысленных нововведений», суеты, поспешности. Война, Северная война с недавними покорителями Европы шведами доказала: Пётр построил новую военную машину взамен выкинутой, просто не функционировавшей. Но есть и ещё пример устойчивого общегосударственного строительства. Знаменитая Петровская **«Табель о рангах»** — новшество, оказавшееся действенным, незаменимым (и незаменённым) до 1917 года. Двести лет — срок достойный, абсолютный рекорд устойчивости. Но есть ещё одна важная подробность, ускользнувшая от внимания критиков, писателей, чей «царь Пётр», по правде говоря, чемто мне напоминает мартышку с пистолетом из кинокомедии «Полосатый рейс» (бегает, прыгает, стреляет, открывает клетки с тиграми...).

Так вот, царь Пётр ввёл «Табель о рангах», но... что же он учинил со всеми старомосковскими чинами — боярина, окольничего, стольника, спальника, кравчего, постельничего... Резал, как бороды, старые кафтаны? Дыба? Плаха? Нет, ни «носителей», ни самих чинов не тронул. Просто... перестал их присваивать. Перестал «жаловать имярек — боярином, кравчим» и т. д. И так со смертью (от старости) последнего окольничего кончились в России окольничие, со смертью последнего боярина — бояре. Специального расследования я не проводил, но есть одно подозрение...

Князь Борис Алексеевич Голицын, воспитатель царя, глава «петровской партии» в период борьбы с Софьей, после победы заступался за двоюродного брата Василия (Софьина «полюбовника», свергнут Нарышкиными), который махнул рукой: *Мне и Казанского приказа хва-*

тит!» — и уехал править Поволжьем южнее Нижнего Новгорода, «низом» в тогдашнем обозначении. Но не удержался... *«понеже был человек забавной»*, писал царю шутливо-наставительные письма. Вот совершенно восхитительное:

«Min Her Capitaneus Capitanus, saluas per multos annos.

Бью челом много за милость твою, что соизволил приветить милостию капитанскою. Но впредь пиши сам, не ленись, и сам... Ты чаеше, что толко дела, что у тебя, а у нас будто и нет. Ты забавляешься в деле, а я в питье. То всё одно дело. От кирила, государь, ведомости нет (Москва, апреля 24 дня, Liutenant Бориска)».

Согласитесь, интересно представить царя Петра, бешено мечущегося между армиями, флотами, столицами, и где-то посреди своих «славных дел», вечером, прислонившись к тёплому пушечному стволу или к свежеосмоленному борту фрегата, читающего *такие* цидулы... Вот князь Борис Голицын, жалованный «комнатным стольником» в 1676 году, а «боярской шапкой» — в 1690-м, прожив до 1714 года, скорее всего мог быть этим «последним боярином». ЭТО и есть — живая **Русская История**. Интересная, подлинная: текст и дата отправления этого письма, даты жизни возможного «последнего боярина», это всё, как и маршруты армий, взятые/невзятые города — первичные, самодовлеющие факты. А не чернушные обобщения-обвинения, подогнанные под схему 2009 года.

Глава 21
От истории войн — к истории власти

Так, с помощью одного только русского *Военного вестника* XIX века можно последовательно опровергнуть километры логических построений Ивана Солоневича и всех подобных «критиков» Петра с «патриотических позиций». И, парадокс, настоящей русофобией оборачивается их картина. Что якобы русские, имея нормальную армию, просто как собачки в цирке, по одному щелчку петровского кнута переоделись в европейские мундиры, к вящему ослаблению своей боеспособности и т. д.

И самое главное, что следует сказать по этим тесно связанным темам — государственные реформы, старая/новая армии, царь Пётр, могущество Российской империи: **те же** самые **русские люди** — причём не только в смысле «тот же народ», но и физически те же конкретные люди, успевшие послужить в стрельцах и дворянской коннице, став драгунами, мушкетёрами, гренадёрами, фузилёрами новых полков — из беспомощных беглецов превратились в достойных защитников своей страны, суворовских «чудо-богатырей».

Будь «допетровская» Московская Русь последней в череде: Киевская, Владимирская... может, и следовало бы как-то оправдать, приукрасить напоследок подвиги *солоневичской (по-другому и не назовёшь) конницы*, стрельцов и стрелецких бунтов. Но это, по-моему, напомнило бы ремесло сочинителей пышных ходульных эпитафий в прикладбищенских гранитных мастерских или искусство гримёров в морге.

Попробуйте загримировать этот разлагающийся труп — стрелецкое войско. В Бунташный век они урвали себе горы привилегий, обросли московскими лавочками, прочим «малым бизнесом», на приказы выступить к границе отвечали стрелецкими бунтами. Вот выдержки из Костомарова:

«15 мая, во вторник, в полдень, когда бояре собрались на совет, между стрельцами раздался крик:

— Иван Нарышкин задушил царевича Ивана Алексеевича!

День был выбран преднамеренно, чтобы напомнить об убиении царевича Димитрия, совершённом именно 15 мая. Поднялась тревога; стрельцы схватились за оружие, ударили в набат во многих церквах; огромная толпа со знамёнами и барабанным боем бросилась с криками в Кремль. Затворить от них ворота не успели. В Кремле стояло много боярских карет. Стрельцы напали на кучеров, побили их, перерубили лошадям ноги и бросились на дворец. Бояре метались, не зная, что им делать, немногие из них успели выскочить из Кремля; другие в страхе прятались по углам во дворце. Стрельцы вопили:

— Давайте сюда губителей царских. Нарышкиных! Они задушили царевича Ивана Алексеевича! А не выдадите — всех предадим смерти!

Тогда, по совету Матвеева и патриарха, царица Наталья, взявши за руки царевичей, Петра и Ивана, в сопровождении патриарха и бояр вышла на Красное крыльцо. Стрельцы, уверенные, что царевича Ивана нет на свете, были поражены его появлением и спрашивали:

— Точно ли ты прямой царевич Иван Алексеевич?

Иван отвечал: что он "жив, никто не думал его изводить, ни на кого не имеет злобы и ни на кого не жалуется". Но стрельцы, настроенные возмутителями, закричали:

— Пусть молодой царь отдаст корону старшему брату! Выдайте нам всех изменников! Выдайте Нарышкиных; мы весь их корень истребим! Царица Наталья пусть идёт в монастырь!

Патриарх сошёл было с лестницы и стал уговаривать мятежников, но они закричали ему:

— Не требуем совета ни от кого; пришло нам время разобрать, кто нам надобен!

Между стрельцами было много раскольников, и потому понятно, что увещания патриарха не подействовали. Стрельцы мимо патриарха вломились на крыльцо. Большинство бояр в ужасе убежали с крыльца во дворец, но не убежали с ними начальник Стрелецкого приказа Михаил Юрьевич Долгорукий, Артамон Сергеевич Матвеев и Михаил Алегукович Черкасский. Долгорукий прикрикнул было на стрельцов, пригрозил им виселицею и колом. Стрельцы за это сбросили его с крыльца на расставленные копья, изрубили в куски; потом стрельцы бросились на Матвеева. Матвеев отодвинулся от них к царице, взял за руку Петра. Стрельцы оттащили его от царя. Князь Черкасский стал отбивать Матвеева у стрельцов, повалил его на землю, лёг на него, закрывал его собою. Стрельцы избили Черкасского, разорвали на нём платье, вытащили из-под него Матвеева и сбросили на копья. Царица в ужасе убежала с сыном и царевичем в Грановитую палату.

Стрельцы ворвались во дворец; у них был составленный заранее возмутителями список обречённых на смерть, числом до сорока человек. Первою жертвою их во дворце были отставленный стрелецкий начальник Горюшкин и Юренев, которые вздумали было защищать вход во дворец. Но главною целью поисков мятежников были Нарышкины. Стрельцы бегали по царским покоям, заглядывали в чуланы, шарили под кроватями, переворочали постели, тыкали копьями в престол и жертвенники в придворных церквах, везде искали Нарышкиных и, принявши за Афанасия Нарышкина молодого стольника Фёдора Салтыкова, убили его, а узнавши свою ошибку, послали тело убитого с извинением к его отцу. Думный дьяк Ларионов спрятался, по одним известиям, в трубу, по другим — в сундук; его вытащили, сбросили с крыльца на копья и рассекли на части.

— Ты, — кричали они, — заведовал Стрелецким приказом и нас вешал! Вот тебе за это!

Тогда же ограбили его дом и нашли у него каракатицу, которую он держал в виде редкости.

— Это змея, — кричали стрельцы, — вот этою-то змеёю он отравил царя Фёдора.

Убили затем сына Ларионова Василия за то, что знал про змею у отца и не донёс. Наконец стрельцы добрались до Афанасия Нарышкина, брата царицы Натальи; они нашли его под престолом церкви Воскресения на Сенях: его указал им карлик царицы Хомяк. Стрельцы вытащили Афанасия, поволокли на крыльцо и сбросили на копья... Другие стрельцы поймали в Кремле между Чудовым монастырём и патриаршим двором князя Григория Ромодановского с сыном Андреем. Они истязали старика, рвали ему волосы и бороду.

— Помнишь, — кричали они, — какие ты нам обиды творил под Чигирином, как голодом нас морил, ты сдал Чигирин туркам изменою.

Ромодановского с сыном постигла та же участь, как и других.

— Любо ли? любо ли? — кричали убийцы, расправляясь со своими жертвами, а другие, махая шапками, кричали в ответ:

— Любо! Любо!

Изуродованные тела убитых тащили стрельцы на площадь; перед ними в поругание, как будто для почёта, шли другие стрельцы и кричали:

— Боярин Артамон Сергеевич Матвеев едет!

— Боярин Долгорукий! Боярин Ромодановский. Дайте дорогу!

Выступивши из Кремля, стрельцы бросились в дом князя Юрия Долгорукого и стали извиняться, что убили его сына Михаила за угрозы им. Старик приказал отворить им погреба свои. Стрельцы ковшами напились боярского мёду и вина и ушли со двора, как вдруг за ними вслед побежал холоп князя Долгорукого и донёс им, что старый сказал своей невестке, жене убитого Михаила:

— Не плачь, щуку съели да зубы остались; скоро придётся им сидеть на зубцах Белого и Земляного города.

Услышавши это, стрельцы вернулись в дом Долгорукого, схватили больного старика, изрубили, выбросили за ворота на навозную кучу, а сверх трупа наложили солёной рыбы и приговаривали:

— Ешь, князь, вкусно! Это тебе за то, что наше добро ел.

День был тогда ясный, но к вечеру поднялась такая буря, что москвичам казалось, что преставление света наступает. На ночь стрельцы расставили караулы в Кремле и Белом городе, в надежде на другой день продолжать расправу.

На другой день, часов в десять утра, опять набат; стрельцы с барабанным боем и криком явились ко дворцу и требовали выдачи Ивана Нарышкина. Снова ворвались во дворец искать свою жертву, убили думного дьяка Аверкия Кириллова, убили бывшего своего полковника Дохтурова, потребовали выдачи иноземного врача Даниэля, которого обвиняли в отравлении Фёдора, нигде не могли найти и в досаде убили его помощника Гутменьша и сына Даниэлева; хотели умертвить и Даниэлеву жену, но царица Марфа Матвеевна выпросила ей жизнь. Стрельцы не могли отыскать Ивана Нарышкина... по ошибке был убит схожий с ним юноша, Филимонов...

Боярин Яков Одоевский сказал царице Наталье:

— Сколько тебе, государыня, ни жалеть брата, а отдать его нужно будет; и тебе, Иван, идти надобно поскорее. Не всем из-за тебя погибнуть.

Царица и царевна с Нарышкиным вышли из церкви и подошли к золотой решётке, за которою уже ждали стрельцы. Отворили решётку; стрельцы, не уважая ни иконы, которую нёс Нарышкин, ни присутствия царственных женщин, бросились на Ивана с непристойною бранью, схватили за волосы, стащили вниз по лестнице и проволокли через весь Кремль в застенок, называемый Константиновским. Там подвергли его жестокой пытке, оттуда повели на Красную площадь, подняли на копьях вверх, потом изрубили на мелкие куски и втаптывали их в грязь.

Стрелецкое возмущение тотчас повлекло за собою и другие смуты, взбунтовались боярские холопы. Стрельцы им потакали и вместе с ними напали толпою на Холопий приказ, разломали сундуки, отбили замки, разорвали кабальные книги и разные государевы грамоты. Стрельцы, присваивая себе право распоряжаться законодательством, кричали:

— Даём полную волю на все четыре стороны всем слугам боярским. Все крепости на них разодраны и разбросаны.

Но большая часть освобождённых холопов возвращалась к своим прежним господам, а иные воспользовались своей свободой, чтоб вновь закабалить себя другим.

Царевна Софья, как бы из желания прекратить бесчинства, призвала к себе выборных стрельцов и объявила, что назначает *на каждого стрельца по десяти рублей*. Эта сумма, *независимо от обыкновенного жалованья, идущего стрельцам, будет собрана с крестьян* (курсив мой. — *И. Ш.*), имений церковных и приказных людей. Сверх того стрельцам предоставлено было *продавать имущество убитых и сосланных* ими лиц.

Наконец, по просьбе стрельцов, положено было выплатить им, пушкарям и солдатам за несколько лет назад заслуженное жалованье, что *составляло 240 000 рублей.* Софья наименовала стрельцов «надворною пехотою» и уговаривала более никого не убивать и оставаться спокойными...»

Полный государственный крах. Абсолютно беспомощные перед внешними противниками стрельцы тем не менее вырывают на себя военный бюджет России, проведя эту вышеописанную *«Кремлёвскую военную операцию 1682 г.».* Выбитые из правительства «десять рублей на рыло» тоже требуется правильно оценить. 3–5 рублей стоило годовое содержание стрельца при Алексее Михайловиче. Правда, всегда подразумевалось, что они доберут ещё и своим «малым бизнесом», для чего получали солидные преференции. Купцы вечно жаловались, что с торгашами-стрельцами трудно конкурировать по причине многих льгот. Значит, вырванный приз был равен двухгодовому содержанию. То есть... вышеописанные подвиги они приравняли к двум годам службы!

И ещё, ещё раз надо подчеркнуть: **эти же** самые люди, вытряхнутые из красивых старомосковских мундиров, по-настоящему обученные, обстрелянные, стали победителями лучшей в мире армии — шведской (которую раньше случалось нанимать для защиты страны).

Но я и эту картину кремлёвских стрелецких подвигов не хочу полностью отдавать в руки криминального психолога, чьи вердикты будут наверное: *«садизм, маниакально-депрессивный психоз, патологическая жестокость...».* Ведь даже и в этой разливанной луже гнусностей можно отыскать те самые элементы военно-политических реалий, объективные подробности, за которыми шла охота в «военных главах».

Перед убийством князя Григория Ромодановского с сыном Андреем стрельцы *«истязали старика, рвали ему волосы и бороду. — Помнишь, — кричали они, — какие ты нам обиды творил под Чигирином, как голодом нас морил, ты сдал Чигирин туркам изменою».*

Это же о Русско-турецкой войне 1672–1681 годов, почти, можно сказать, удачной на фоне военных провалов того века. Основные её факты:

Русско-украинские войска — 120 000 человек под командованием Ромодановского и гетмана Самойловича разбили османский заслон, но далее действовали медленно и нерешительно... Русская армия оставила Чигирин на произвол судьбы и отступила за Днепр, отбросив преследовавшие её османские войска... в 1679 году насильственно переводили на левый берег Днепра оставшееся ещё в правобережной Украине население...

И ведь это не Конотопское поражение от запорожцев и крымских татар. Не бежали, а отступили за Днепр, эвакуировали население. Но было всё же понимание, что укрываться от турок за Днепром — это позор, исторический тупик. И стрельцы, истязавшие старика, бывшего «главкома», наверное, помнили своё чигиринское бессилие. И как могли «искали виноватого». То есть на фоне десятков прочих убийств, совершённых за 10 рублей премиальных и право продать имущество жертвы, истязание князя Ромодановского — почти государственнический акт, это стрелецкий «анализ причин» неудачного Чигиринского похода. А что, ранее за Смоленский разгром казнили же Шеина!.. Особенно жестоки бывают именно такие разборки, выяснения под общими популярными лозунгами: *«Кто виноват?»*, *«Так жить нельзя!»*... А как можно? — А непонятно! От того и злость, жестокость.

В общем, известному *«Утру стрелецкой казни»* предшествовала *«Ночь стрелецкого бунта»* и ночь, по правде говоря, кромешная.

И о втором детище новой России

В системе ценностей «рсаль политик» («реальная политика»), первое детище Петровской России — новая армия. Второе — Санкт-Петербург.

И уж если обратиться к заглавию выше разбираемой книги, *«Проклятый император»*... знаете, с этими проклятиями вообще происходят странные вещи. Самое известное из них, конечно, *«Петербургу быть пусту!»*

Изречено это, как известно, отставной царицей Евдокией Лопухиной. Далее в «первоисточниках» этого «пророчества», как описано Алексеем Толстым, идёт копошение каких-то *«...баб-ворожей, кикимор»*. Но, как теперь толкуется интеллектуалами, старомосковскими жрецами, это была справедливая реакция православного народа на жертвы Северной войны, строительства столицы. Понаписано об этом «пророчестве» удивительно много, так что заурязднейшую женщину, обиженную разведёнку, позже наказанную за блуд, вывели прямо в библейские пророчицы. Обиду Евдокии можно и понять, и даже как-то залиговать с *общенародной* обидой: слом уклада жизни.

Но поставить *Петербург против святой России* — нет, не сойдётся у вас! Ведь в православном Питере же родилась и блаженная Ксения *Петербургская*. Традиция старомосковских блаженных не прервалась, а кое-что, из записанного о блаженной Ксении, должно бы примирить и даже умилить всех проклинающих Петербург... Строители церкви на Смоленском кладбище замечали, возвращаясь утром на работу, что ночью кто-то им в помощь поднимал кирпичи на верхние этажи. Проследив однажды, застали блаженную Ксению, с молитвами всю ночь носившую кирпичи.

Одна из самых почитаемых русских святых — на стройке Петербурга, это вам не бормотание кикимор, навьи чары, куриные лапки, шептанье на воду...

И если ещё вдуматься... сбылось то проклятие в одном очень неожиданном смысле: *«Петербургу быть пусту... от захватчиков!»*

Ведь это — единственная из русских столиц, оставшаяся неприступной! Не бравшейся врагом. Если вспомнить в праздуемый «год 1150 летия Русского государства» всю череду его воплощений: Русь Древняя, Киевская, Владимирско-Суздальская, Московская... и, соответственно, столиц, от Новгорода, Киева, Владимира и до... Петербург остался единственным *пустым* — от врага. В свой ленинградский «блокадный» период давший, наверное, и самый высокий в мировой истории пример героизма.

Правда, он же, будучи Петроградом, оказался прочно связан ещё с одной тенденцией, о которой подошло время вспомнить в связи уже с заглавием книги — *«На дне династии»*. Усталость (части) народа от жертв, может, даже от Цивилизации (Петербургской) вообще, принесла этому городу тяжёлое звание «колыбели революции».

Усталость и безверие самой верхушки элиты и одновременно самого народного низа сошлись по времени и месту именно в Петрограде 1917 года.

И тут же ещё одна отсылка к моему любезному *Мельхиоровому веку*. Проверьте: вся возня с пророчеством *«Петербургу быть пусту!»*, его комментарии, смакования — 95% ссылок — Мережковский, Волошин, Устрялов (который Н. В.), Ахматова, Булгаков — это всё она, та *«самая утончённая* (по Бердяеву), *в истории России культура»*.

> И царицей Авдотьей заклятый,
> Достоевский и бесноватый,
> Город в свой уходил туман...
>
> *Ахматова. «Поэма без героя»*

Так с неизбежностью вернулась одна из предыдущих тем: Мельхиоровый (он же Серебряный) век, в живом его сопоставлении с Золотым:

> Люблю воинственную живость
> Потешных Марсовых полей,
> Пехотных ратей и коней
> Однообразную красивость,
> В их стройно зыблемом строю
> Лоскутья сих знамён победных,
> Сиянье шапок этих медных,
> Насквозь простреленных в бою.
> Люблю, военная столица,
> Твоей твердыни дым и гром,
> Когда полнощная царица
> Дарует сына в царской дом,
> Или победу над врагом
> Россия снова торжествует...
>
> *Пушкин. «Медный всадник»*

Оценка Петровских реформ на саммите императоров, «Эрфурт-1808»

Хотя я и подкрепил свою точку зрения объективными цифрами, частными свидетельствами русского «Военного вестника» и такого специалиста, как военный историк, генерал-майор Генерального штаба Андрей Петров, а всё же в нашем заочном споре с Солоневичем, Буровским и иже с ними чувствуется один важный изъян, общий для всех нас, вольных писателей XX–XXI веков. Временная удалённость, вольность, несвязанность нашего выбора «своего монарха», «своего исторического периода» делает этот выбор... — Более объективным? — Хорошо, если бы так! Но уж точно — более легковесным, похожим на...

популярное разделение на поклонников Лемешева и Козловского, или фанатов «Спартака» и «Динамо»...

Противопоставить *такому* вольному выбору хорошо бы оценку человека более близкого той эпохе, вовлечённого в исторический процесс. Из своих «исторических запасников» могу предложить довольно знаковую фигуру, высказавшуюся по данному вопросу в обстоятельствах уж точно уникальных, неповторимых в мировой истории.

Глава Священного синода, министр, друг юности царя Александра — князь Александр Николаевич Голицын, чьи записки мне довелось внимательно перечитать во время работы над упоминавшейся книгой *«Голицыны и вся Россия» (2008)*. Именно князя Голицына император Александр взял с собой на знаменитую Эрфуртскую встречу в сентябре–октябре 1808 года.

Кроме многого прочего это был один из самых рискованных моментов в жизни и царствовании Александра. Наполеон к этому времени занял положение, не имевшее прецедентов в истории — фактического хозяина Европы. И в России тогда всерьёз прикидывали вероятность того, что царь будет в Эрфурте просто схвачен и арестован, ведь недавнее свидание Наполеона с испанскими Бурбонами закончилось именно так. Государя умоляли не ехать, но интересы России, суровая вынужденность Тильзитского мира и вытекавших из него обязательств всё же требовали этого визита. Огромная разница и дополнительная опасность в том и состояли, что предыдущая, тильзитская встреча проходила всё же на нейтральной территории, на том знаменитом плоту посередине реки Неман, разделявшей их армии.

А Эрфурт... Эрфурт даже в раболепствующей пред Наполеоном Германии занимал исключительное положение. Этот город, «обустраивая» захваченную Европу, Наполеон официально выделил как особое место — место сборов покорных монархов и их войск (именно оттуда в 1812 году они, германские войска и монархи, послушно двинулись на Россию).

Те российские и общеевропейские подозрения, например, суммирует в своих известных воспоминаниях и Арман де Коленкур (долгое время посол Франции в России, сопровождал до Парижа Наполеона, бросившего армию в 1812 году). Касаясь периода того испанского ареста и подготовки «Эрфуртского саммита», он пишет:

«Я сказал императору (Наполеону), что впечатление, произведённое в Европе похищением Фердинанда (испанского Бурбона), может вызвать опасения, как бы император не разыграл плохой фокус с теми государями, которые приедут в Эрфурт.

— Ба! Вы думаете? — сказал император...»

А кроме ареста был риск возможного публичного унижения. Пруссаки, например, на том Эрфуртском саммите его получили сполна. Наполеон, «развлекая» монархов (так сказать, в рамках «культурной программы» саммита), приказал на йенском поле (месте Йена- Ауэрштедтской битвы, где он два года назад разгромил прусскую армию) устроить охоту на... зайцев! Плюс к тому — живописания, рассказы Наполеона, тоже публичные, о том моменте, когда он остался тет-а-тет с красавицей — прусской королевой Луизой, и «задержись он там подольше, возможно, пришлось бы подарить побеждённой Пруссии ещё пару клочков земли».

Но, слава богу, дипломатические и человеческие качества Александра позволили ему выдержать этот эрфуртский месяц (с 17 сентября по 14 октября), без политических потерь и без урона для чести России. И, конечно, важными ему помощниками в этом стали его друзья и прежде всего князь Голицын, «*...один из друзей детства Александра, оставшийся домашним поверенным его и на* *престоле, человек, который умел занимать и рассеивать своего государя, как никто другой».*

Хотя, конечно, у Голицына, входившего в небольшую свиту государя, в Эрфурте была масса и вполне официальной работы. Он в то время — один из двух российских статс-секретарей, тайный советник, обер-прокурор Священного синода, камергер.

Книга, включавшая «эрфуртские записки» князя Голицына, выходила только в Германии, но историк Галина Герасимова приобщила её к корпусу «Голицынских чтений».

По свидетельству собеседников Александра Николаевича, *«речь князева была проста, безыскусственна; он всем жертвовал истине... казалось, что мы внимаем доброго родственника, с увлечением и чувством рассказывающего нам былое».*

На начавшейся тёплым ясным днём 27 сентября встрече двух императоров по праву хозяина режиссёром большого Эрфуртского представления был Наполеон, чьё чутьё большого актёра вдохновляло... на удачные импровизации. На строгом обеде на шестнадцать персон — только для государей — он озадачил монархов удивительными познаниями в области германской истории.

Однако Наполеон знал прошлое не только Германии. После представления ему князя А. Н. Голицына император Франции оживлённо уточнил: «Тот, что в Синоде»? И завёл разговор об уничтожении российского патриаршества (Петром I):

«Утвердитель Конкордата (т. е. Наполеон) отдал полную дань справедливости гению России (царю Петру) в сознании великого правительственного переворота, которого не могла достигнуть революция со своими бурями. Но... как далее сказал Наполеон *"...Бессильны были все бури, чтоб подчинить духовенство во Франции правительственной власти"».*

То есть за этим комплиментом Петру можно разглядеть косвенный упрёк русской церкви: «Вот французское духовенство никому не удавалось подчинить».

На это князь Голицын возразил: «*Святая в России была уверенность народа, — что целию всех действий Петра было общее благо, которое одушевляло твёрдую волю, сосредоточенную в одном лице и в лице гениальном*».

Наполеон (со вздохом): «*История расточала название великого многим, но Пётр, вопреки частому искажению той же истории, принадлежит, по моему мнению, к числу тех немногих, которые истинно достойны этого названия...*»

Мне кажется, смысл возражения князя Голицына таков: **не** от безразличия, **не** от безверия народ попустил Петру отменить патриаршество, подчинить церковь. Именно вектор *веры* народа, как стрелка компаса в конце XVII века указал на царя, а, например, 90 лет до этого эта же стрелка, отвернувшись от царя Василия Шуйского, указывала на патриархов, Гермогена, затем Филарета...

На одном из последующих обедов куверт князя Александра Николаевича... назначен был как раз насупротив куверта Наполеона... Обед начался в глубоком молчании: Наполеон имел привычку не иначе завязывать разговор за обедом, как съев тарелку супа. Быстро исполнив эту операцию, Наполеон обратился (к князю Голицыну) с вопросом:

«*Скажите, пожалуйста, что ест русский священник на другой день по посвящении его в этот сан?*»

Голицын: «*Наверное, то, что состряпает ему жена*».

Наполеон: «*Да, если только у них что-нибудь останется на кашу...*»

Вот и судите сами, легко ли приходилось князю в Эрфурте! Исследователи (Кичеев) долго гадали и в итоге посчитали последний пассаж намёком Наполеона «на дороговизну священнических мест». Он, наверное, механически перенёс на Россию известную французскую практику покупки должностей. Ещё один хороший пример того, как попытки перенесения «объективных критериев» через русско-европейскую границу приводят к полному абсурду.

Много позже, оправдываясь за 1812 год, Наполеон сказал: «От великого до смешного — один шаг»... Но, похоже, четверть этого шага он сделал ещё в Эрфурте с этим его постоянным желанием всех поражать, имитировать почти божеское всезнание и всепроникновение. Воспоминания князя Голицына — интереснейший портрет Наполеона именно в этой точке его карьеры (плюс ещё и уникальный окружающий политический ландшафт). И одновременно — ценнейшая экспертная оценка Петровских реформ, соотношения их с народной верой...

Более тяжёлое «проклятие» — от Костомарова

Выше, на преимущественно военной фактуре были перепроверены многочисленные тезисы некоторых историографов, на мой взгляд, разрывающих ткань русской истории. Одну половинку складывают у сердца, вторую вдохновенно топчут, как Иван III ханскую басму. Вроде бы выдвигают грозные обвинения, что-де у нас были «Проклятые императоры», что лет 400 (из 1000) у нас вообще была не История страны, а какая-то прореха, извращение.

А вглядишься — эти авторы (ну чистые гегельянцы!) выразительно рисуют свою историю борьбы и развития идей (не страны). Крах идеи «народной монархии»? — Вроде бы ужасно... Но чем реально занимались русское правительство, народ, допустим в 1700–1721 годах? Какая-то война шла? Но в их описаниях она столь же похожа на реальную Северную войну России со Швецией, сколь и на Троянскую. Прочитаешь 5—10 страниц и понимаешь, что автор и вправду видит перед собой все эти «альтернативные события» — сегодня есть популярные компьютерные игры, в которых, оттолкнувшись от реальных имён, названий стран, можно построить что угодно.

Потому и... как Льву Толстому от нагромождения ЛеонидАндреевских страшилок — «не страшно». А сформулированные ими грозные идеи вызывают раздражение, смех, досаду, но никак не желание выдвигать контридеи. Против Солоневича и иже с ним у меня есть только описания сражений, цифры сводок из русского *Военного вестника*» XIX века.

На мой взгляд, по-настоящему тяжёл, может, даже ужасен совсем другой тезис. Вот о чём бы задуматься...

Известный историк Николай Костомаров, подводя итог эпохе Ивана III, невольно цепляет, поднимает этот пласт:

«Иван в области умственных потребностей ничем не стал выше своей среды. **Он создал** государство, но **без задатков самоулучшения**, без способов и твёрдого стремления к прочному народному благосостоянию; простояло оно два века, верное образцу, созданному Иваном, хотя и дополняемое новыми формами в том же духе, но застылое и закаменелое в своих главных основаниях, представлявших смесь азиатского деспотизма с византийскими, выжившими в своё время преданиями... пока *могучий ум Петра не пересоздал его* (государство Ивана) *на иных культурных началах...*»

Надо только заставить себя осознать простой факт: мы всё-таки живём в государстве, созданном Иваном III. Не отвлечься на разные навесные украшения, модификации, на то, что сегодня называется *«тюнинг»*, не дать уклониться взору от неизгладимых главных родовых черт своей страны, примет исторической матрицы Ивана III, подобно его гербу, двуглавому орлу, дающей оттиски на новых и новых «исторических материях». Вообще говоря, принятие судьбы — истинно великое из всех движений души, мысли. (Ницше говорит и о «любви к судьбе», amor fati.)

Но дело совсем не в очередной мимоходной цитате к вящему восхвалению Петра.

Дело гораздо серьёзней и трагичней, чем даже на взгляд Костомарова. Он в своём 1870 году мог видеть ситуацию такой: прочное, но неподвижное, без задатков самоулучшения государство Ивана III наконец исправил Пётр, и зажили они долго и счастливо...»

Но мы-то в XXI веке лишены этой «утешительной» картины. Зная, что и после Петра, в 1917 году, государство Ивана III ещё раз *пересоздавали* Ленин, Сталин, на ещё одних... *иных культурных началах*. И в конце XX века трагичную традицию *пересозданий* продолжила ещё одна эпоха, определяемая глаголом, ставшим термином. Это слово схоже по смыслу с костомаровским и с той же зловещей приставкой «*пере...*».

И если серьёзно вглядеться в фундамент, незыблемо лежащий под приметами этих «тюнингов», «реформ», станет понятно, что и все процитированные *азиатские деспотизмы* и *византийские, выжившие в своё время предания* — лишь хлёсткие эпитеты, пропагандистские погремушки в сравнении с глубинным подмеченным... надо только эту мысль не разменивать на пятаки сиюминутных политических лозунгов.

Именно выражение «*...государство без задатков самоулучшения*» — ключ к сундуку понимания наших реформ. Где и фатальная неотвратимость, и болезненность «великих дел Петра», революций, перестроек.

А где-то рядом лежит и одно частное следствие: сублимация. Что именно вынуждает умного человека, например, Ивана Солоневича, громоздить такие Эвересты абсурда со «старомосковской конницей», «300 стрельцами» и прочим? Его ненависть к Петру — сублимированная ненависть к другим реформаторам, его современникам. А если додумать дальше: ненависть вообще к тому, что эти реформы-ломки постоянно, с необходимостью сваливаются на его Родину. Что страна не может без этих периодических операций. И уж эту скорбь мы без всяких насмешек должны понять.

Отсутствие задатков *самоулучшения государства* — это и не о том, что *сами* люди наши бездеятельны. Нельзя без скатывания к пропаганде гебельсовского, бжезинского уровня назвать Не*само*деятельным народ, имеющий столько всемирно значимых достижений, самостоятельных открытий, успешных трудов. Но, если рассмотреть, то окажется: повседневная *само*стоятельная работа россиян ведётся ими в их сферах искусств, науки, промышленности. И практически никогда не бывает направленной на саму структуру государства, его улучшение. Самоулучшались, самосовершенствовались западные государства. Им знакомо это, для нас являющееся почти чудом: люди собрались, приняли какой-то конструктивный план, касающийся изменения госустройства и... довели его до реализации!

Практически все традиционно списывают нашу НЕсамодеятельность в государственном строительстве на, понятное дело, силу, деспотизм власти. Власть-де сильна, не имеет «противовесов», не ограниченна, подавляет гражданские свободы и эту самодеятельность.

Никак я не могу понять этого ослепления или какого-то оптического фокуса, нежелания замечать простых примеров и фактов. В 1917 или в 1991 году российская власть была намного слабее власти в любом европейском государстве. Его «давление, подавление» и прочие показатели существования приближались к нулю, но тогдашняя самодеятельность народа в государственно-строительной сфере словно задавалась целью ещё и ещё раз подтвердить тезис Костомарова.

Вот о ней, народной самодеятельности мне и довелось рассказывать в большом интервью *Московскому комсомольцу* (1 октября 2012 г.) Газета, освещавшая почти годичную череду митингов и прочих акций протеста (*«Болотная»*, *«Чистые пруды»* и т. д.), решила дать и большой материал об исторических аналогах, аллюзиях 1917 года.

В комментариях я, конечно, не обошёлся без военного фактора, но, увы, не удержался, назвав Первую мировую — недовыигранной (для России) войной. Собственно, я так и считаю, но для какой либо аргументации этой точки зрения места не нашлось. «МК» и так, спасибо, уделил, на фоне потока громокипящих событий, сенсаций целый газетный лист разговору профессора Рафаэля Арсанова и писателя Игоря Шумейко о событиях 95 летней давности.

Но эта *почти выигранность* Первой мировой добавила в комментарии читателей и громкую нотку возмущения. В добрых традициях интернет-форумов мне посоветовали вернуться в среднюю школу или в сумасшедший дом. Ведь в *1917 году немцы стояли под Ригой, оккупировали Польшу, Литву, большую часть Белоруссии, угрожали Петербургу!*

Мой краткий ответ:

— Так немцы и капитулировали в ноябре 1918 года, стоя в оккупированной ими Франции, не так уж далеко от Парижа, владея Бельгией... Геополитически они, Германский блок, были спринтеры. Антанта — стайеры. НЕразгром в первый год-полтора уже гарантировал им победу. Черчилль говорил: «Россия 1917 года — корабль, прошедший бурный океан и затонувший в бухте назначения».

А не уместился сей ответ потому, что важнее было привлечь внимание к следующим фактам.

Что, например, записали в учебники, как *«начало Гражданской войны»* и напрочь забыли? Весна 1918 года, мятеж чехословацкого корпуса. Здесь задуматься — и напрямую выйдешь к проблеме: власти, интеллигенции, народа, свободных выборов вплоть до Болотной и Манежной!

Известные со школы *пленные чехи* — одна их мелких щепок, микроосколок битвы гигантов, численность: **50 997** минус **14 000** успело эвакуироваться = **37 000**. Безоружные. Точнее, отправляя во Владивосток, чехам оставили по 168 винтовок на эшелон для несения караульной службы.

И 150 миллионов россиян, чувствовавших себя не просто освобождёнными, но и «победителями царизма». По-новому *организованными:* вместе ходили на выборы в Учредительное собрание, в Совдепы, ранее — в Госдуму. Просто оргия свободного народного **ВОЛЕ**изъявления! Вместе постояли на сотне митингов, прошли на сотнях демонстраций: сплотились, объединились... Оружие (арсеналы) тоже в руках народа!

Пример по-настоящему красив ещё потому, что — *чехи же!* Самый миролюбивый (доказано в 1938 году!) народ в Европе. Возглавили бывшепленных 30-летний бывший чиновник Сыровы, 26-летний лавочник Гайда, 35-летний учитель Швец (ну чуть-чуть не *Швейк!*). Как на подбор — все жуткие ландскнехты, прирождённые головорезы, терминаторы, наполеоны...

И эти чехи проявляют *инициативу,* захватывают (у свободного, ВОЛЮизъявившего народа, *сплочённого* митингами-маршами, новыми партиями, думами, советами, учредилками...) арсеналы и заодно... всю Россию, от Волги до Владивостока, золотой запас. Громят дивизии Вацетиса и Троцкого.

НО... Кто брал их в плен два года назад?! Валькирии? Бог Вотан с волшебным копьём? Нет, те же россияне, только в тот момент *по-другому объединённые*, провели в том числе Луцкую операцию (Брусиловский прорыв), выведя из строя германской, австро-венгерской армий 1 325 000 человек, взяв более полумиллиона пленных (в т. ч. тех чехов)! Российские потери тогда — **498 867** (62 155 убито, 376 910 ранено).

Задумайтесь о масштабах: пятимиллионные армии бьются, полмиллиона пленных в одной бите... И 37 000 пленных чехов. И эти *бравые солдаты Швейки* ставят на колени пол-России. Большая часть их сражалась на Волге, а подчинить на несколько месяцев Сибирь **от Урала до Иркутска** хватило **4000** солдат капитана Гайды!

Царскую власть, «организацию», стоявшую логически и хронологически **между** Брусиловским прорывом и тем покорением Сибири бывшим бакалейщиком Гайдой критиковали заслуженно. Как критикуют и сегодня путинскую власть и её «кавказскую политику». А то, что в недавних конфликтах наши участники называли чеченцев «чехами» — это жаргон, шедший от фонетического сходства, а в прочих сферах отличия большие. Подумайте.

Те чешские цифры лежат почти сто лет на забытой полке, а надо, чтобы звучали они над ухом критиков, как в культовом фильме сипение Горбатого (в исполнении Джигарханяна): *«Понял теперь, кто ты есть на этом свете?!»* Или как сказал через 75 лет после описываемых чешских событий бесподобный глава «Мхедриони» Джаба Иоселиани, обращаясь к грузинской интеллигенции: «Демократия — это вам не лобио на бульваре кушать!»

Этот «чешский» пример и встаёт перед глазами, когда я вспоминаю «проклятие Костомарова»: *государство без задатков самоулучшения*. То есть без повседневного политического корректирования. И как следствие — с могучими невероятными «рывками», модернизациями царя Петра, Сталина.

Народ, обвиняющий правительство в неспособности к повседневному самоулучшению, не прав. Страшно выговорить: «народ не прав», но общие родовые черты русского протеста, русского протестанта — неизгладимы. Что митингующие 150 миллионов, навыбиравшие себе Госдум, Совдепов, Учредительных собраний и сдавшиеся 37 тысячам чехов (которых за год до этого они легко брали в плен в 20-кратно больших количествах). Что митингующие против правительства 2012 года, которые завтра же побегут требовать защиты от «других чехов» (можно и намекнуть, каких. Кого в недавних вооружённых конфликтах называли чехами?) И вышеописанные колоритные стрельцы — протестанты 1682 года и протестанты 1991-го, после «августовской победы» недоумённо глядящие, как в подзорную трубу, в калейдоскоп «ельцинского режима»...

Все — равно беспомощны в организации, в том повседневном политическом корректировании. И дело гораздо глубже, чем недостаток политического опыта. Дело в той самой русской «свободе от свобод», рассмотренной ранее.

«Недопущение народа к политической власти» в российском случае — популярное многовековое заблуждение. Фактически народ отстаивал, боролся за своё священное Право быть непричастным к *каждодневной политике*. Понимая, что это — бизнес людей типа Бориса Березовского. Зло, несовершенство должны быть где-то локализованы? Вспомните, на тех иконах, где запечатлены жития, в общем, где есть сюжет, борьба, есть и бесы, дьявол, пририсованные для сюжета же. Поражаемые, прогоняемые святыми героями икон. Мелко, чаще всего в нижнем правом углу (думаю, потому, наверно, что для действующих Лиц этот угол — левый), но ведь есть они на иконах, как дракон под копытами коня Георгия Победоносца. Удар копья — в нижний правый — для молящегося или зрителя, в левый — для святого угол.

А в миру *они* локализованы — в правительстве, в политике. И непричастность к политике, НЕвластность становится годным товаром для бартёра. За неё можно получить право видеть Зло, Несовершенство, и просто собственные Неудачи всегда вовне. Вольно клясть и *«крыть очередной режим» (Ю. Шевчук)*. Психологический комфорт «Невины». *«Свобода выбора»,* но включающая ещё и *«свободу* **от** *выбора»!* Свобода — выбирать самому, или передоверить это кому-то ещё: царю, вождю. Свобода от постоянных усилий по обеспечению, поддержанию «механизма поддержания свободы», политической машины. То, чему я, признаюсь, не без труда подыскал единственное подобие на Западе, ту самую молитву Фомы Аквинского: *«Благодарность Святому Духу за избавление от необходимости иметь политическое мнение».*

Глава 22

Атланты, Кариатиды и... прислонившиеся

Это перенесение свободы (политического) выбора возлагает на царя, вождя совершенно особую меру ответственности. Нести *на своих раменах* возложенные политические свободы миллионов соотечественников — миссия, конечно, тяжёлая. Не замышляя создание полной галереи политических портретов, раздачу вердиктов: кто как (по моему мнению) нёс это бремя ответственности, одну подразделяющую черту я всё же должен провести. Критерий подразделения примерно обозначен в заглавии. А его (подразделения, классификации исторических персон, периодов, политических линий) насущная необходимость, на мой взгляд, видна и из рассмотрения российского кризиса начала XX века, и из прямого наблюдения за кризисом 1990-х годов.

Здесь я позволю себе выступить не как автор 11 историко-публицистических книг (это, правда, считая переиздания «Второй мировой Перезагрузки»), но и как своего рода Заказчик, или же — представитель Заказчика. Как многолетний преподаватель я за многие годы просуммировал интеллектуальные, духовные запросы (и претензии) наших студентов к отечественной истории. Впрочем, не знаю, признаете ли вы мой стаж достаточным — историю я преподаю семь лет, с периода, когда начали выходить мои эссе, книги, телепередачи, и именно в связи с ними (возникло желание перепроверять свои доводы в аудитории). Но и ранее, когда я вёл мастер-класс журналистики, беседы порой с самых современных тем, «журналистских расследований» регулярно переходили на нашу историю...

К известному популярному определению «Россия — литературоцентричная страна» я бы добавил: «А российская литература — историоцентрична». (См. «Слово о полку», Карамзин, Пушкин...)

Классы и прогрессы

Какие были и какие остались в наличии критерии оценки исторических персон (а за ними и «их» периодов, политических линий)?

Прошло 20 лет, как опочил «классовый подход», и здесь я позволю одну крамольную мысль. Рассмотрение истории с точки зрения интересов какого-то класса — не такая уж и тупиковая идея. Просто со времён Маркса за словом «класс» автоматически вставало — «рабочий класс», а в этом-то и весь фокус. «Рабочий класс», как это ни дико звучит, по-моему, и не доказал, что в России он вообще реально существовал.

Яркий пример: возвращение рабочих в деревни в 1920-х годах, стремительное окрестьянивание страны. С 1917 по 1920 года Москва потеряла половину своих жителей, Петроград — две трети. «Революция показала, насколько непрочной была урбанизация страны. Почти сразу же после её начала городское население стало разбегаться по деревням. Как ни парадоксально, хотя революция 1917 года совершилась во имя создания городской цивилизации и была направлена против «идиотизма деревенской жизни», на самом деле она усилила влияние деревни на русскую жизнь».

Понятно, что тогдашний голод — экстраординарный случай, но ведь и в самых крайностях реализовывался выбор, оказавшийся вскоре очень важным: 9/10 голодных горожан вернулось к крестьянскому труду; а 1/10 пошла в «продотряды» — хорошие «приготовительные классы» для будущих, востребованных через 8–9 лет нкавэдэшников, «уполномоченных по раскулачиванию».

Речь идёт не о какой-то технической неискусности русских рабочих, нет, эта среда исправно поставляла своих Ломоносовых, Ползуновых, братьев Черепановых, «левшей», но в социальном плане продолжала чувствовать себя подобно деревням, приписанным когда-то к демидовским уральским фабрикам — вчерашними крестьянами. А некоторая часть — завтрашними чиновниками.

Отсюда и лёгкость, с какой «рабочий класс» отдал все свои «исторические, руководящие, организующие», Марксом возложенные функции чиновничеству. И показательно, что с середины XX века и все западные левые (не только троцкисты!) сделали ставку на интеллигенцию, люмпенов, признав, что в реальной политике рабочего класса просто нет. У нас, помнится, ещё долго тянулась эта игра в термины: кто — *«класс»*, а кто всего лишь — *«прослойка»*... Карьеристы записывались на год в рабочие, чтобы вступить в КПСС «по квоте». Чем кончились те махинации, известно...

В общем, было бы полезно рассмотреть историю с точки зрения *реального* класса, например, крестьянства, или дворянства, но — увы...

Ниспровергался «классовый подход» под лозунгом борьбы с идеологиями вообще, и единственным критерием оценки героев «Историй», а также целью усилий человечества оставили «прогресс».

И если автор концепции «прогресса» Гегель ещё имел достаточно интеллектуальной смелости заявить, что вершина и цель мирового прогресса — *торжество конституционного королевства Пруссия*, то сегодня надо разматывать и прослеживать множество цепочек финансирования, раздачи грантов, чтобы через вороха книжек, учебников дойти до конечного, подразумеваемого: «Что полезно для "Нью-Йорк Сити Банка", то и прогрессивно».

Известной тенденции тотального «очернения» нашей истории усилия по столь же тотальному «обелению» противостоят плохо, противодействуют малоуспешно. Объявить всю галерею, от Рюрика до Николая II — святцами... Это просто **не** работает, во всяком случае в современном российском вузе, со студентами XXI века **не** проходит. Моральная подмога от таких «святцев» не больше, чем от известных плакатов *«Члены и кандидаты в члены Политбюро»*.

Так же плохо получается с подходом, который я про себя называю «контрпропагандистский». Согласно которому «елей» разливается дозировано, строго пропорционально отрицательным оценкам, выданным с «противной стороны». Главный «объект» подобной заботы, думаю, легко угадывается — Иван Грозный.

Здесь корпус литературы накопился гигантский. Авторы — словно неудавшиеся иконописцы или составители «житий», забывшие русскую же поговорку: *«Годится — молиться, не годится — горшки покрывать!»*. «Чудес и знамений» ими понавыписано... Что число жертв Грозного за 40 лет вдруг в точности совпало с числом вписанных самолично его царским величеством в «Синодик опальных» для поминания — чем не чудо? Особенно если представить обстоятельства его похода на Новгород. И опричников выводят к священному отряду библейского царя Давида, полными ангелами, с архангелом Малютой во главе. Разогнавшись, «благовествуют» с большим «перелётом», с запасом. Пример Николая Козлова: *«государь подобно царю-пророку Давиду устроил*

*тайную службу по чину духовно-военного братства с об-
щежительным монастырским уставом»*, особенно впе-
чатлил. Бездна — без иронии, почти с завистью признаю — эрудиции, цитат, аналогий, и всё бьёт в точку: доказать, что Иван Грозный был праведный царь и его
опричнина... ну чуть не вторая Сергиева лавра. Название
книги Козлова (*«Последний царь»*) мне отложилось по-
учительным примером для всего этого класса «Житий».

Всё и вся бросить в точку, словно и вправду наша история закончилась в 1570 году (а для солоневичских
«славянофилов» где-то в 1680-м)... и надо во что бы то ни
стало доказать, что закончилась она на «святой ноте».
В упоении забывая, что после уничтожения арбатского
Опричного дворца и сам Иван Грозный за произнесение
слова «опричник» повелел наказывать кнутом, да и Бас-
мановых с Афанасием Вяземским он ведь, мягко говоря,
не с «почётной персональной пенсией за опричные заслуги» отставил. Грубый пример: стоял на заднем дворе
нужник, потом сломали или перенесли на другое место.
И подобных авторов, бредущих с вёдрами елея, чтобы
вылить в... в общем — туда, так и хочется остановить:
«Милай, да нет тово нужника уж давно».

Интересующимся студентам я обычно рекомендую
(или выдаю на время) книгу Сергея Перевезенцева
«Иван IV» (серия *«Русский мир в лицах»*) — надёжную
лоцию в море «иваногрозноведения». Но сколько ещё
есть направлений работы самопальных «канонизато-
ров»! Гляньте на полки, заполненные книгами, на которые уже со второй страницы так и просится штамп:
«Предназначено: на горшки», в смысле: *«Горшки покрывать!»* — ***не*** *«Молиться»*.

На мой преподавательский взгляд, очень опасна такая
«инфляция», книготворчество под лозунгом: «Каждому
российскому правителю — свои Жития!». Это распрост-
ранилось, уже включая и министров, и деятелей рангом

ниже. Недавно попалась подобное «Житие» Аракчеева, как он там, в своём поместье Грузино всему мировому антироссийскому заговору противостоял. Ну а в кого тогда вырастает его Настенька Минкина, убиенная крепостными масонами, страшно и представить. В общем, когда даже и достойному чиновнику, имевшему объективные заслуги (содержание артиллерийских парков), даже образцово честному в денежных делах, даже пострадавшему от несправедливых попрёков либеральных писателей («аракчеевщина»)... пытаются делать биографию-житие, стоит помнить и поговорку про горшки.

О наших людях и наших святых

Лучшим ориентиром здесь, в море российских исторических героев, может послужить святой праведный воин Фёдор (Ушаков). С течением лет его канонизация будет всё более и более глубоким, дорогим, важным примером. Когда вдумаешься, сколько обстоятельств должно было совпасть — и совпало! — так что даже самые его блестящие, выдающиеся военные победы не принижаются, но становятся в ряд, в аккорд с другими подробностями, малосущественными для флотоводца, но важными для подлинного святого. Тут настоящее Житие, а не военный формуляр, составляемый к очередной награде. И восстановление греческого православного государства, и спасение пленных французов из рук опасных союзников-турок, и скромность бытовая, и даже долгая безбрачная жизнь в отставке, целиком отданная заботам о ветеранах, помощи храмам, обителям.

Думаю, и многие соотечественники ещё с XIX века поместили образ адмирала Ушакова среди самых славных военачальников на «особую полку». Помню, ещё в школе образ Фёдора Ушакова (урок истории) у меня как-то совмещался с Аммиралом-вдовцом из поэмы Некрасова «Кому на Руси жить хорошо» (урок литературы):

> Аммирал-вдовец по морям ходил,
> По морям ходил, корабли водил,
> Под Ачаковым бился с туркою,
> Наносил ему поражение,
> И дала ему государыня
> Восемь тысяч душ в награждение.

Умирая, Аммирал-вдовец завещает освободить подаренных крепостных...

Много лет спустя, получив уже изрядный багаж информации, я убедился в верности того детского совмещения образов. При *государыне* (Екатерине) в Чёрном море *на турку корабли водил* практически только Ушаков, быстро сменивший малоудачливого Войновича. И *вдовец* поэмы, освобождающий крепостных, всё это очень близко... это почти биография Фёдора Фёдоровича, только изложенная чуть по-другому: в поэме Некрасова неграмотный крестьянин пересказывает её своим собратьям — семерым искателям счастья и благости на Руси...

И кроме всего происхождение Ушакова: из семьи, ранее давшей преподобного **Феодора Санаксарского**, прославленного в Соборе Ростовских святых, родного дядю адмирала, оказавшего большое на него влияние.

В подобном «аккорде» теряется (к счастью) даже важная начальная инициатива современных историков, писателей, обращавших внимание, писавших ходатайства, письма об Ушакове. И правильно, и должна она затеряться, так, чтобы стало ясно: может, и человеческой инициативой, но **не** человеческим *произволом*, решается это дело.

В общем, прославление в Соборе святых праведного воина Фёдора Ушакова — наше общее приобретение.

Знаменитый путешественник Фёдор Конюхов — человек, уж точно испытавший и достигший того, что пока ещё в мире не достиг и не испытал никто (см. книги «Рекорды Гиннесса» и проч.), рассказывал мне, как однажды он, держась за обломки своей яхты, несколько дней болтался в океанской воде, когда уже и мясо начало отходить от костей, и как он тогда молился Николаю Угоднику и святому воину, моряку Фёдору Ушакову, и... Вот... мы беседуем с живым-здоровым Фёдором Конюховым весной 2012 года в его уютной мастерской на Павелецкой... Комната завалена альпийским снаряжением: через несколько дней отец Фёдор Конюхов (принявший сан) отправился на очередное покорение Эвереста.

Я остановился на примере Ушакова ещё и по причине недавно распространившейся инициативы: канонизировать и полководца Александра Васильевича Суворова. Очень опасаюсь этой самой «инфляции», дабы не сочли, что «русский православный святой» — это просто такое очередное воинское звание, следующее за фельдмаршалом и генералиссимусом.

Мне самому посчастливилось опубликовать несколько статей, упомянуть в книгах славное имя Александра Васильевича Суворова. А однажды в беседе, или споре, с одним очень талантливым и влиятельным современным журналистом, крымском татарине, я поведал ему о суворовском *Кысмете*. Он, как и многие его соплеменники, причислял Суворова к жестоким гонителям, деятельность Александра Васильевича *времён Очаковских и покоренья Крыма* называл ну почти что геноцидом.

Конечно, Суворову доводилось громить турецкие и крымско-татарские ста и более тысячные армии, но его же «Наука побеждать» требовала самого человеколюбивого отношения к пленным. Суворова искренне печалила высокая смертность среди пленных турок и крымчан.

Понятно, что жару, фактор различных южных лихорадок, он «убавить» был не в силах... но действие фактора морального смягчал сколько мог. Суворов, часто беседуя с пленными, примеряясь к известному восточному фатализму, находил утешительные и вместе с тем правдивые слова. Что не следует им так казниться-мучиться: что сражения, закончившиеся именно таким образом, и само их пленение, это *Кысмет* (Судьба)... Надо не только искренне проникнуться сочувствием, чтобы найти это великое «ключевое слово», надо и самому отчасти стать фаталистом, чтобы твои слова нелицемерного сочувствия подействовали, как подействовали тогда слова Александра Васильевича Суворова.

Примерно это, может, чуть подробнее, я рассказывал Айдеру, не ожидая, разумеется, каких-то особых реакций, надеясь лишь на «принятие к сведению». Столь же нуждается в правдивом, понятном изложении история взятия Суворовым Варшавы в 1794 году. Он вёл тогда переговоры о капитуляции на площадке, где специально велел не убирать трупы. Расчёт: испуганные поляки сдадутся и жертв (главным образом польских!) будет гораздо меньше. Расчёт оправдался, но поляки уже двести лет сублимируют, расписывают «зверя Суворова».

Про шлепок на портрете Суворова от влиятельного современного историка Анисимова уже говорилось (*«Тряпичные штыки»*). А сколько ещё примеров вроде бы архиположительного, но вместе с тем холодного и тоже, в итоге, неверного жизнеописания генералиссимуса Суворова!

В 2000 году у нас переиздали его знаменитую *«Науку побеждать»* с подробной биографией и комментариями В. С. Лопатина. Ну ладно, упоминание о родной матери Суворова, армянке, по их мысли, наверное, как-то всё-таки принижало значение Рымника, Измаила, Итальянского похода... Умолчали. Но как обойти другой *скольз-*

кий момент? Накануне своего возведения в графское достоинство в 1790 году Александр Васильевич пишет ав-
тобиографию: «*В 1622 году выехали из Швеции Наум и
Сувор, по челобитью приняты в российское подданство.
Потомки пошли — Суворовы...*»

И тут комментатор Лопатин, издатели, те самые раде-
тели «химической национальной чистоты», помогают
фельдмаршалу справиться с «пятым пунктом»: «*Суворов
ошибается, его фамилия значительно древнее... в 1323 году из Карелии шло массовое переселение, но то были **не
шведы, а новгородцы,** оказавшиеся на захваченной земле... и Суворовы из тех...*».

М-да... Это нужно хоть чуть представлять менталитет русского дворянина, чтобы оценить всю занебесную,
галактическую глупость сей *услуги*. Я, по счастью, знаю
многих из славного рода князей Голицыных. Каждый из
них назовёт всех своих предков за 100—200 лет, что называется, «ночью разбуди». А заглянув в семейные ар-
хивы (именно в таком режиме писал тот документ Суворов), легко вычертит генеалогическое древо и на все
700 лет.

И только... только вообразить себе, что какой-то **дворянин** в здравом уме приуменьшил самую величайшую
ценность, **древность своего рода!** Более чем втрое, **на
триста лет (!)**, с 1323 до 1622 года, по мнению этих «историков», Суворов обкорнал своё родословие... Да вот,
«товарищи помогли».

Это даже не знаю с чем и сравнить. Для тех *историков* единственно понятна будет аналогия: как если б
вдруг первый секретарь обкома где-то в 1935 году сократил втрое свой партийный стаж и прилюдно сжёг парт-
билет.

Именно такие *учёные* с кругозором завотдела кад-
ров или начальника паспортного стола милиции сегодня
мешают формированию Национальной Идеи.

А что касается «канонизации» в таких условиях, такими средствами, «в комплект к Ушакову»... она, **«компанейщина»** родимая, во всей красе только подорвала бы доверие к самой вообще идее прославления в Соборе святых. Форсированное продвижение в святые всех великих полководцев косвенно подорвало бы доводы о канонизации других героев (не войны, а истории). Ермак, например, не просто отважный воин, и недаром он присутствует в народных песнях. Разбойничье прошлое — классический зачин, многие святые, наши, католические — раскаявшиеся разбойники. (Опять подвернулось фольклорно-песенное обобщение у Некрасова: Кудеяр-Питирим.)

Вот что, примерно должен был сказать нашим историографам «представитель Заказчика», прилагающий сегодня их труды вниманию молодого поколения. Я и сам в книге «Вторая мировая. Перезагрузка», примеряясь к аудитории, ввёл главу-дополнение *История Второй мировой войны в 50 sms-ках*, доведя некоторые мысли до формата кратких лозунгов, укладываясь в размер, ну, может, не в одной, так 2–3 sms-ок.

Помнится, во Франции времён де Голля была разработана такая стратегия: «Оборона по всем азимутам». Так вот, для бойцов «идеологического фронта»: отпирательство «по всем азимутам», или же «отбрехивание по всем азимутам» — это просто... неправильная, неработающая стратегия. Нынешним защитникам идеалов и истории России следует опасаться «подошедших подкреплений» — бывших профессиональных «защитников идеалов социализма», избравших в своё время простую (для себя) и проигрышную (для страны) тактику тотального монотонного отпирательства.

Но, правда, сложно провести линию повествования, сохраняя и все вдохновляющие подробности нашей истории, и вместе с тем — её диалектику, её смысл. Не использовать «елей» как некий «историографический дезодорант» против смердения того, от чего Россия и сама избавлялась, вроде солоневичской конницы, опричников, стрельцов. Один уважаемый главный редактор, под чьим началом мне довелось работать, обязательно бы вычеркнул картины, вроде приведённого «стрелецкого бунта» или нарвского разгрома. Да, в общем-то, и вычеркнул... без всяких «бы» — у него как раз, в «Исторической газете», я и публиковал первые отрывки будущей книги *«Голицыны и вся Россия»*. Фрагменты подвигов и взлёта будущего фельдмаршала Михаила Голицына (истинного героя Лесной, Полтавы, Переволочны и Гренгама) или подобные он прямо смаковал, перечитывая. А по поводу *этих* так искренне печалился, словно разладу в собственном доме... *«Игорь, ты не представляешь, с каким злорадством они подхватят, будут смаковать, преувеличивать!».* Я уже и сам, не желая надрывать ему сердце, выбирал только «славные дела». Но в книгу включил всё.

Да и в этой, как видите, не скрываю, повторяя, однако, своё «заклинание». Люди, те же самые люди, бегая от турок на Днепре, в бессильной злобе добавив к всероссийскому грабежу гнуснейшие убийства, покрываемые «новыми славянофилами», они же потом дошли до Душая, Балкан, Парижа. Ветшали, умирали, смердели социальные институты, организации... и костомаровское «государство без задатков самоулучшения» — об этом же речь.

И сейчас, фокусируя не только все главы этой книги, но и предыдущие сотни своих статей, одиннадцать книг (две, правда, художественные), весь опыт человека, прожившего в своей стране более полувека, служившего в армии, сменившего несколько работ и профессий... по поводу факторов, уравновешивающих это ветшание, утверждаю: на чаше «позитива» — только Люди. Широтой натуры, находчивостью и, наоборот, отходчивостью, терпением, уживчивостью они уравновешивали огрехи, дефектность ВСЕХ организаций, в земле Русской просиявших.

Радиотрансляционное отступление

Для искренне любящих свою историю, всю, как нам её Бог дал (по пушкинской формуле), как, например, тот мой редактор по «Исторической газете». В этой книге вы уже прочитали немало нелестных характеристик, выданных людям, организациям. И еще более суровые вещи придётся высказать: дело подходит к самому «Дну династии», 1917 году.

В одно из изданий своей книги «Вторая мировая. Перезагрузка» я, можно сказать экспериментально, включил несколько поучительных сюжетов из эпохи «Холодной войны». От памятной «гонки вооружений» (условно выигранной нами в середине 1970-х, но это отдельная тема), от соревнования «меча» (средств нападения) и «щита» (обороны), от «ассиметричных ответах», когда 50-миллиарднодолларовые американские угрозы наши засекреченные гении парировали 5-миллионорублёвыми ответами, я перешёл к пропагандистской борьбе. И привёл один совершенно поразительный, символический, если вдуматься, факт, по-моему, недооценённый.

Оказывается, **подать радиосигнал на определённую территорию стоило в три раза дешевле, чем заглушить его на ней.**

То есть нам глушить «вражьи голоса» стоило в три раза дороже, чем им их — издавать, вещать... просовывать «в нашу клетку» нехитрый, в общем-то, «бутерброд»: полчаса рок-музыки, десять минут пропаганды.

Как неумолимо вписывается в то *Уравнение с неизвестным числом неизвестных*, коим я описывал Холодную войну, этот железный коэффициент: 3. Не можешь ответить, не знаешь чем? — плати троекратно!

Получается — совсем-совсем «НЕ гении», очень мягко говоря, отвечали за наш идеологический фланг. И главное, они хотели отвечать за это монопольно, своим отдельчиком, комитетиком. Напоминают эдаких футболистов, защищающих «честь страны». Продувают хронически, но всё равно: *Только мы будем и дальше играть. Вы только помогите нам, пострельяйте немножко из винтовок по вражескому вратарю и защите, и мы тогда уж...».

Не смогли. Ни с винтовками, ни с теми же глушилками. Может, от того, что и сами в глубине души не верили? Но, характерно, не подпустили к «кормушке» («*ответственной идеологической работе*») и тех людей, которые могли верить. И, главное, могли думать. Кожинов, Панарин, Лихачёв, Зиновьев...

Тем бы «идеологам» прислать сегодня счёт на оплату работы хотя бы упомянутых глушилок, примерно как в Германии семье повешенного присылали счёт за верёвку.

Тем более сегодня строить идеологию на сокрытии — ещё более безнадёжное дело. Нужны уже не просто глушилки, а некие «стиралки», да ещё совмещённые с машиной времени. По одной только теме *Личность Николая II и характеристика его правления* необходимо перескочить в 1918 год, исхитриться уничтожить дневник царя, его переписку с супругой — это обязательно. Уничтожить всё написанное, напечатанное с начала XX века, особенно где встречается фамилия Безобразов или термин «Безобразовская шайка». Само наличие в природе книг, документов, писем с этими «ключевыми словами» делает работу Боханова, Мультатулли... бессмысленной и вредной. Всё равно ведь найдут, прочитают и в раздражённом отрицании пойдут ещё дальше. Или тихо, про себя разуверятся, станут как людская пассивная паста эпохи Перестройки, выдавливаемая из тюбика «СССР».

И далее об Атлантах и прислонившихся

Поскольку клубок сюжета докатился почти до самого *Дна династии*, гибели династии, Империи Романовых и нельзя будет избегнуть разговора об исторических персонах не столь хронологически отдалённых, чьи имена всплывают сегодня в самых острых политических дискуссиях, я должен поделиться своей «методой подхода».

1. «Чёрный ящик»

Обилие противоречивых, взаимоисключающих фактов, одинаково гуляющих практически по любому деятелю, организации, склоняет применить известный кибернетический принцип: «Чёрный ящик». Не влезать в тонкости, обстоятельства работы Системы, а только замерять изменение параметров «на Входе» и «на Выходе». «До» и «После»... Результаты войн, сражений и являются такими параметрами, где больше объективности, возможности количественных сопоставлений.

И применим такой подход не только к персонам, удалённым на безопасные 200, 300 лет, но и вплоть до... хоть Президента Путина, Патриарха Кирилла. Пусть не сию секунду, но тем не менее в обозримом, реальном будущем, когда некоторые параметры, характеристики их деятельности можно будет рассмотреть, замерить: «На Выходе», «После», «Сразу После». И сравнить. Это, во-первых, результативнее, чем пытаться влезать в саму Систему, отёживать мегатонны ангажированной (обоих знаков) информации. Во-вторых, это всё же создаёт некое этически заряженное поле, в котором возможны какие-то оценки, доступные оцениваемым персонам, или хотя бы их поколению. Их «референтной группе» (социологи так называют группу людей, чьи оценки важны для оцениваемого). А довод, что якобы им, оцениваемым, наплевать на ситуацию уже *день спустя*, — по-моему, наигранный подростковый цинизм, французская бравада (*«После нас хоть потоп»*).

Например, студенты часто пытают меня по такой тяжёлой теме, как Раскол, реформы Патриарха Никона. Искренне возмущаются: как можно было превратить исправление нескольких книг — в Гражданскую войну? Да и в беседах с журналистами, порой даже по далёким поводам, выскакивала эта упрямая пружинка: Никон, Аввакум, сожжения, самосожжения. Как-то на страницах «Российского писателя» довелось вступить в диалог с Василием Дворцовым, весьма интересно развернувшим эту тему...

Несложно понять, что сегодня критикуют Патриарха Никона, поучают, как ему нужно было, как можно было провести «книжную справу», развернуть ход «посолонь» в «противо...», вводить троеперстие, главным образом те, кому плевать и на два, и на три перста, *противо...»* и *«по...»*, кому важнее общее очернение Православия. И что может сказать о Патриархе Никоне человек, представляющий и сложность этой темы, и свою малокомпетентность, и, в то же время, куда тянут публицисты, легко разбирающиеся «с проблемой Раскола» на осьмушке газетного листа?

Отвечаю примерно так. Исходный авторитет Никона — никак не его личный, а «капитал», набранный его великими предшественниками: святым Патриархом Гермогеном, спасителем России в Смутное время, и великим страдальцем, подвижником Патриархом Филаретом. Именно они дали Патриаршеству запас авторитета, который израсходовал, разменял Никон. И даже не принимая на себя смелости суждений по его реформе, ссоре с царём Алексеем Михайловичем, можно, однако, зафиксировать, что **«на Выходе»** у Никона Патриаршество отнюдь не то, что было **«на Входе»** и спустя несколько лет (и четырёх преемников), оно исчезло вовсе. Никто не сможет упрекнуть тех четырёх, хорошо известно, как мужественно увещевал Патриарх Иоаким взбунтовавшихся стрельцов. Но ресурс был израсходован Никоном...

Гермоген и Филарет были из числа **державших** Патриаршество (и Россию), а Никон — из числа **прислонившихся**, облокотившихся, расходовавших набранное предшественниками, — такой вывод можно сделать и без каких-либо суждений о его реформе, Расколе, сожжённом протопопе Аввакуме, ссоре с царём.

Так же и с двумя последними императорами, с Россией и самодержавием. Александр III держал то, к чему Николай II привалился.

2. Предпочтение косвенных свидетельств

Формулирую приблизительно. Учитывая уровень ангажированности большинства исторических работ, если вы, к примеру, хотите оценить Романовых, царя Николая II, читайте, собирайте информацию НЕ о Романовых, Николае II, а, допустим, о... Шереметевых, о Бисмарке, о Теодоре Рузвельте, Франце-Иосифе, Льве Толстом, опиумных войнах, «революции Мэйдзи», милитаристском монстре Вильгельме II... В общем, о важных современниках или о важных событиях, современных тому, что вас интересует. Допустим, авторы тех исследований столь же ангажированы как... Сванидзе или Боханов с Мультатулли. Но вектор их натяжек будет направлен на возвеличивание или уничижение, допустим, Бисмарка, и определённый набор интересующих сюжетов вы получите, во всяком случае, без романовских-антиромановских натяжек. Так, от Бисмарка можно выйти на известную *«Тарифную войну»* Германии с Россией, на министра Сергея Витте, выигравшего эту войну, и далее — на двух царей, которым служил министр Витте. И потом уж сделать выводы по самим монархам.

Хороший и неожиданный пример — русское шампанское. Случай, опять же, известный мне по работе над «голицынской книгой».

Как известно, «отец русского шампанского» князь Лев Сергеевич Голицын дал нашему виноделию научную основу, в несколько раз увеличил его масштаб, вывел его на мировой уровень.

В 1899 году был выпущен первый тираж высококачественного шампанского марки «Новый Свет», на всемирной выставке-дегустации шампанских вин во Франции получивший кубок Гран-при. Получив за время своего подвижнического труда три наследства, князь Голицын всё вложил в «Новый Свет». Чтобы отвернуть соотечественников от «пойла», поставлял в среднюю полосу России свои вина практически по себестоимости. Твердил: *«Мы богаты; наш юг создан для виноградарства. Хочу, чтобы рабочий, мастеровой, мелкий служащий пили хорошее вино».* Держал в Москве на Тверской, рядом с домом генерал-губернатора, магазинчик, где продавалось его чистое, натуральное вино. О нём писал В. А. Гиляровский, очерк «Львы на воротах». Создал громадную систему горных туннелей, необходимых для трёхлетнего выдерживания шампанского. Не хватало оборотных средств, и в 1890 году князь Голицын по особому приглашению становится главным виноделом Удельного ведомства, то есть поднимает виноделие во всех личных владениях царя и других членов императорской фамилии: Ливадии, Массандре, Ай-Даниле, Ореанде и Кучук-Ламбате. Расширил площадь виноградников, на научной основе подобрал сорта. В 1894-м начал строительство Главного Массандровского подвала для выдержки вин из всех пяти имений.

Но... в Главном управлении Удельного ведомства — орды чиновников, интриги. Сие министерство было создано для управления наследными владениями царя и некоторых великих князей. Князя Голицына «подсиживают». Он требует расчёта, получив причитавшиеся ему за 1898 год свыше 100 000 рублей, Голицын вносит эти деньги в Министерство земледелия в качестве фонда для выдачи с процентов из этих денег ежегодных премий за лучшие достижения в области виноделия и виноградарства.

Вот и вывод. В России вдруг явился винодел мирового, признанного всем миром уровня. Крупнейший специалист плюс ещё человек немеркантильный, потративший три своих наследства на воплощение мечты: бутылка натурального вина в Москве не дороже 25 копеек.

И этот человек приходит на работу в Министерство уделов. И то, что этого Специалиста выжили, — это...

Административного порядка *хозяин земли русской* (так записал свою должность Николай II в листке всероссийской переписи) не мог навести не только в стране, но и в личных поместьях.

Рядом — ещё один голицынский, частномосковский пример. Князь Владимир Михайлович Голицын. Наиболее успешный московский администратор, имел орден за успешную коронацию Александра III. Изгоняется с должности интригами великого князя Сергея Александровича с его «весёлой компанией». У тех — Ходынка. Группировка великих князей Владимира и Павла грозит свежекоронованному Николаю бойкотом, если хоть один шаг в расследовании «Ходынки» затронет Московского генерал-губернатора Сергея Александровича. Царь Николай обходит, опрашивает по кругу всех родственников, что же ему делать, и по их совету *проявляет истинную твёрдость перед лицом несчастья* — едет в ночь катастрофы на бал к французскому консулу Монтебелло. Даже в лубочном повествовании Боханова эта сцена производит странное и тягостное впечатление.

Безобразно разросшаяся (с 4 до 25 за 80 лет) великокняжеская корпорация — отдельная тема, отношения её с императором Николаем — трагикомедия. Институт, когда-то созданный для укрепления династии, помощи царю, в итоге помог Николаю II только в одном: часть ответственности за крах Империи можно действительно разложить на несколько великокняжеских группировок.

А доведись *той России* участвовать, к примеру, в ракетно-ядерной гонке, то с 99%-ной вероятностью господин Королёв услышал бы: *«Сожалею, Сергей Павлович, но... Вот супруг моей кузины считает, что...».* Или: *«Сожалею, господин Курчатов, но в это сложное время... управление ядерным реактором я могу доверить только великому князю NN...».*

В одной из публикаций несколько лет тому назад я назвал эту «корпорацию» великокняжеским стадом, захватившим и вытоптавшим все нивы возможного служения. Каюсь. Во-первых, более глубокое знакомство с представителями раскрыло целую галерею личностей: много было среди них одарённых людей и кроме памятного *«поэта К. Р».* Во-вторых, по справедливости можно и к великим князьям применить тот же подход, что выше — к опричникам и особенно — стрельцам. В злокачественную опухоль превратилась сама социальная форма *«великие князья», «царская фамилия».*

Как стрельцы были превращены Петром из кровавых и трусливых бандитов в бравых гренадёров, фузилёров, так и великие князья по отдельности почти все были достойны лучшей роли, чем в итоге сыгранная —

«гиря на ноге последнего русского императора». И лучшей судьбы, чем Алапаевская шахта. Всё равно ведь тот из них, кто был такого конца достоин в самой высшей мере, генерал-адмирал Алексей Александрович (парижский плейбой, цусимостроитель), этой шахты-то избежал.

Глава 23
Последние вехи династии Романовых

Но не будем продолжать критику поведения Николая пред лицом родственников. Допустим, это частная слабость (хотя многие его родственники были фигурами публичными). Критерием оценки царствований были избраны войны, их результаты, и здесь, искренне надеюсь, никаких открытий не было. Только — перенесение некоторых фактов с полки А на полку Б. «А» — находится в ведении специалистов по военной истории или других специалистов по частным темам. «Б» — относится к политике, политологии, «поиску национальной идеи», «смысла русской истории». Их теорий стараюсь не касаться, но когда их выводы увязываются с конкретными результатами, войнами, и вдруг видишь, как у них на полях сражений при Нарве, Лесной, Полтаве разгуливают эльфы, драконы, единороги, кентавры... тогда и приходится обращаться к полке «А».

Но в действительности, ещё несколько важных событий эпохи последних Романовых мифологизированы до полного абсурда, тоже можно сказать: «засижены» драконами, эльфами.

Крымская война. Продажа Аляски. Винная монополия Сергея Витте. Русско-японская война, Портсмутский мир, революция 1905 года...

Восточная война на Дальнем Востоке

Спусковым крючком Крымской («Восточной») войны, как известно, был конфликт Николая I с Наполеоном III, пришедшим к власти во Франции после переворота 2 декабря 1851 года. Николай I *согласовал* с королём Пруссии и Австрийским императором такую форму «бойкота»: не обращаться к французу по монаршему протоколу «Monsieur mon frère» («Государь, брат мой») и в телеграмме обратился к Наполеону «Monsieur mon ami» («дорогой друг»). А обещавшие свою солидарность пруссак и австриец обманули (помните, как Коровьев обманул Ивана Бездомного на Патриарших прудах: «Давайте вместе кричать «Караул!»), и прислали телеграммы со словами: «Государь, брат мой». Так что «хриплый крик» Николая раздался столь же одиноко, был расценен как публичное оскорбление французского императора. И, главное, всем французам явлен был аргумент, напоминание: а кто свергал Наполеона I, кто притащил в 1814 году в Париж на своей, *тогда самой мощной* шее остальных «коалиционеров»?..

«Реванш» — прекрасная идея, вдруг сплотившая нацию со свежевоцарённым Луи Наполеоном, которому ещё вчера публично (и печатно!) припоминали его тюремное и сутенёрское прошлое. Мерси боку, Николя!

Именно Франция и заставила турок забрать ключи от Вифлеемской церкви у православных священников, в ответ на что Николай «двинул войска в Дунайские княжества и т. д.». И удельный вклад французов, доля их войск под Севастополем, был примерно равен вкладу русской армии в кампаниях 1813–1814 годов.

А истоки конфликта с английским Пальмерстоном застал ещё Пушкин, запись в его «Дневнике» 2 июня 1834 года: *Государь не хотел принять Каннинга...* (в качестве посла Британии. — *И. Ш.*) *потому, что, будучи ве-*

ликим князем, имел с ним какую-то неприятность». Пальмерстон не пожелал никого другого назначить послом в Петербург. В ответ Николай отозвал из Лондона русского посла князя Ливена, назначил тоже поверенного в делах, причём выбрал совсем уж ничтожную по значению чиновничью фигуру, некоего Медема...

Предпоследняя война династии Романовых — Русско-японская

Обстоятельства её развязывания, ход и результаты кратко рассматривались мною ранее в связи с судьбой одного из знаменитых её участников — Льва Николаевича Толстого.

В недавней книге *«Ближний Дальний. Предчувствие судьбы»* (2012) я из всей истории Крымской войны, о которой, понятно, написано много, преимущественно рассматривал сюжеты, имеющие отношение к Дальнему Востоку. Оставляя за собой роль поставщика некоторых новых сопоставлений, ранее известных исторических фактов, я обрисую картину нашей готовности к Крымской войне через популярные и поныне толки об Аляске. Что её вроде бы не продали американцам, а сдали на 99 лет в аренду. Слышали, наверное, даже от политиков этот «козырь»: припомним американцам и потребуем вернуть *арендованную Аляску!*

Нет, увы! — Аляска продана, «вчистую», безо всяких аренд, о чём и был подписан 30 марта 1867 года в Вашингтоне соответствующий Договор. НО откуда же эти многолетние толки об аренде?! Они, оказывается, имеют непосредственное отношение к Крымской войне. На Аляске, вы знаете, полвека работала РАК («Русско-американская компания»). Хоть звучанием это напоминает нынешние СП, совместные предприятия, но это была безусловно русская компания, творение великого подвижника Шелехова, слово «американская» просто означало *место деятельности,* примерно как «Британская *Ост-Индская* компания».

И с чем же осталась эта «дойная корова» к началу Крымской войны? В смысле возможностей обороны? Ответ весь, целиком и находится в этих «арендных» толках! РАК увидела, что единственным шансом сохранить Русскую Аляску и была эта «фиктивная её аренда», на три года. Для Новоархангельска (столицы Русской Америки), юридический статус — «частная собственность» — давал шанс, если придёт англо-французский флот, показать бумажку. Право частной собственности те уважали, и единственной защитой была бы справка: на данный момент имущество (посёлки, корабли) — собственность «Американо-русской торговой компании». Название похоже, но то была уже реально американская компания, с офисом в Сан-Франциско, контролировавшаяся правительством США. Договор подготовили, но в дело не пустили, так как, оказалось, что можно подобную фиктивную аренду подписать даже и с «Британской компанией Гудзонова Залива», — на эти сделки война не влияла. Русским кораблям, как вспоминает Отто Линдгольм (русский подданный, капитан китобойного брига «Великий князь Константин»), в тот период приходилось ради спасения поднимать американский флаг.

Несколько раз в книге *«Ближний Дальний. Предчувствие судьбы»* указывалось на ложность величественной «политической карты» Империи Николая I. Восток Империи — Чукотка, Камчатка, Аляска висел всё на той же 1260-километровой горной тропе Якутск–Охотск. Меха вывезти можно, а пушки привезти? Запас ядер? Для кораблей, собираемых на месте, в Охотском море, напомню: даже якоря приходилось в Якутске распиливать, канаты разрезать перед навьючиванием их на лошадок... Там даже повозки были нереальны.

Итак, тридцать лет Николай с Нессельроде занимались Польшей, Венгрией, Священным союзом, успешно собирая против России общеевропейскую коалицию. На фоне этой бурной дипломатической «работы», армия, как уже говорилось, — просто уникальный случай в истории: 30 лет — абсолютный ноль изменений!

Не очень хочется сбиваться на эти «обличения», но если задуматься, то любой разговор о войнах тех лет (впереди ещё рассказ о Русско-японской), без упоминания ролей императоров — это самообман, игра в бирюльки или в поддавки.

Война на Дальнем Востоке

На Тихом океане (называвшемся тогда тоже Восточным) можно отыскать и *единственного монарха*, поддержавшего делом (посильным ему делом!) нашего Николая I. Не знаю, смеяться или плакать вы будете, но этим единственным монархом оказался... *король Гавайских островов Камехамеха III*! Хотя какой тут смех. Его, короля, посильным деянием было дружественное письмо губернатору Камчатки В. С. Завойко, доставленное с американским китобойным судном.

Да, конечно, вождей островных племён, на Таити, Фиджи, Папуа, Гавайях именовали *«королями»* с некоторой долей иронии, но... как сказал бы один очень хорошо известный политик примерно через сто лет после описываемый событий: *«Других королей у меня для вас нет!»*

Но далее, надеюсь, даже тень возможного снобизма покинет читателя: в том письме, марта 1854 года, король *Камехамеха III* предупреждал нашего губернатора, что располагает достоверными сведениями о возможном нападении летом на Петропавловск англичан и французов. При тогдашнем уровне транспорта-связи это была действительно очень ценная, своевременная информация!

Да, не было у гавайского короля грозного военно-морского флота, но прежде чем сбрасывать его с баланса той войны, интересно всё же задуматься или хоть погадать о природе той симпатии гавайского короля! Ведь Камехамеха III не получал от русских императоров в подарок по 250 000 «оловянных солдатиков». Он на своих Гавайях мог разве что видеть русских путешественников, мог беседовать с Крузенштерном, Лисянским, Коцебу... Вернее, не «мог», а точно беседовал, например, с нашим Отто Коцебу. И какое-то впечатление о России ему, значит, оставили русские моряки...

Военный губернатор Камчатки, командир Петропавловского военного порта генерал-майор В. С. Завойко начал готовиться. Письмо с аналогичным предупреждением от генерального консула России в США *пришло на Камчатку позже.*

Завойко обратился к населению Камчатки с воззванием: «Получено известие, что Англия и Франция соединились с... Турцией, с притеснителями наших единоверцев; флоты их уже сражаются с нашими. Война может возгореться и в этих местах. Петропавловский порт должен быть всегда готов встретить неприятеля, жители не будут оставаться праздными зрителями боя и будут готовы, с бодростью, не щадя жизни, противостоять неприятелю и наносить ему возможный вред...»

Тогда на Дальнем Востоке мы почти успели. Решающим оказался подвиг Геннадия Невельского и сибирского губернатора Муравьёва, открывших дорогу на Восток по Амуру.

24 июля 1854 года транспорт «Двина» доставил из устья Амура в Петропавловск 350 солдат Сибирского линейного батальона, 2 бомбические пушки двухпудо-

вого калибра и 14 пушек 36-фунтового калибра. При-
бывший военный инженер поручик Мровинский возглавил строительство береговых батарей. К исходу июля
гарнизон Петропавловско-Камчатского порта вместе с
экипажами кораблей насчитывал 920 человек (41 офицеров, 476 солдат, 349 матросов, 18 русских доброволь-
цев и 36 камчадалов).

В подготовку к обороне включилось всё население
города и окрестностей, около 1600 человек. Работы по
сооружению семи береговых батарей и установке орудий велись почти два месяца днём и ночью. В скалах
вырубались площадки для батарей, неприступные для
морского десанта, снимали с кораблей орудия, вручную
перетаскивали их по крутым склонам сопок и устанав-
ливали на берегу. Фрегат «Аврора» под командованием
И. Н. Изыльметьева и военный транспорт «Двина» по-
ставили на якоря левыми бортами к выходу из гавани.
Орудия правых бортов сняли с кораблей для усиления
береговых батарей. Вход в гавань загородили боном. Батареи охватывали Петропавловск подковой. На правом
её конце, в скалистой оконечности мыса Сигнальный,
располагалась батарея, защищавшая вход на внутренний рейд.

В полдень 17 августа 1854 года передовые посты на
маяках обнаружили эскадру из шести кораблей. Утром
18 августа эскадра вошла в Авачинскую бухту: 3 английских корабля — фрегат «Президент» (52 пушки), фрегат
«Пайк» (44 пушки), пароход «Вираго» (10 пушек) и
3 французских — фрегат «Ля-Форт» (60 пушек), корвет
«Евридика» (32 пушки), бриг «Облигадо» (18 пушек).
Всего: 216 орудий, 2600 человек. Командующий — англичанин контр-адмирал Дэвид Прайс (ещё выдаст сюр-
приз).

Главный фортификатор Петропавловска Мровинский
так описывает бой:

«Неприятель разделил эскадру на две половины и, поставив одну половину против одной батареи, а другую против другой, открыл одновремсшю по ним огонь. Забросанные ядрами и бомбами батареи, имея всего 10 орудий, не могли устоять против 113 орудий, в числе которых большая часть была бомбическая (на берегу найдены ядра весом в 85 английских фунтов), и после трёхчасового сопротивления орудия почти все были подбиты, и прислуга с батарей принуждена была отступить...

После того как третья и седьмая батареи были уничтожены, 4 сентября неприятель высадил десант в количестве около 700 человек, который, разделившись на три отряда, повёл наступление на Никольскую сопку. Один из отрядов попытался проникнуть в город, обойдя гору с севера, но здесь по нему открыла огонь шрапнелью шестая батарея...»

Собрав 300 человек, русские решились контратаковать и отбить Никольскую сопку! Сражение шло более двух часов и закончилось поражением англо-французского десанта. Потеряв 50 человек убитыми, 4 пленными, 150 ранеными, противник отступил, затем перешёл в бегство и только полное господство судовой артиллерии спасло десант. В трофеи русским досталось знамя, 7 офицерских сабель и 56 ружей.

А теперь и о анонсированном «сюрпризе» английского командующего. Действительно, контр-адмирал Дэвид Прайс утром 18 августа в самый канун штурма совершил довольно-таки необычный военный манёвр. Представьте только: десант проверяет снаряжение, шлюпки спускаются на воду, и тут французскому адмиралу Де Пуанту докладывают, что командующий, адмирал Дэвид Прайс... застрелился.

Некоторые наши историки вставляют «разъяснение»: *английский адмирал покончил-де с собой, потеряв надежду на взятие Петропавловска... предпочёл смерть позору...* Но, поверьте, наша история интересна и без этих подтасовок: самоубийство английского адмирала было всё же *до* штурма...

Так или иначе, но командование всей эскадрой пришлось брать Де Пуанту, атака была отложена до следующего утра...

Позже и французу пришлось испить свою чашу. Общественное мнение, пресса, влиятельная что в Англии, что во Франции, подвели итог Камчатскому походу:

«...Чёрное пятно, которое никогда не может быть смыто никакими водами океана».

«Борт одного русского фрегата и несколько береговых батарей оказались непобедимыми перед соединёнными силами Англии и Франции, и две величайшие державы мира были разбиты и осмеяны небольшим русским поселением».

Обратите внимание, как талантливый журналист выхватывает эту деталь: *«Борт одного русского фрегата...»*, подчеркивая, что наша «Аврора» действовала только левым бортом, орудия правого отдав на береговые батареи, то есть с союзной эскадрой сражалось «полфрегата».

Адмирал Де Пуант *«от истощения физических и душевных сил»* умер через несколько месяцев после застрелившегося английского коллеги.

Гениальная история.

На Дальнем Востоке мы почти успели. Почти... Амурской экспедиции губернатора Муравьёва присланных 16 пушек и 350 солдат оказалось достаточным для выигрыша одного сражения (оказалось достаточным и для несчастного адмирала Прайса), но всё же было недостаточно для сохранения города Петропавловска.

В мае 1855 года англо-французский флот пришёл вновь, теперь уже в составе 12 кораблей, 5000 матросов и солдат (всё удвоено)... Но Петропавловск был пуст. Всё имущество, оставшиеся пушки, люди были погружены на суда и вывезены... Куда? И в очередной раз я прошу читателя взглянуть на карту.

Велик Тихий океан, *а отступать некуда!* Русская Аляска прикрыта одной бумажкой, договором о псевдоаренде, весь азиатский берег — ледяная пустыня. Эвакуированные люди там погибнут и без всяких английских десантов. Разве вот — на *Гавайские острова... в залив Пёрл-Харбор...* к единственному «союзнику» *Камехамехе III?!* Но нет, конечно, русские не подставят своего друга! Так куда же тогда?

И тут опять сказалось открытие Геннадия Невельского: устье Амура! Отрицаемое учёными как факт ещё несколько лет тому назад, оно и приняло суда с эвакуированным гарнизоном Петропавловска.

Плавный переход послевоенных лет в предвоенные

Следующая война на Дальнем Востоке была Русско-японская, и до неё как раз помещается сюжет о продаже Аляски. Рассказ о её псевдоаренде, как единственном способе прикрыться от англо-французского флота, и открывал краткую историю Крымской войны.

А. Зинухов, автор хорошей и гневной статьи «**Преступная сделка»**, обличает целый заговор по продаже Аляски:

«*...Сложилась инициативная группа сторонников продажи: великий князь Константин Николаевич, министр финансов М. Х. Рейтерн и посланник в Соединённых Штатах Северной Америки барон Э. А. Стекль...»*

Рассказал Зинухов, как заговорщики давили на министра иностранных дел России князя А. М. Горчакова:

«*Продажа эта была бы весьма своевременна,* — писал Горчакову великий князь, — *ибо не следует себя обманывать и надобно предвидеть, что Соединённые Штаты... желая господствовать нераздельно в Северной Америке, возьмут у нас помянутые колонии, и мы не будем в состоянии воротить их. Между тем эти колонии приносят нам весьма мало пользы, и потеря их не была бы слишком чувствительна...»*

Упрёки постепенно восходят и до императора Александра II, который: «*...неожиданно отнёсся к предложению младшего брата с интересом, собственноручно начертав на письме: "Эту мысль стоит сообразить". Вполне возможно, что "соображали" по этому поводу в царской семье давно. Вся сделка осуществлялась как заговор. О ней знал только узкий круг участников, причём единственным противником продажи русских владений был министр иностранных дел князь Горчаков, но без него обойтись невозможно, поэтому разыграна сценка: великий князь, отдыхающий в Ницце, обращается к министру письменно, ставя его перед необходимостью доложить о содержании письма императору. Тем самым Горчаков передвигается с позиции решительного противника продажи на позицию лояльности и непротивления. Император делает вид, что идея продажи его очень заинтересовала, и предлагает мысль эту "сообразить"...*»

30 марта 1867 года в Вашингтоне, был подписан Договор на английском и французском языках («дипломатические» языки), официального текста договора на русском языке не существует. Стоимость сделки составила 7,2 миллиона долларов золотом. К США переходили весь полуостров Аляска, береговая полоса шириной в 10 миль южнее Аляски вдоль западного берега Британской Колумбии, Алеутские острова...

Один «аляскинский» феномен общественного сознания — гипотетическая «аренда на 99 лет» — мы рассмотрели. Какой следующий «аляскинский» пункт? Конечно: «продажа за бесценок», «задарма»... Сравнить все необъятные сокровища Аляски и — 7,2 миллиона долларов, пусть даже и переведённые услужливыми справочниками по курсу 2007 года в 104 миллиона долларов!

А. Зинухов в статье *Преступная сделка* разбирает и то, как русского представителя «обсчитали»:

«7 200 000 долларов должны были быть выплачены наличными, причём "золотой монетой"... Сразу после ратификации договора министр иностранных дел Горчаков передал все полномочия по завершению данного дела в министерство финансов, чей представитель обязан был, получив наличные "золотые монеты", доставить их на российский военный корабль и по прибытии в Петербург передать в государственное казначейство. Вместо этого барон Стекль, даже не пытаясь протестовать, получил чек на 7 200 000 гринбеков, которые котировались значительно ниже золотых долларов. Фактически "оплошность" барона стоила 1 800 000 долларов. В пересчёте на золотую наличность он получил 5 400 000 золотых долларов...»

Наше «геополитическое возмущение» можно усилить, например, ещё одним фактом: о сокровищах Аляски на момент её продажи было не только известно, — уголь и золото там уже добывались.

Но сколько ещё *пунктов преступной продажи* не добавляй, все они будут перечёркнуты одной простой констатацией: это не была «продажа»! В том смысле, по-моему, что «продажа территорий» государствами, пусть в договорах **это** так и называется, всё равно — НЕ продажа, это в определённом смысле «проигрыш войны». Спокон веков территории переходили туда-сюда по результатам войн. Но иногда государство (правительство) мысленно проигрывало, прокручивало в воображении (или даже в генштабах) будущую войну и... проиграв её, пыталось оценить в деньгах своё предвидение.

«Виртуальный победитель» так же прикидывал свои потери, связанные с завоеванием, и начинались «мирные переговоры». То есть в терминах, какие я предлагаю расставить: в 1867 году продавалась/оценивалась — НЕ Аляска со всем её золотом, пушниной. Продавалась/оценивалась *война за Аляску*.

За подтверждением этой мысли, возможно, походящей на парадокс, шутку, не надо ходить далеко. Совсем недалеко (географически и хронологически) проходили подобные же события.

В 1803 году Наполеон «продавал» Луизиану. Вообразите эту громадную территорию (2 100 000 км², четверть нынешней площади США) в бассейне реки Мииссисипи, самая середина, сердцевина страны, местами возделываемая на тот момент более 100 лет! С большим городом и портом Нью-Орлеаном. И продавалась она за сравнимую с Аляской сумму — 15 миллионов долларов.

Общий размер проданной территории Аляски — 1519 тысяч кв. км, следовательно, продажная цена квадратного километра = 4,73 доллара, или 1,9 цента за 1 акр.

А цена луизианского акра — 3 цента/акр.

ПО проявим всё же дотошность, необходимую, наверно, в подобных торговых делах и узнаем: оказывается, американцы несколько лет до этого пытались купить один только город, важнейший в регионе порт Нью-Орлеан, за... 10 миллионов долларов.

Значит, на саму Луизиану, за вычетом Нью-Орлеана, остаётся 5 миллионов. Значит, **пашни, луга и степи Луизианы ушли по 1 цент/акр — дешевле гектара аляскинских льдов.**

Но Наполеон ведь не был сумасшедшим (то ж всё-таки был ещё 1803 год, а не... *1812-й*)! То есть и он тоже, получается, продавал не Луизиану, а *«войну за Луизиану»*. Он увидел свой стратегический вакуум между Францией и той провинцией: Океан. А на нём — британский флот.

Как сказал Аристотель: «Природа не терпит пустоты»... Добавим: «и Великобритания — тоже».

Точно такой же стратегический вакуум был между Россией и Аляской. Да, Невельской с Муравьёвым пробили амурский путь от Забайкалья до Тихого океана и это немного сказалось на ходе (но не на **исходе**!) Крымской войны: отбили первую атаку на Камчатку и спаслись в устье Амура от второй. Но Крымская война была (в предлагавшихся мной терминах): *«Первой* логистической войной»*, а отнюдь не *«Последней...»*. Планки соревнования держав в тонно-километрах продолжали подниматься, а наши железные дороги в тот период только подходили к Волге.

В раздумьях о продаже Аляски главный вопрос царя Александра II был не: *«Почём?»*, а: *«Как отстоять, сохранить?»*. Оставление территорий вообще унизительно, подрывает саму философию государства, примерно так же как унизительно проиграть *войну* (ещё раз к «парадоксу продажи» двумя страницами выше). Именно вопрос *«Как сохранить?»* царь и задавал своим министрам, военачальникам, и, получив ответы, сводящиеся к... по сути: *«А никак!»*, дал добро ждущей компании великого князя Константина и барона Стекля.

Вот почему, соглашаясь с пафосом, например, автора той статьи *«Преступная сделка»* — *да, хорошо бы сберечь Аляску!* — я никогда не соглашусь с его оценкой роли нашего великого императора Александра II. Это пример декларированного мной подхода с упором на косвенные свидетельства и факты со «смежных полочек». Продажа Луизианы и определение «цены на Новый Орлеан» — история, случившаяся за полвека до аляскинской. Торговались янки с Наполеоном, в информации об этом нет даже теоретического места для каких-либо *про* и *анти* российских передёргиваний. И привлечение луизианского файла даёт возможность по-новому и более объективно оценить аляскинскую продажу. А то ведь десятки статей, а считая перепечатки и сотни заточены по простейшему принципу: *«Ах, 7 200 000* (одну только эту цифру зазубрили и твердят) *долларов! Ах предательство! Ах этот Александр II!»*

Глава 24
Как гибнут империи

В чём великая разница царствований и войн «Николая Крымского» и «Николая Русско-Японского»? «Крымский» был уже третьим в череде наших загулявшихся геополитических транжир и Дон Кихотов! Пускай наш Великий Кредитор был терпелив, но сама логика его обмана, задурения, завела государство в полный тупик, отдав «бразды правления» таким персонам, как Нессельроде...

По в отличие от Николая I Николай II унаследовал и сильную, восстановившуюся в период «ДвуАлександрия» державу, и людей вроде Драгомирова, Менделеева, Чихачева, Победоносцева и Витте.

Далее речь о том хаосе событий, исторических фигур, их действий, *их нынешних оценок*, называемом у нас «эпохой Николая II».

Существуют работы энциклопедического характера: «Царствование императора Николая II» профессора С. С. Ольденбурга, переизданное в 1990-х годах, «Очерки дипломатической истории Русско-японской войны (1895–1907)» Б. А. Романова. Я не претендую даже на кратчайший перечень всех добросовестных изданий, но проблема в том корпусе книг, статей, которые создают упомянутый хаос, размывают в истории России начала XX века сами базовые критерии: успех/неуспех, работа/блажь.

Начальное понимание судьбы и задач России вроде бы наличествовало.

Император Николай II во время своей встречи в Ревеле с кайзером Вильгельмом II сказал, что... *рассматривает укрепление и усиление влияния России в Восточной Азии как главную задачу Своего правления.*

Это, конечно, линия ещё Александра III, отправившего юношу-цесаревича в знаменитую командировку по странам Дальнего Востока. И при начале главного российского дела, строительства Транссиба, Николай присутствовал как ученик. 19 мая 1891 года в Куперовской пади, близ Владивостока, цесаревич Николай торжественно провёз первую тачку земли в насыпь будущего Транссиба. И это огромный плюс ему, как человеку и как политику: не стал изобретать что-то «своё». Уж советнички, «теневые», «альтернативные» в этом случае нашлись бы мигом. Они и нашлись, позже, но вначале Николай целиком принял программу своего великого отца.

В октябре 1901 года государь говорил принцу Генриху Прусскому: «*Я не хочу брать себе Корею, но никоим образом не могу допустить, чтобы японцы там прочно обосновались. Это было бы casus belli. Столкновение неизбежно; но надеюсь, что оно произойдёт не ранее, чем через четыре года — тогда у нас будет преобладание на море. Это — наш основной интерес. Сибирская железная дорога будет закончена через 5–6 лет*».

Вот оно — главное Уравнение, определившее судьбу Российской империи.

Отложите на хронологическом луче (оси времени) от точки «Октябрь 1901» две даты:

Октябрь-1905 (начало Японской войны по расчётам государя),

Октябрь-1906 (готовность Транссиба, *в лучшем* случае, через 5 лет).

Это были примерные расчёты. Вышло же так: война началась — январь-1904. Транссиб был готов — июль-1903.

То есть дорогу Витте построил на 32 месяца раньше.

Но и войну Безобразов и Плеве и Николай спровоцировали на 21 месяц раньше. Раньше даты, к которой государь планировал в том числе достичь *преобладание на море*.

Но кто же такой — этот «всадник на коне бледном»?

Безобразов Александр Михайлович (1855 1931), государственный деятель, статс-секретарь (1903). Окончил кавалерийское училище, служил в лейб-гвардейском Гусарском полку. В 1890-х годах служил в Иркутском отделении Главного управления государственного коннозаводства. Вернувшись в Петербург, в 1896-м составил записку, в которой указывал на неизбежность войны с Японией и предлагал под видом коммерческих предприятий провести мирное завоевание Кореи. Проект, несмотря на противодействие С. Ю. Витте, получил поддержку императора Николая II и привлёк необходимые частные средства. Добился учреждения на Дальнем Востоке наместничества, а в Петербурге — Особого комитета по делам Дальнего Востока, в который был назначен членом. Поражение в Русско-японской войне 1904–1905 привело к его отставке, хотя он и продолжал пользоваться доверием Николая II. После Октябрьского переворота находился в эмиграции.

Подобно истории с калеными бриллиантами, в которую позже замешалась королева Мария-Антуанетта, что стало одним из спусковых крючков Французской революции, клубок безобразовского сюжета прикатился к нам тоже издалека.

Владивостокский купец Юлий Бринер получил у Корейского правительства лесную концессию — право вырубки лесов в верховьях реки Туманган, в бассейне реки Ялу, сроком на 20 лет. Результаты были довольно скверные, но ему удалось (наверняка не без умелого приукрашательства) перепродать всё дело очень интересной компании отставных и не совсем отставных военных. В их «Русском лесопромышленном товариществе», записанном на имя бывшего представителя России в Сеуле Н. Матюнина, распорядителем стал подполковник Генерального штаба Мадритов, привлёкший для охраны концессионных участков вождя хунхузов Линчи (Джанджин-юани).

Вклад отставного ротмистра Безобразова заключался в обещанном *выходе на царя* через влиятельного знакомого...

И Безобразов отработал свою долю, изобразив в Петербурге из кучки дилетантов компанию «типа английской Ост-Индийской», которая будет контролировать не только экономику, но и политику Кореи.

Министр иностранных дел Муравьёв этих «концессионеров» раскусил, прогнал, но министр царского двора И. Воронцов-Дашков втайне от министра финансов Витте 26 февраля 1898 года передал Николаю II докладную записку: *«Восточно-Азиатская компания создаётся не для обогащения отдельных лиц. Но для самого насаждения русских идей. В руках компании должно сосредоточиться всё влияние на общий ход дел в Корее...»* — и так далее. Знакомые с «Проектами...» наших лихих 1990-х годов (тоже передаваемых на «высочайшее рассмотрение» через охранников, теннисных тренеров), со всеми этими «Обществами», где *«вклад такого-то» состоит в «выходе на такого-то»*, могут легко представить и ту безобразовскую «контору». Деньги на владивостокский «офис» давал контр-адмирал А. М. Абаза, кузен Безобразова, тоже взятый «в дело». Этот имел хоть какое-то отношение к «бизнесу», беря взятки за заказы на постройку судов, играя на курсе рубля (заранее зная планы министерства финансов).

Мало? «Бывший посланник» Матюнин привлёк ещё старого однокашника Вонлярлярского, ранее проворовавшегося на чукотской концессии...

Но главным импульсом всей афёры была скука Николая II. Завещанный ему отцом министр Витте претворяет в жизнь винную монополию, вырванными у шинкарей, кабатчиков деньгами (24% бюджета) проводит финансовую реформу, строит Транссиб, договаривается с китайцами, строит КВЖД, определяет всю дальневосточную политику, *«важнейшую» в его царствование*. Матушка, вдовствующая императрица, не щадя сыночкина самолюбия, всё время ставит в пример Александра III и велит слушаться любимого отцового министра — Витте... В общем, скука. И следствие — готовность клюнуть на любую «записку» от альтернативных товарищей.

Царь соглашается с создателями новой кампании *«...типа британской "Ост-Индской"»*, вносит 200 000 фунтов личной валюты, выделяет своего советника Непорожнего, на которого можно переоформить концессию, предлагает поставить во главе «фирмы» великого князя Александра Михайловича. (Познакомившись ближе с делами «фирмы», тот сбегает, но Безобразов продолжает использовать его имя.)

На великие дела Безобразов требует из казны ещё 2 миллиона рублей, и здесь встречает жёсткое сопротивление Витте по двум мотивам. Как финансист, тот, конечно, видит дыру в этой кампании дилетантов, казнокрадов, отставников. Но как человек, держащий в руках политические нити Дальнего Востока, он говорит царю прежде всего об опасности открытого участия казны, то есть Русской империи в корейских делах. Витте, получая у китайцев согласие на КВЖД, знал точно предел терпения японцев и выбрал его до дна. Его железная дорога, ось, связывающая Россию с Дальним Востоком, строится, японцы это терпят, а вот неуклюжее вступление ещё и в Корею сломает равновесие.

Министр иностранных дел Ламздорф поддерживает Витте. Безобразов разогревает кампанию в прессе, открыто заявляя, что ему мешает *презренный Витте»* и *«жидовский кагал»* — так он почему-то именует Витте с Ламздорфом.

Биографии Витте, потомка голландских переселенцев XVII века, мы ещё коснёмся. Сергей Юльевич выиграл жесточайшую таможенную войну у Германии, заслужив от Бисмарка следующую оценку: *«В последние десятилетия я в первый раз встретил человека, который имеет силу характера и волю и знание, чего он хочет».*

Ламздорф — тоже, скорее всего, остзейский немчура. А может, в той безобразовской ругани так причудливо сказалась давняя безобразовская обида на купца Юлия Бринера, «круто поднявшегося» на дальневосточном свинце и цинке и лихо «впарившего» безобразовцам завалящий лесной проект? Я не собираюсь обыгрывать «фамильный аспект», тем более что есть же известный род Чернышовых—Безобразовых, давший России достойнейших людей, но в высшей степени характерно для той компании — работать с Бринером и... Вонлярлярским (наградил же господь!), и критиковать своих оппонентов за то, что они — Витте и Ламздорф.

Но главное не в этом, а во всей механике того «бизнеса». Сравните, например, как какой-нибудь Рокфеллер, Манесманн, Круп обращаются к главе своего государства: *«У меня там-то и там огромный бизнес, я плачу налоги — столько-то миллионов, рабочих мест держу столько-то тысяч. И теперь мне нужна решительная поддержка государства!»* Или Безобразов с Вонлярлярским — к царю: *«Устрой ради нас войну с японцами! И...* (через паузу) *дай миллиончик»...*

Получили просимое и те и другие.

В январе 1903 года по личному и уже весьма строгому указанию царя Витте открывает Безобразову кредит в 2 миллиона рублей. В местах вырубки лесов в целях «охраны» начали обосновываться русские военные. И действительно, отставной ротмистр, назначенный, в пику Витте, статс-секретарём (случай уникальный), шум поднял изрядный, будто в Корею вошла целая армия. Вырубили какую-то священную рощу. «Прорусская группировка» в корейском правительстве отстраняется от власти. «Корейская экспансия» вызвала протесты, кроме корейского правительства, ещё и Японии и Англии.

Это пока факты. Виновниками войны большинство историков признают «безобразовскую шайку» и вошедшего в неё министра внутренних дел Плеве, сторонника «маленькой победоносной войны» как средства против революции.

И вот одно моё предположение. Результатов проверок работы безобразовской лесной фирмы я, конечно, не видел. (Подозреваю, что их не было вовсе, как у Вонлярлярского с чукотской концессией.) Но более всего я подозреваю, что и само появление военных на территории его корейского «леспромхоза» было связано с желанием утопить любую мысль о возможности проверки его работы с финансовой стороны. Он ведь и с самого начала декларировал двойной характер фирмы, что территории его лесной концессии станут *заслоном против японцев*!

Припоминаете теперь «увеличительное стёклышко» Толстого, сквозь которое он разглядел «двойную задачу Растопчина»: 1) спокойствие в Москве; 2) эвакуация... Точно так же и теперь.

— Где результаты государственных финансовых вложений?

— Да, *Дело*-то наше — полувоенное!

— А почему японцы прошли в 1904 году, даже не заметив ваших «заслонов против них»?

— Так мы всё ж лесозаготовщики! Они вон и настоящую-то армию Куропаткина разбили.

Хорош и *их* министр Плеве! Достойная вообще-то карьера, мученическая смерть от руки террористов и одно пятно: поддержка «шайки Безобразова»! Наверное, исходным мотивом у Плеве была всё же неприязнь к Витте, но... Вот и маленькая промежуточная «мораль» для государственных деятелей: строя свою карьеру, остерегайтесь союзов с подонками, с «безобразовцами»! Я, конечно, в своей дальневосточной книге не мог привести все доказательства, развёрнутые цитаты, но имеющие интерес и возможности могут собрать их. Термин «безобразовская шайка», кстати, не мой, он в ходу с начала XX века.

А чтобы представить нарастающий хаос николаевского правительства, на фоне которого приходилось работать Витте, можно заново, свежим взглядом рассмотреть и известную идею Плеве о необходимости *маленькой победоносной войны во избежание революции*, известную многим ещё со школы. Посмотрите сквозь это же «увеличительное бюрократическое стёклышко» попристальней. Вдумайтесь. Министр *внутренних дел* говорит о *войне*, о деле *военного министра*. То есть свою, «внутренних дел» проблему перекладывает, переводит во внешнюю, военную. А что вышла НЕ «*маленькая*» и очень *НЕ «победоносная*», это, извините, уже вопрос к армейцам. И это, повторюсь, Плеве — не самый плохой из министров.

Но вернёмся к главным «червям». Фамилия Безобразов звучит, конечно, куда более по-русски, чем Витте, да и отчества... только сравнить: Михайлович и Юльевич! И хотя можно вспоминать и о безобразовском: Бринере — так уж совпало! — *Юлии*, и о безобразовском компаньоне — воришке Вонлярлярском, разница всё же в другом:

виттевские Транссиб и КВЖД работали, а его «корейские лесные заслоны» растворились... как царские денежки.

Повторю последний абзац биографической справки о Безобразове:

«Поражение в Русско-японской войне 1904–1905 привело к его отставке, хотя он и продолжал пользоваться доверием Николая II. После Октябрьского переворота находился в эмиграции».

Но *поражение в Русско-японской войне 1904–1905*, как мы помним, кроме *отставки*, уже отставного ротмистра, царского статс-секретаря, уполномоченного и бизнесмена вызвало ведь ещё и некоторые события, вроде Первой революции, падения самодержавия и т. д.

Спровоцированную им Русско-японскую войну Безобразов застал в... Швейцарии. Одна, одна только месть... про которую я очень хотел бы знать, что она свершилась. Чтобы Безобразов, умирая в своем 1931 году, в своей уже... Бельгии, случайно вдруг бы *понял*, что это *он*, *ОН (!)* развалил Российскую империю!

Но, увы, скорее всего, общая тупость отставного ротмистра, обеспечившая ему контакт и взаимопонимание с Николаем II, спасла его и от этого наказания.

Факты. Хронология

В море событий тех лет есть неотменимые, неудалимые факты.

1 июля 1903 года было открыто движение по Транссибу. «Узким местом» был участок вокруг Байкала. Пока «Кругобайкалка» строилась, составы перевозились через Байкал на специальных паромах — до 3–4 пар поездов в сутки, а зимой рельсы укладывали прямо на байкальский лёд. Пропускная способность других участков была в 2–3 раза выше.

Близ Читы дорога раздваивалась: будущий Приамурский участок шёл до Владивостока по местности зачастую горной, гигантской дугой огибая Маньчжурию, и кроме того, требовал постройки крупнейшего в России моста через Амур у Хабаровска. Закончили его только в 1915 году. Другая ветка, КВЖД, 1389 вёрст, шла через Маньчжурию до Владивостока прямой хордой, и кроме того, что была на 514 вёрст короче, проходила в основном по степям и была готова уже в 1901 году. Единственной здесь горной системой был Большой Хинган, потребовавший пробития 9 тоннелей.

Теперь отметьте на середине этой «хорды» город Харбин, столицу Желтороссии (ирония тогдашних газет), от него восстановите перпендикуляр на юг: Харбин — Дальний — Порт-Артур, 957 вёрст — это называлось Южной КВЖД. Под предлогом проверки пропускной способности Транссиба сразу же началась переброска российских войск на Дальний Восток. Переброска одного армейского корпуса (около 30 000 человек) занимала приблизительно 1 месяц.

Уверен, что понимающие люди России только тогда, после **1 июля 1903 года**, и смогли перевести дух. До этого все разговоры, салюты Вильгельма II *«адмиралу восточных морей (Николаю)»*, всё держалось на честном слове. Напади Япония тогда — и Владивосток, и Порт-Артур оказались бы на положении Севастополя полувековой давности (Крымской войны). Десятимесячный, а может, и годовой «марш-бросок» подкреплений с «боеприпасами» — с теми, что в ранцах да карманах, опоздал бы.

Витте опять угадал и успел. (Прошлым его внешнеполитическим успехом была победа в тарифной войне с Германией, на некоторое время даже остановившая торговлю двух стран, но не переросшая в войну настоящую.) Из хроники тех лет (бесчисленное количество нот, меморандумов, переговоров) я считаю самым недооценённым следующее событие в его хронологической увязке.

12 августа 1903 японское правительство представило российскому Проект двустороннего договора, признававший «преобладание интересов Японии в Корее и специальные интересы России в железнодорожных предприятиях в Маньчжурии».

Это — смягчение через месяц после пуска Транссиба грозной до этого позиции Японии. Японцы поняли, что Россия из «класса беспозвоночных» (мне всё же нравится это сравнение Транссиба с позвоночником) перешла в следующий класс. Причём учтите, «Проект договора» с теми условиями — это было начальное, первое слово японцев (КВЖД они уже «проглотили», согласились с её существованием и русско-китайским статусом), и, естественно были заложены какие-то уступки, «люфты» на предполагаемые переговоры.

Под уклон

30 июля 1903 было образовано наместничество Дальнего Востока, объединившее Приамурское генерал-губернаторство и Квантунскую область. Целью образования наместничества было объединение всех органов русской власти на Дальнем Востоке для противодействия ожидавшемуся японскому нападению. Наместником был назначен адмирал Е. И. Алексеев, которому были поставлены в подчинение войска, флот и администрация (включая полосу Китайской Восточной дороги).

Ранее писалось как о стопроцентном факте: Алексеев — внебрачный сын Александра II. Сейчас об этом пишут как о «версии», правда, без этой версии трудно ещё как-то связать в единое целое *такую* карьеру. Бездарность, вопиющая даже для уровня николаевских любимцев. Если Безобразов раскачал войну, то Алексеев практически выдал наш флот на расправу японцам.

О самом флоте — предельно кратко. Россия направляла огромные средства на его строительство, русские инженеры, изобретатели, разработали много полезных новшеств для флота. Общая идея, высказанная на Особом совещании 1897 года, — ограничиться на Балтике оборонительным флотом и все усилия направить на Тихоокеанский театр, — тоже была абсолютно правильная. Это решение собственно и было военно-морской реализацией, завещанной Александром III ориентации на Дальний Восток (Транссиб, отправка цесаревича Николая в путешествие на Дальний).

Но общее руководство военно-морским строительством и подорвало то правильное решение, и обесценило те выделенные ресурсы. «Главным начальником флота и Морского ведомства», генерал-адмиралом был великий князь Алексей Александрович (кличка *семь пудов августейшего мяса*)...

У меня есть одна версия, почему в известном ряду современных популярных моделей для склеивания военных кораблей, где есть и линкор «Бисмарк», и крейсер «Аврора», и броненосец «Потёмкин», и много ещё чего, нет крейсера «Варяга». И почему её даже и не надо бы делать. Ведь даже *у ребёнка*, собравшего и оглядевшего эту *модель*, могут возникнуть *вопросы*, на которые будет очень трудно ответить. Например: *«Отчего у всех кораблей орудия в башнях, а у «Варяга» — голые, даже без щитов?»*

Я когда-то читал немало статей о *«лучшем в мире крейсере»*. Р. М. Мельников, автор самой подробной истории, в предисловии ко второму, 1983 года, изданию своей книги «Крейсер "Варяг"», упоминает и о наших приукрашателях истории, *приросовывающих "Варягу" бронированные башни»*.

Идея была такая в Петербурге — сделать супербыстрый крейсер. Заказ разместили в Филадельфии (США). Наши трудяги и патриоты, занимавшиеся «госприёмкой», вроде знаменитого впоследствии адмирала Э. Н. Щенсовича, сбивались с ног, требуя от судостроителя Крампа качества и получая в ответ халтуру. Наблюдение за строительством корабля — процесс долгий, один раз им удалось даже оштрафовать Крампа, но тот находит у великого князя «слабое звено», точнее — коррумпированное звено, генерала Вильямса. Щенсович утверждал, что этот деляга и не был генералом... но *«выход на великого князя Алексея Александровича»* Вильямс всё же имел, и тот в итоге выдал предписание: *«...дать возможное удовлетворение ходатайству фирмы (Крампа), учитывая... тщательную вообще постройку».* Короче — заплатить. Конечно, игрушка — клееная модель крейсера не выдаст бракованную начинку (котлы Никлосса), из-за которой «Варяг» большую часть службы провёл в ремонтах, и, прибыв в Порт-Артур, *ни на одних испытаниях не выдал своей «паспортной» скорости* — 23 узла. Ради которой и «забыли» о броне. Только 16 узлов и на самое короткое время 20. А бронированный крейсер «Буэнос-Айрес» выдавал более 23 узлов! Об интересной роли аргентинцев в той Русско-японской войне ещё упомянем.

Общий стратегический просчёт был в том, что наделали крейсеров-разведчиков, одиночных охотников, не годных для эскадренного боя. В отличие от японских бронированных крейсеров. Правда, пару раз удача выпадала и нашим охотникам, нападавшим на транспорты противника. Пикуль в изумительном романе «Крейсера» доводит почти до уровня поэзии те удачные морские охоты крейсеров владивостокского отряда. Но то всё же были лишь вспомогательные действия, малые эпизоды...

Но к чему все эти азбучные для специалистов противопоставления линейного боя эскадр и одиночного рейдерства? Чтобы вы оценили весь трагизм и парадоксальность того, что случилось далее.

Вообще, история филадельфийского строительства «Варяга», попыток нашего контроля, протестов, замен, досылаемых с оказией трубок, паропроводов водомерных стёкол, испытаний в Порт-Артуре, показавших просто ужасные мореходные качества — это целые тома скандальной переписки. Но... за два года до Русско-японской войны мелькнула довольно уникальная возможность купить целых два флота! Аргентина и Чили удачно разрешили конфликт, своей войны избежали и по договору сокращали ВМС. Их *броненосные* крейсеры, годные не только для вольной охоты, но и для эскадренного боя (все английской, американской, итальянской постройки) были в идеальной готовности. Наши и японцы выслали секретные миссии, выстроили тайные схемы с подставными фирмами. Японцам удалось, и закупленные ими корабли сыграли существенную роль при Порт-Артуре и Цусиме.

В аналогичной нашей «секретной» аргентинской миссии разгорелся вполне несекретный (если уж дошло до разгромных статей в «Санкт-Петербургских ведомостях»!) скандал. Начальник штаба Черноморского флота М. А. Данилевский, которому надлежало привезти в Аргентину и Чили команды и принять крейсера, назвал наших закупщиков жуликами, авантюристами. Главой их, точнее уж — главарём и был... контр-адмирал А. М. Абаза, кузен Безобразова. Из той самой компании, лихо «развёдшей» государя в том числе и на личные монаршие деньги. И фактически спровоцировавших Японию.

С точки зрения литературы «безобразовцы», конечно, очень украсили историю Русско-японской войны: ведь в хорошем детективе герои не приходят из ниоткуда и не исчезают в никуда. И встреча героя владивостокской лесной концессии в Аргентине, запутавшегося во взятках и «откатах» и проигравшего японцам ещё и «крейсерско-закупочную» миссию, придаёт всему сюжету некое совершенство.

Обратный отсчёт

В самый канун войны Алексеев болтает в кругу подчинённых (флоты ещё не погублены), раздвигая рюмки на военных картах... (признаюсь, сей образ: рюмки, двигаемые на картах царского наместника, мной дорисован), зато уж слова Алексеева строго задокументированы: *«Отправимся всем флотом в Сасебо* (главная военно-морская база Японии. — *И. Ш.*). *И устроим японцам второй Синоп!»* — Сказано это им на совещании в декабре 1903 года, а зафиксировано в *«Работе исторической комиссии по описанию действий флота в войну 1904–1905 гг. при Морском генеральном штабе» (книга 1. СПб. 1912).*

Была ли у японцев «Пёрл-харборская внезапность»? Судите сами. 22 января 1904 года они отзывают своего посланника из Петербурга. А 24 января вручают нашему министру иностранных дел «Ноту о разрыве дипломатических отношений» и выводят флот из базы Сасебо. Идти ему до Чемульпо и Порт-Артура 3,5 и 4 суток соответственно. Царский наместник на Дальнем Востоке Алексеев по телеграфу предупреждён сразу же. *25 (!!!) января* он переадресует полученные предупреждения во Владивосток, Гонконг, Сингапур (предупреждает стоящие там наши одиночные корабли). НО — по сей день загадка истории! — при этом он НЕ передаёт этого предупреждения порт-артурской эскадре и «Варягу», стоящему к Японии ближе всех, в корейском Чемульпо.

Главный на порт-артурской эскадре вице-адмирал О. В. Старк, опасавшийся, что японцы могут внезапно закупорить единственный выход из гавани, предложил наместнику спустить на броненосцах противоминные сети, тот ответил: «Мы никогда не были так далеки от войны, как сегодня», а на рапорте Старка начертал зелёным карандашом: *Несвоевременно и неполитично!»*

Старка немало упрекали за отсутствие самостоятельности, но надо всё же точно взвесить и ту висевшую гирю, царского наместника, плюс к тому же царского бастарда (внебрачного сына, или по буквальному переводу с деликатного французского: «ублюдка»). Корабли стояли на внешнем рейде. Адмирал Макаров телеграфирует из Петербурга с дороги (он назначен и «летит» в Порт-Артур), умоляет увести флот на внутренний рейд или хотя бы выставить охранение. Презрительное молчание Алексеева.

Первую мину по русским кораблям, стоявшим на внешнем рейде Артура, японцы выпустили: *26 января в 23 часа 35 минут.* Наши лёгкие крейсеры, просто созданные для *дозорной* службы (и, к сожалению, только для неё), оказались накрыты японцами в гаванях. Ярко иллюминированные «Ретвизан» с однотипным ему броненосцем «Цесаревичем» и бронепалубным крейсером «Паллада» были расстреляны японскими миноносцами из темноты в упор и выбыли из строя. Телеграмма Алексеева об этом застала царя в опере.

А если сложить всю их переписку — картина получится немного абсурдная. За 3 дня до нападения в Порт-Артур идёт предупреждение. Ответ наместника: *«Флот пребывает в полной боевой готовности и смело отразит всякое покушение со стороны дерзкого врага».*

Но переадресации предупреждения на *«флот, пребывающий в полной...»* нет. Зато есть следующая, батюшке-царю, *«о коварном нападении»* и потерях.

А ещё в 1903 году проходила штабная игра с «внезапным нападением японцев» и нашим крейсером, оставленным именно в Чемульпо. В штабной игре наши дозорные эсминцы успевали оповестить и вывести из ловушки безымянный тогда крейсер.

Но ведь и Алексеев «проявлял бдительность». Зафиксированы и подшиты его по меньшей мере трёхкратные предложения царю: *объявить по Сибири и Дальнему Востоку мобилизацию*. Да и это его грозное: *«Устроим японцим второй Синоп!»*, рыкнутое на Военном совете, тоже можно зачесть по части «боевой подготовки».

И как всё это совместить? А вы вспомните про то *«увеличительное стёклышко»* и двойные поручения, выхлопотанные Растопчиным. И тут тоже было: 1) держать боеготовность; 2) не провоцировать японцев.

По пункту 1) можно выдать пару грозных проектов: *«устроить японцам второй Синоп»*, предложение царю ввести мобилизацию. Дождаться в ответ от государя дополнительного напоминания про пункт 2) и спокойно ложиться спать...

После одного из самых унизительных поражений в русской истории царь Николай отпустил незаконнорождённого дядюшку Алексеева с «Георгием» 4-й степени. А у главного «цусимостроителя» — *«Главного начальника флота и Морского ведомства»*, генерал-адмирала великого князя Алексея Александровича (кличка *«семь пудов августейшего мяса»*) — единственной неприятностью оказалась обструкция, устроенная в Петербурге его любовнице. В фойе театра ей кричали: *«Бриллианты на тебе — это наши броненосцы!»* Век свой великий князь доживал в Париже.

И ещё: по уходу Алексея Александровича на русском флоте ликвидировали и саму должность **генерал-адмирала**, державшуюся со времени Петра I. Тут видится и некоторое совпадение с судьбой его племянника, императора Ники: тоже ведь ликвидация *«...и должности»*.

Отставной ротмистр Безобразов, сделанный в пику Витте и Ламздорфу статс-секретарём, войну встретил уже в Швейцарии, находился там по крайней мере до сентября 1904 года. После войны был отставлен ещё раз, но... *«продолжал пользоваться доверием Николая II».*

О контр-адмирале Абазе ещё известно, что государь после войны выдавал ему деньги на ликвидацию их «Восточно-Азиатской компании» (тоже, кстати, затратная операция: долги, обязательства, иски...). Но компания юридически правильно ликвидирована так и не была...

На Комиссии 1906 года, созданной для выяснения причастности корейской деятельности «Восточно-Азиатской компании» к возникновению Русско-японской войны, отвечал Абаза. Он говорил, что товарищество было *«юридической фикцией, созданной для маскировки государственного дела под личиной частного предприятия»*, на часть вопросов он отказался отвечать, ссылаясь на то, что они затрагивают *«интересы третьих лиц»*. То есть безобразовцы, говоря нынешними *«чисто конкретными»* терминами, не только *развели*, но и *замазали* царя. Наказания не понёс никто.

Проигрыш войны, революция — ещё не все последствия этого помутнения государственного разума, отдающегося десятилетиями. Даже видный теоретик военного дела генерал Свечин (автор «Эволюции военного искусства») в одной из работ упоминает безобразовскую концессию как всё же военный элемент, «дополнительный заслон», дополнительную линию связи Владивостока с Порт-Артуром. То есть, подобно поручику Киже, фикция, коррупционная дыра, *«схема распила»* (как выражаются в сегодняшних газетах), не сыгравшая никакой роли, кроме провоцирования японцев, попадает в один ряд с фортами и батареями Порт-Артура.

И всё же нельзя мне уклониться и от итогового, «закольцовывающего» мысленного эксперимента. Вообразить контр-адмирала Абазу, или генерал-адмирала Алексея Александровича, или даже Безобразова — не *в Арген-тине, Париже и Швейцарии* соответственно, а на мостике «Варяга», в наступивший его *«последний парад»*...

И вся русская эмоциональная история, да даже и сухая статистика подсказывают, что, скорее всего, они оказались бы героями в ряду других героев. Да, так уж у нас: то — *«хватай Фомка, на то и ярмарка!»*, то — *«...пить будем, гулять будем, а смерть придёт — помирать будем!»*.

Нашим людям «направление» надо задать.

«...последний парад наступает»

Так что «Варяг» был не *«самым лучшим»*, а самым храбрым крейсером в мире. Р. М. Мельников в книге «Крейсер “Варяг”» фиксирует более чем 50-кратное превосходство по орудиям японской эскадры: 8 эсминцев, 2 броненосных и 3 бронепалубных крейсера. Подобного боя в мировой истории больше не было.

«Мы салютовали героям, так гордо шедшим на верную смерть» — донесение капитана французского крейсера. На кораблях всех изумлённых нейтралов строились команды и при прохождении «Варяга» играли русский гимн...

Не рассчитывая на счастливый конец боя, на крейсере сожгли все шифры, секретные приказы и карты. Вахтенный журнал решили хранить до последнего момента.

В упоминавшемся уже предисловии (1983 год издания — не «чернушные» ещё времена!) Мельников разоблачает и историков, пишущих про *умелые манёвры “Варяга”*. На выходе из «бутылочного горлышка» Чемульпо у «Варяга» не было никакого варианта, кроме как стать под огонь японской эскадры. А комендорам на голой палубе — только падать под градом осколков, но всё же вести огонь. Сегодняшние истории — я просматривал — ничего не говорят о японских потерях. Мельников и совстские историки свидетельствуют: был потоплен японский эсминец, но... потоплен огнём старой канонерской лодки «Кореец»! Её 203-мм орудия были мощнее варяговских 152-миллиметровых. Плюс ещё новинки: оптических прицелов на «Варяге» и крейсерах того периода не было, прицеливание шло по указаниям дальномерных станций, обе из которых были уничтожены в начале боя. В книге Мельникова кроме подробных схем, диаграмм, чертежей крейсера, есть и краткий честный комментарий: *«Изображённые на известной картине П. Мальцева "Крейсер "Варяг"" оптические трубы прицелов — результат заблуждения художника».*

Германский военный историк граф Ревентлов о «Варяге» и сражении писал: *«Самые гибельные последствия — от полнейшей незащищённости артиллерии и личного состава».*

Наш участник боя констатировал: *«Особенно горько было смотреть на поломанные зубчатые секторы подъёмных механизмов 152-мм орудий».* Как следует из описания, они ломались и от осколков на голой палубе, но ещё и сами по себе из-за петербургских конструкционных ошибок.

Выдерживали только люди. Старший комендор Кузьма Хватков накануне боя ушёл из лазарета. Вольнонаёмные — музыканты Эрнест Цейх и Владимир Антонов, буфетчик Фёдор Плахотин, кок Аким Криштофенко — не пожелали остаться на берегу. В бою они стали санитарами. На горящем деревянном настиле палубы раненые комендоры отказывались уходить на перевязку...

В высшей степени справедливо: из всех возможных родов искусств лучшим памятником «Варягу» стала Песня! Идеальный образ, соответствующий их чистому, «беспримесному» героизму.

А фактура картины, например, скульптуры или — с чего начинался этот сюжет — клееные модели, возможно, и отвлекут мысли в сторону всего вышеописанного... «безобразия». Но задумаемся: если придание в картинах и историях крейсеру «приличного вида», та самая пририсовка бронебашен — результат заботливых указаний новых поколений «воспитателей и организаторов», то это их деяние будет сродни деяниям тех, кто лишил их «Варяга» взаправду.

Все издержки Петровских реформ (см. навязшие споры «западников» и «славянофилов») — это, по сути, была плата за «Европейскую армию».

Потому-то перед Русско-японской войной 1904—1905 годов главком Куропаткин и считал, что в Маньчжурии надо будет выставить примерно 100 русских солдат на 150 японцев (1 : 1,5). С ним спорил Ванновский, утверждавший, что для победы совершенно достаточно и пропорции 1 : 2. (Ванновский — это как раз один из героев той газетно-мемуарной войны, которым граф Витте помешал взять Токио.)

Потому-то в итог сражение при Ляояне (170 тыс. русских проиграли 130 тыс. японцам), сражение на реке Шахе (приблизительно ничейный исход, русских 270 тыс., японцев 170 тыс.!) и, наконец, крупнейшее сражение при Мукдене (350 тыс. русских проиграли 300 тысячам японцев) осознавались нами и всем миром как удар по положению, **которое Россия занимала 200 лет**, как потерю преимущества против, как писал наш посол Спафарий, «асиадцкихъ народовъ».

Интересно задуматься над таким «совпадением». Николай II, как известно, очень любил эпоху Алексея Михайловича, сам с царицей наряжался, заставлял и своих министров одевать костюмы эпохи первых Романовых. Уверен: имя, данное цесаревичу, из того же исторического ряда. Наверное, искренне мечтал быть «Тишайшим»... И, получается, он и армию в Русско-японской войне вернул в допетровскую эпоху! То есть обессмыслил в том числе и все петровские, и последующие жертвы.

Осознание (у большинства, возможно, интуитивное) этого факта и было самой глубинной причиной последовавшей Первой русской революции, списание которой только на недовольство рабочих своей пайкой, на всесилие еврейско-банкирских масонских заговорщиков — тоже унижение нации, уже «с другого бока».

И лишь Халхин-Гол вернул России — впервые после Мукдена! — её «европейское положение», когда Георгий Жуков с 57 000 атаковал и разгромил японца Рюхэя Огису с 76 000 солдат. (Я подсчитал на калькуляторе, получается соотношение сил сторон 1 : 1,33.)

Глава 25

Песня о мире (Портсмутском)

Окончание Русско-японской войны в чём-то похоже на её начало — та же «безобразовщина на марше». Есть простая цепочка фактов

Выписка из журнала военного совещания под личным председательством его императорского величества 24 мая 1905 года в Царском Селе:

«**Государь император** открыл заседание и сообщил членам совещания, что им сделан был запрос главнокомандующему о том, как отразилась на настроении армии потеря нашего флота (Цусима. — *И. Ш.*) и какие изменения она должна вызвать в дальнейших действиях армии. От главнокомандующего получены по сему поводу две телеграммы, которые и разосланы членам совещания накануне. Его величество предложил на обсуждение следующие четыре вопроса:

1. Возможно ли удовлетворить, при нынешнем внутреннем положении России, тем требованиям, которые ставит главнокомандующий для успеха действий нашей армии против японцев?

2. Имеемые боевые средства дают ли возможность воспрепятствовать японцам занять в ближайшем будущем Сахалин, устье Амура и Камчатку?

3. Какой результат может дать при заключении мира успех нашей армии в Северной Маньчжурии, если Сахалин, устье Амура и Камчатка будут заняты японцами?

4. Следует ли немедленно сделать попытку к заключению мира?

...Великий князь Владимир Александрович (главнокомандующий Петербургским военным округом и войсками гвардии): "...Нельзя быть уверенным в безусловном успехе с нашей стороны. Если же нам суждено вынести ещё удар, то условия мира могут тогда оказаться настолько тяжёлыми, что ни один русский не захочет их принять... Владивосток обеспечен продовольствием на 15 месяцев; по всей вероятности, он может продержаться долгое время, как наместник говорил, около 3 месяцев... Мы не знаем, какие условия могут быть нам поставлены для мира; может быть, самые тяжёлые, на которые нельзя будет согласиться. Но Россия сгинуть не может, её стереть с лица земли нельзя; она всегда останется незыблемою; Россия всегда будет Россией, я в это верю, глубоко верю, что она выйдет из этого тяжёлого положения, в котором она находится, — может быть, с новою жертвою, но это нас пугать не должно. Россия всегда останется великой державой".

Военный министр (генерал Сахаров) (цитирует разведанные, полученные через военного агента, о намерениях Токио): "...Вероятно, притязания Японии, само собой разумеется, очень возросли после Мукденского боя. Вот в чём, как можно думать, заключаются эти притязания:

1. Уступка Японии всей русской области на Ляодунском полуострове, причём, однако, сильно побаиваются протеста держав по этому поводу.

2. Водворение китайской администрации во всей остальной Маньчжурии, открываемой для всемирной торговли при условии: а) оставления в некоторых пунктах японского гарнизона, содержимого за счёт Китая, б) отдачи в пользование Японии всех минеральных богатств края и в) предоставления Японии права продолжить в Маньчжурии железную дорогу из Кореи.

3. Уплата денежной контрибуции, равной сумме всех внешних и внутренних займов, заключённых за время войны, что составит к маю сего года около 600–700 миллионов йен.

Весною японцы предпримут, вероятно, экспедицию против Сахалина, так как общественное мнение и депутаты требуют возвращения этого острова Японии... В отношении Владивостока японцы, вероятно, потребуют обращения его в коммерческий порт, со срытием укреплений, с закрытием военного адмиралтейства и с передачею всех военных судов Японии. Надо, однако, полагать, что это требование вряд ли будет предъявлено Японией, если мирные переговоры будут начаты рапсс, чем действия против Владивостока дадут какие-либо осязательные результаты.

Наконец, Япония может согласиться на перемирие, но, вероятно, потребует для этого возвращения в Европу 2-й эскадры и отхода сухопутной армии за Харбин, быть может, даже в Забайкалье...

(Закончив цитирование разведданных, военный министр даёт свою оценку.) Очень многое из изложенного в этом письме из Токио теперь уже потеряло своё значение; тем не менее некоторые соображения, мне кажется, не лишены интереса...”

Генерал Гродеков: “Доставить четыре корпуса мы могли бы к 1 октября, но японцы не будут этого ожидать. Генерал Линевич и армия, как явствует из телеграммы главнокомандующего, в подавленном настроении; после потери флота положение для них тяжёлое. Я согласен с мнением великого князя Владимира Александровича, что, пока армия цела, надо торопиться выяснить условия мира. Не надо забывать, что на Сахалине и в Николаевске продовольствия очень мало, а при предполагаемом усилении местных частей (Сахалина на 6000 и Николаевска на 5000) продовольственный вопрос станет ещё тяжелее.

Сахалин находится в критическом положении, море во власти Японии... Теперь, пока у нас в кулаке есть сила, следует этим воспользоваться и приступить к зондированию мирных условий".

Великий князь Алексей Александрович (генерал-адмирал): "Я не позволю себе входить в соображения касательно сухопутных войск, но должен сказать, что в случае продолжения войны положение Владивостока, устья Амура и Камчатки будет весьма опасное; нет сомнения, что японцы обратят туда всё своё внимание, и положение армии будет тяжёлое, так как она не в состоянии будет помочь. Миноноски нельзя принимать в соображение. Пока нам не нанесён решительный удар, надо зондировать почву относительно условий мира. Южная часть Сахалина с рыбными промыслами могла бы быть уступлена в случае необходимости".

Великий князь Владимир Александрович: "Конечно, условия мира могут быть и слишком тяжелы, неприемлемы; поэтому, не теряя времени, надо сейчас начать прощупывать почву для переговоров".

Генерал-адъютант барон Фредерикс (министр императорского двора): "Немедленное начатие переговоров о мире должно благоприятно отозваться на внутреннем положении страны и безусловно облегчит мобилизацию..."

Генерал-адъютант адмирал Дубасов (член Государственного совета): "Несмотря на тяжёлые поражения на суше и в особенности на море, Россия не побеждена... Что касается Владивостока, то его нетрудно взять с моря, и он более трёх месяцев, вероятно, не продержится; но, несмотря на это, войну следует продолжать, так как мы в конце концов можем и должны возвратить всё взятое противником... Для обеспечения успеха нашей армии нам необходимо начать немедленно укладку второго пути и упорядочить наши водные сообщения. (Важное признание логистической войны. — *И. Ш.*) Я уверен, что после последних поражений условия мира, предложенные Японией, будут чрезвычайно тягостны, и потому, по моему глубокому убеждению, для того, чтобы изменить эти условия в нашу пользу, необходимо продолжать борьбу до полного поражения противника".

Великий князь Владимир Александрович: "Всем сердцем разделяю сокровенные чувства, высказанные адмиралом Дубасовым, но я полагаю, что мы в таком положении, что мы все сбиты с толку; так продолжать жить мы не можем. Мы все будем охотно и с радостью умирать, но нужно, чтобы от этого была польза для России. Мы должны сознаться, что мы зарвались в поспешном движении к Порт-Артуру и на Квантунг; мы поторопились; не зная броду, мы сунулись в воду... теперь мы находимся в таком, если не отчаянном, то затруднительном положении, что нам важнее внутреннее благосостояние, чем победы. Необходимо немедленно сделать попытку к выяснению условий мира. С глубоким убеждением, всем сердцем преданный вашему величеству и России, я повторяю, что надо теперь же приступить к переговорам о мире, и если условия будут неприемлемы, то мы пойдём все в ряды войск умирать за ваше величество и Россию. Из двух бед надо выбирать меньшую. Мы живём в ненормальном состоянии, необходимо вернуть внутренний покой России".

Государь император выразил своё полное согласие с высказанным великим князем мнением.

Генерал Рооп (член Государственного совета, командующий войсками Одесского военного округа): "Я не могу согласиться с тем, чтобы немедленно просить мира. Попытка предложить мирные условия есть уже сознание бессилия. Ответ будет слишком тягостный. Заключение мира было бы великим счастьем для России, он необходим, но нельзя его просить. Надо показать врагам нашу готовность продолжать войну, и, когда японцы увидят это, условия мира будут легче".

Государь император: "До сих пор японцы воевали не на нашей территории. Ни один японец не ступал ещё на русскую землю, и ни одна пядь русской земли врагу ещё не уступлена. Но завтра это может перемениться, так как, при отсутствии флота, Сахалин, Камчатка, Владивосток могут быть взяты, и тогда приступить к переговорам о мире будет гораздо труднее и тяжелее".

Генерал-адъютант Алексеев (наместник на Дальнем Востоке): "...Осведомиться о почве для переговоров о мире и узнать возможные условия — не значит просить мира. Япония понимает, что с Россией надо ей считаться и в будущем, и она сама пойдёт навстречу; Сыпингайские же позиции не обеспечивают нас, а если суждено ещё испытание, если мы их не удержим, тогда что будет?"

Великий князь Владимир Александрович: "Не на посрамление, не на обиду или унижение могу я предлагать идти, а на попытку узнать, на каких условиях мы могли бы говорить о прекращении кровопролитной войны. Если они окажутся неприемлемыми, мы будем продолжать драться, а не продолжать начатую попытку".

Генерал Рооп: "В вопросе о мире и войне необходимо считаться с мнением народа. Война может быть только тогда успешна, когда существует единодушие национальное, как в данном случае теперь у японцев... Если Япония будет знать, что Россия ищет мира, то, конечно, условия её будут для России настолько тягостными, что они окажутся неприемлемыми, и мы потерпим лишь унижение".

Военный министр Сахаров: "При нынешних условиях кончать войну невозможно. При полном нашем поражении, не имея ни одной победы или даже удачного дела, это — позор. Это уронит престиж России и выведет её из состава великих держав надолго. Надо продолжать войну не из-за материальных выгод, а чтобы смыть это пятно, которое останется, если мы не будем иметь ни малейшего успеха, как это было до сего времени".

Генерал-адъютант барон Фредерикс: "...Всею душою разделяю мнение военного министра, что мира теперь заключать нельзя, но узнать, на каких условиях японцы готовы бы теперь прекратить войну, по моему глубокому убеждению, следует".

Великий князь Владимир Александрович: "Я вполне — как и всякий военный, я в этом уверен — понимаю военного министра. Нам нужен успех. Но до сих пор мы всё время ошибались в наших расчётах и надеждах, и в самые критические моменты эти надежды рвались, и мы не имели ни одного успеха".

Генерал-адъютант Гришенберг (бывший командующий 2-й Маньчжурской армией): "Ваше императорское величество, под Сандепу успех был, но нам приказали отступить, а японцы были в критическом положении: они считали сражение проигранным и были крайне удивлены, что мы отступили".

Великий князь Владимир Александрович: "Мы ещё не отдали врагу ни одной пяди русской земли. Мы должны продолжать посылать войска. Переговоры о мире ни к чему нас не обязывают, а для войны оборонительной у нас вполне достаточно сил".

Великий князь Алексей Александрович: "Переговоры о возможности мира должны вестись втайне".

Генерал-адъютант Дубасов: "Каковы бы ни были условия мира, они всё-таки будут слишком тяжелы для престижа России. Это будет поражение, которое отзовётся на будущем России как тяжелая болезнь..."»

Это Царскосельское совещание — факт, хотя и не очень афишируемый в истории. Подробнее с текстом можно ознакомиться в книге *«Русско-японская война*

1904—1905» В. и Л. Шацилло (М., 2004). Или в более доступной книге *«Россия и Япония. Узлы противоречий»* А. Кошкина (серия «Наталья Нарочницкая представляет...» М.: Вече», 2010).

Но это не всё. 24 июня, как раз в день того «ток-шоу» в Царском Селе, японцы высадили десант в южном Сахалине, а 11 июля — в северном (в районе поста Александровского). Действует дивизия Харагути: 14 000 солдат и офицеров. Вскоре у наших не осталось боеприпасов, продовольствия, Сахалинский гарнизон сдался. Потери японцев: 70 человек. Отдельные бои и стычки русских отрядов и партизан продолжались до 16 июля. Представляете весь трагизм: в Царском Селе император и участники совещания несколько раз заклинают друг друга: *«Пока война не на русской территории, в Маньчжурии. Пока ни пяди...»*, и именно в эти часы начинаются бои уже на русском Сахалине. Через три недели — капитуляция.

А. Кошкин *«Россия и Япония. Узлы противоречий», с. 117:*

«Приняв 23 августа американского посла, Николай в конце концов дал согласие учесть предложение Рузвельта и ради установления мира пожертвовать половиной принадлежавшего России острова Сахалин. В направленной 12 августа Витте телеграмме сообщалось: *"...Государь император... готов уступить южную половину Сахалина, но ни в коем случае не согласен на выкуп северной, ибо, по словам его, всякий молодец поймёт, что это — контрибуция"»*

Опасения царя *«всякий молодец поймёт»* очень характерны. Как там Фамусов, в финале воскликнул: *«Ах! боже мой! что станет говорить Княгиня Марья Алексевна!»*

Потому-то я и сравнил тот Царскосельский совет с ток-шоу. Примерно так же принимались и другие решения. Посылка эскадры в Цусиму — и вовсе водевиль с переодеваниями, Ники три раза менял мнения, чуть не на рейде заворачивая и разворачивая адмирала Рожественского, и в итоге все доводы о неготовности и безнадёжности экспедиции были перевешены «общественным мнением». Не обошлось и без символов: Цусима произошла 14 мая в день Ходынки, эскадра погибла, но именно броненосец «Император Николай I» (о роли его тёзки в Крымской войне уже говорилось) был в числе сдавшихся, дослуживал под японским флагом, впоследствии использовался и погиб, как мишень.

Итак, ведущие русские дипломаты, в разное время министры иностранных дел Муравьёв, Извольский и Нелидов отказываются ехать в Портсмут. Но Извольский хотя бы решился донести до государя неприятный факт: «единственно кому можно было бы дать такое трудное поручение — это Витте».

1) Царь понимает унизительность этого лично для себя. Отвергать все требования, предостережения Витте, отставить его, выбрать в поводыри Безобразова, получить войну и проиграть. И теперь просить Витте ликвидировать последствия. Царь зондирует почву через графа Ламздорфа как человека близкого к Сергею Витте: не откажется ли он поехать в Портсмут?

2) Витте согласился. Царь благодарит, ставя нелёгкие условия: «он не может допустить ни хотя бы одной копейки контрибуции, ни уступки ни одной пяди земли».

3) Витте выполняет труднейшую миссию. Контрибуций нет. Земли он, Витте, не уступает, правда, из того, что уже уступили военные, возвращает не всё. За что и получает кличку «граф Полу-Сахалинский».

4) И после всего находятся генералы, специалисты по кулакопоследракомаханию, и утверждают, что могли бы победить... если бы не Витте с его миром.

И даже сегодня эту неблагодарно-неблагородную позицию некоторые упорно озвучивают, считая, что этим они как-то «служат царю». Для иллюстрации можно взять из десятков возможных статью С. Брезкуна «Позор Портсмута и Сахалин–Карафуто». Большое тягомотство — подобные споры. Отставленного Витте не было и близко, когда царь и военные решили закончить войну. Или они бы хотели: *«ни мира, ни войны, а армию распустить»?* Будет, кстати, и это, но позже, через 13 лет, в Брест-Литовске, кажется. Когда их *работа* с империей дошла до логического конца.

Есть описание Портсмутских переговоров в воспоминаниях адмирала Русина, назначенного императором в Портсмут морским делегатом. А ещё: немножко «смотрящим за Витте», немножко, может, и «в противовес Витте» знакомые с истинной «кадровой политикой» Николая смеяться уже не будут. Так или иначе, Русин, тогда всего лишь капитан 2 ранга (подполковник), имел долгую аудиенцию у императора. Он вспоминает:

«Государю... я высказал свой личный взгляд: 1. Армия на мир не рассчитывает. 2. Настроение в армии бодрое. 3. Пополнение, которое следовало из России в Маньчжурию и которое я встречал по пути, ехало на войну с лёгким сердцем, с песнями, весело. Это мне напомнило 1870 год, когда я ехал из Варшавы в Петербург и встречал поезда с немецкими запасными чинами (ландвером), жившими в России и ехавшими в Германию, на войну, с шумным весельем и песнями...

При последней моей фразе Государь улыбнулся и сказал: "Ну, это вряд ли вы особенно хорошо помните". Я возразил, что мне шёл тогда уже девятый год...»

Понимаете весь трагизм истории? Мальчишку ещё и утешают. Не слушался дядю, ходил играть с хулиганами, теперь надо расплачиваться и просить «загладить позор» того же дядю. Командующий и Генштаб — *те, кто ведет войну, просят заключить мир,* но вот сквозь слёзы блеснул лучик надежды, приехал капитан 2 ранга (флота уже нет) и говорит, что слышал на Транссибе бодрые песни... А японцы (поддержанные США, Британией и мировым банкирством) требуют за мир — Дальний Восток... А на Дальнем Востоке в Уссурийском казачьем войске уже 20 лет живёт семейство моего прапрадеда Николая Шумейко, уже лет 20 исполнилось моему праделу Тимофею Шумейко...

Впрочем, направленный Николаем в пригляд за Витте капитан 2 ранга Русин — человек честный и искренний, вот его свидетельства:

«Первым уполномоченным был С. Ю. Виттс, вторым — наш посол в Америке барон Розен, бывший перед тем два года посланником в Японии... Пришёл сам барон Розен узнать о нашей армии в Маньчжурии. Я повторил то, что докладывал на своём представлении Государю. Барон Розен встал, обнял меня и сказал: *Ну, слава богу, хоть вы не в панике и не желаете "мира во что бы то ни стало, какою угодно ценой!"* Сторонником мира во что бы то ни стало был полковник Генерального штаба Самойлов, бывший перед войной нашим военным агентом в Токио. Он состоял вместе с ген. Ермоловым, нашим военным агентом в Лондоне, представителем на конференции военного министерства... С. Ю. Витте склонялся, скорее, по-видимому, ко взглядам полк. Самойлова. В вечер моего приезда в Портсмут он собрал у себя всех членов нашей делегации и просил меня высказаться о нашем военном положении в Маньчжурии... Я сообщил свой взгляд, основываясь на упомянутых **моих трёх пунктах**. ...Когда я кончил, С. Ю. Витте сказал: *Всё это очень интересно, но это только ваше личное мнение, а не мнение Главнокомандующего, на котором мы могли бы базироваться в наших прениях с японцами*.

С. Ю. Витте, заметно для меня, ближе держался к Самойлову, чем ко мне, приглашая его иногда на интимную прогулку с собою, а меня ни разу. Тем не менее... у меня впечатление, что С. Ю. держал себя и вёл всё дело переговоров **удивительно талантливо: вряд ли кто-либо другой мог бы на его месте лучше провести переговоры о мире**. Когда мы прибыли в Америку, то общественное американское мнение и пресса были всецело на стороне японцев, превознося их и защищая их интересы. Поэтому, быть может, боясь потерять своё привилегированное положение, японцы просили, при начале переговоров, не сообщать прессе никаких сведений о ходе переговоров. Изолироваться же совсем от прессы нельзя было, в особенности в такой стране, как Соединённые Штаты».

Спасибо, кавторанг Русин, за честность. Теперь слово и самому творцу великой дипломатической победы Витте:

«Я с самого начала предложил, чтобы все переговоры были доступны прессе... Всё, что я буду говорить, я готов кричать на весь мир, у меня, как уполномоченного русского царя, нет никаких задних мыслей и секретов. Я, конечно, понимал, что японцы на это не согласятся, тем не менее моё предложение и отказ японцев сейчас же сделались известными представителям прессы...

Во время переезда через океан, много передумав, я остановился на следующем поведении: 1) ничем не показывать, что мы желаем мира, вести себя так, чтобы внести впечатление, что если государь согласился на переговоры, то только ввиду общего желания почти всех стран, чтобы война была прекращена; 2) держать себя так, как подобает представителю России, т. е. представителю величайшей империи, у которой приключилась маленькая неприятность; 3) имея в виду громадную роль прессы в Америке, держать себя особливо предупредительно и доступно ко всем её представителям; 4) чтобы привлечь к себе население в Америке, которое крайне демократично, держать себя с ним совершенно просто, без всякого чванства и совершенно демократично; 5) ввиду значительного влияния евреев, в особенности в Нью-Йорке и в американской прессе вообще, не относиться к ним враждебно, что, впрочем, совершенно соответствовало моим взглядам на еврейский вопрос вообще».

Ну вот, таки дошли и до главного пункта. Действительно, столько было критики в адрес императора, Безобразова и ни слова о мировом еврейско-банкирском заговоре. Вот свидетельство русского посла в США Кассини:

«Секретною телеграммой от 17 марта (1905 года) я уведомил императорское министерство об огромном успехе последнего японского займа в 150 миллионов долларов, помещённого... поровну в Англии и Соединённых Штатах. Группа нью-йоркских банкиров с еврейским домом "Кун, Лоеб и Ко" во главе, взявшая на себя выпуск 75 миллионов, не пощадила никаких усилий, чтобы привлечь здешнюю публику к возможно широкому участию в подписке... Результат превзошёл самые смелые ожидания японцев и их друзей, и подписка достигла в одних Соединённых Штатах 500 миллионов долларов, т. с. почти что миллиарда рублей».

А я бы напомнил ещё и банкиров Шиффа и Животовского, и то, что их деньги на Русскую революцию давали даже большую отдачу, чем деньги на японскую армию. Солидарность и мощь американо-еврейских, британо-еврейских банкиров — установленный факт, как и их антирусские взгляды. Но Витте вытеснил из России около 140 еврейских семейств способом, по которому и у самих евреев к нему претензий, в общем, не было. Он забрал у них кабацкие, шинкарские, водочные деньги. Государственный доход от *казённой продажи питий* после виттевской великой реформы — **285 млн рублей (24% бюджета** страны).

А какой-нибудь олух, метнувший камень в часовщика Абрашку или старьёвщика Изю... — «*...да просто потому,* *что... до Ротшильда-то ведь поди достань!»*, и протащенный с его глупой улыбкой по всем газетам (и фактически умноживший ту еврейскую солидарность) он, получается, «реальный борец с Шиффами и Кунами», живой пример и укор Юльевичу Витте...

Безобразов, обиженный ребёнок Николай, Транссиб, Японская война, революция, крах Российской империи — всё это дышит в одном клубке и по сегодняшний день. Как, например, пишет о тогдашних проблемах России, возможных победах в Маньчжурии и Портсмутском мире С. Брезкун (помножьте на 100 и более подобных статей): *«Увы, царь Николай прислушивался не к России, а к советчикам типа Рузвельта и Витте...»*

Автор книги «Николай II», точнее, исторического лубка А. Боханов пишет, что только *твёрдая позиция царя*, пересилив податливость Витте, позволила заключить мир с минимальными потерями.

Полная несовместимость с реальностью версии (*«твёрдость царя»*) авторов Боханова, Мультатули и иже с ними ясно видна даже из простого факта. Царь, уже просивший ехать в Портсмут Нелидова, Извольского, Муравьёва, тех, с кем ему было комфортней говорить, давать указания, пока другие обсуждают реальную портсмутскую кандидатуру... пишет в своём дневнике: *«Только бы не Витте!»* Ну прямо нашкодивший ребёнок, тихо молящий: *«Только бы не розги!»*

По Николаевой логике, идеальной кандидатурой в Портсмут была бы, наверно, фрейлина Вырубова: уж она бы не встала перед Николаем живым укором за его Безобразова, за его адмирала Абазу, за его развязанную Японскую войну, за бастарда-дядю Алексеева, за капитулянта Стесселя, за Куропаткина, потерявшего при Мукдене свой штаб, за адмирала Небогатова, спустившего флаг в Цусиме, за...

Но царю всё же сказали, что с точки зрения интересов Империи переговорщик нужен настоящий... Ещё раз процитируем Тарле:

«Витте согласился, царь в краткой беседе благодарил его и сказал, что он хочет заключения мира, но "не может допустить ни хотя бы одной копейки контрибуции, ни уступки ни одной пяди земли". Витте, впрочем, не нуждался ни в каких руководящих указаниях; и когда граф Ламздорф спросил его, желает ли он сохранить "инструкцию", которая была изготовлена для Муравьёва (отказавшегося ехать), то Витте дал любопытный по-своему ответ, что для него это безразлично, так как всё равно он с инструкцией считаться не будет, а будет ею пользоваться "постольку, поскольку сочтёт нужным". Инструкция составлялась с участием Николая, которому, конечно, не только могли, но даже обязаны были сообщить о словах Витте. Этот эпизод даёт нам некоторое представление о том, что, несомненно, должен был вообще вытерпеть Николай в эти дни, перед отъездом Витте в Портсмут. Великодушие, всепрощение и мягкость не принадлежали к числу добродетелей вновь назначенного главы русской мирной делегации... Нетерпеливый, легко раздражающийся, плохо воспитанный, самоуверенный, дерзновенный, всех презирающий Витте вдруг опять становился нужен и даже неизбежен, и опять приходилось идти к нему на поклон, расплачиваясь потом за это с ним ещё большей ненавистью, чем прежде».

В работе Тарле есть и более жёсткие попрёки графу Витте, чем «*самоуверенный, не великодушный*», но эти-то упрёки — из реального мира: да, в жёсткой форме отстранил мятущегося царя, поехал и заключил мир. Будущий корифей советской истории, лауреат Сталинской премии Е. Тарле был ещё очевидцем тех событий, и он хорошо помнит...

«...то колоссальное впечатление, которое произвело на весь мир это изумительное по своему широчайшему, неслыханному либерализму заявление главы русской делегации. Ларчик был открыт уже после заключения Портсмутского мира, когда подводились итоги... слышались голоса, что Витте в данном случае играл без всякого риска: ведь он твёрдо знал, что японцы всё равно ни за что не согласятся на ведение переговоров в присутствии прессы и даже отнесутся к этому, как к нелепому и невозможному домогательству. Витте ведь и сам ни за что не стал бы вести переговоры при подобных изумительных условиях... О растущих к России здесь симпатиях можно судить по газетам. Многие из них, как, например, The Evening Post и The New York Sun, считавшиеся японофильскими, совершенно перешли на сторону России. Сделалось это как-то само собою... Поражались этому и американцы. Их участник конференции Томсон: *"Это удивительно, как Витте сумел в три недели изменить общее положение. Теперь японцы к вам подлаживаются, это очевидно, а ведь было наоборот, да и общественное мнение Штатов переходит на сторону России"*...

При первом же свидании с президентом Витте объявил, на какие уступки он не пойдёт ни в каком случае. Рузвельт пожелал тогда напугать Витте, чтобы склонить его к уступчивости, и заявил, что при подобных взглядах Витте соглашение с Японией будет невозможным... Витте ответил такой тонкой симуляцией готовности в самом деле прервать переговоры, что Рузвельт действительно обеспокоился (в этом случае под угрозой был престиж США как организатора переговоров. Примерно, как много лет позднее в Кэмп-Дэвиде или Дейтоне. — *И. Ш.*). Витте всё время вёл в Портсмуте опасную игру: он ведь знал, что продолжение войны для России чревато новыми и тягчайшими катастрофами (в похвальбу кое-кого из военных он нисколько не верил). Нужно было, таким образом, прикидываться, будто Россия нисколько не заинтересована в заключении мира, и в то же время не очень натягивать эту струну и ни в каком случае не допустить, чтобы в самом деле переговоры были прерваны».

И ещё один «мирный договор»

Вернувшийся из Портсмута Виттс сыграл огромную роль в принятии первой русской Конституции, Манифеста 17 октября 1905 года. Вот ещё причина (не отчество же, надеюсь!) нелюбви к нему наших монархистов. Ведь при всех выше промелькнувших критических замечаниях в адрес царя Николая, нельзя забывать, что государство Россию создало самодержавие. Вот в чём уважения достойная причина появления на стенах сегодняшних кабинетов портретов того грустного мужчины в полковничьей форме.

Но что же стало с самодержавием? Я, к примеру, уверен, что его уничтожил последний царь, но согласен, что мнений тут может быть много. Одно есть точное подобие, с которым все должны согласиться: Портсмутский мир — царский Манифест о Конституции.

Первым завершали Японскую войну, вторым — революцию. Даже если отвлечься от вопроса «Кто спровоцировал?», в завершении, и там, и там — *единоличное итоговое решение государя,* самодержавного на тот момент. Решение, зависевшее *от его* оценки возможностей продолжения борьбы — с японцами, с революционерами. В первом случае Витте позвали помочь реализовать решение царя и военных, во втором — его, Витте, роль, возможно, побольше: Витте сам предложил царю этот «внутренний Портсмутский мир»... Кстати, в том, вышецитированном Совещании в Царском Селе 24 мая 1905 года, как можно понять из спора генерала Роопа и великих князей, уже вовсю поминался «Земский собор»... Однако есть замечательное соответствие: именно те, кто кричит, что Витте помешал армии и царю... захватить Токио, они же считают, что и революцию можно было подавить без потери самодержавия.

Глава 26
Граф Витте. Трудности перевоза

Перед рассказом о Транссибе, русском «геополитичском» сооружении, самой большой железной дороге в мире, невольно чувствуешь необходимость сосредоточиться, набраться духа, как в конце XIX века и сама Россия «сосредотачивалась», собиралась перед одним из самых важных рывков в своей истории.

В тексте же книги это «сбирание» будет выглядеть сначала как пятистраничное отступление от темы в сферу, выглядящую, возможно очень далёкой: Винная монополия. Связь казённой водки, «монопольки», и железной дороги не только в том, что одна обеспечила финансовые средства для другой, дело ещё и в особом внутреннем очищении, вхождении в некую... новую серьезность страны и общества, без которого не удались бы великие начинания.

И для сегодняшней страны, утомлённой и раздражённой неудачными реформами 1980–1990 годов, — это возможность увидеть, как вообще выглядит **Государственный Успех**. Рассмотреть **Удавшиеся Реформы** «в разрезе». В книге «*Русская водка. 500 лет неразбавленной истории*» я, конечно, подробнее рассказал о ней. Здесь — важнейшие пункты.

Одна из самых значительных и удачных реформ в истории России проходила при царе Николае II 8 лет. Начавшись в 1894-м, в год смерти царя Александра III, реформа выполнялась как его завещание, но обдумывать, планировать её Сергей Юльевич Витте начал за много лет до того. Двум предшественникам Витте на посту министра финансов, известным, достойным государственным деятелям И. А. Вышнеградскому и Н. Х. Бунге царь Александр III предлагал разработать и провести в жизнь Винную монополию, но те отказывались, представляя всю необъятность этого дела.

6 июня 1894 года было опубликовано: ***«Высочайше утверждённое положение о казённой продаже питий».***

Вся сложность вопроса

Историческая фраза царя Александра III звучала так: *«Меня крайне мучает и смущает, что русский человек так пропивается. Необходимо принять какие-нибудь решительные меры против этого пьянства».*

Как именно русский человек *пропивался?*

Кабак, в западных губерниях — шинок. Кружечный двор, кружало... Закуски запрещены. «Водка» выделывается на заднем дворе кабака (сырьё и технология — по вкусу и щедрости кабатчика), отвратительного качества. Для отбития запаха сивухи — дурманные травы, дополнительный, кстати, «поражающий фактор» опьянения. Махорка в том букете была ещё изысканным «цветочком». Для мягкости, или, как говорили тогда, «питкости», использовалась главная добавка — поташ, очень вредный для сердца, а уж получали его тогда...

Взгляд современника: *«Посуда как в свином хлеву, питьё премерзкое, цена бесовская».* Это называлось: *«Распивочно».* Но была и вторая форма отпуска: *«Навынос».* Помните? Николай Алексеевич Некрасов, поэма «Кому на Руси жить хорошо»:

> На всей тебе, Русь-матушка,
> Как клейма на преступнике,
> Как на коне тавро,
> Два слова нацарапаны:
> **«Навынос и распивочно».**

Там же посмотрим, что стояло за этим **«Навынос»**:

> По деревням ты хаживал?
> **Возьмём ведёрко с водкою,**
> Пойдём-ка по избам...

Я мог бы привести десятки специальных исследований, но даже значимей выглядит эта мимоходная деталь, уже въевшаяся в «культуру», в поэмы, жирным шрифтом выделенная только в моей цитате. Да, водку выносили в горшках, ковшах, вёдрах. Представляете темп, способ и культуру потребления пойла, принесённого в ведре? Старинные бутыли, «штофы» и по сей день украшают музеи водки. НО... массового производства стеклянных бутылок в России НЕ БЫЛО.

Есть выразительнейший, до-Виттевский факт: в России, в конце XIX века фиксировали хождение бутылок из-под разных мадер, рейнвейнов, шампанского, поставленных в Россию ещё при Николае I!

Экономика процесса. На селе это: «Пей в долг». Пей под будущий урожай, пропивай корову, лошадь, упряжь, косу, топор... Кабатчики, более 140 000 семейств, к моменту реформы Витте присваивали значительную часть дохода. Эдакие совместители: «бармен», он же скупщик краденого, рэкетир, вышибатель долгов и т. д.

Кабатчик спаивает, наливает в долг, потом взыскивает — уводит со двора корову, лошадь. Что это значит для крестьянской семьи, можно представить... Крестьяне периодически поджигают кабаки, убивают кабатчиков —

социальные гроздья гнева. Но было и ещё одно наследие: кабатчик и клиент зачастую принадлежали к разным нациям.

Результаты исследования комиссии Палена:

«Евреи содержали 27% всех винокуренных заводов в Европейской России, а в черте осёдлости — 53%. В том числе: в Подольской губернии — 83%, в Гродненской — 76%, в Херсонской — 72%.

Пивоваренных заводов по Европейской России — 41%, а в черте осёдлости — 71%. В том числе: в Минской губернии — 94%, в Виленской — 91%, в Гродненской — 85%.

Доля еврейской питейной торговли, то есть «пунктов выделки и продажи питей», содержимых евреями: в Европейской России — 29%, в черте осёдлости — 61%. В том числе: в Гродненской губернии — 95%, в Могилёвской — 93%, в Минской — 91%».

Здесь совершенно нет места для долгих авторских самооправданий, но поверьте, книги, где этот вопрос я рассматривал гораздо подробнее, были читаны, рецензированы, в том числе и критиками еврейской национальности, их вердикт: никакого антисемитизма в тех констатациях нет. Сдавали евреям в аренды не только церкви, но и кабаки, шинки. Так что кладите на баланс Реформы ещё и «национальный вопрос»...

Доходы питейной промышленности, плативший до 1896 года акциз *по 4 копейки с градуса выкуренного спирта,* значительно превосходили доходы Империи.

При всём этом Россия отнюдь не была алкогольным лидером, почтительно пропуская вперёд по среднедушевому потреблению восемь стран мира, в том числе Францию, Германию, Италию, Швецию. Но не количество, а именно **качество** потребления делали «водку» одной из главнейших государственных проблем. Реформы началась с привлечения лучших научных сил России. В рамках «Великой реформы» физиологической стороной дела занимались первые учёные страны. В комиссию вошли: В. М. Бехтерев, Эрисман, Н. Е. Введенский, А. Я. Данилевский. Их анализ «приговорил» не алкоголь, а кабак. А у физиологов уже принял эстафету Менделеев, чьи работы по смешению и очистке спиртов создали тот знаменитый русский стандарт, на основе которого и начала производиться государственная водка «монополька».

Страна была разделена на 4 больших части — 4 очереди введения *«Казённой продажи питий»* — в зависимости от исторических, национальных особенностей края. Очередь Москвы, кстати, была почти последней.

По всей стране создавались *«Казённые винные склады»* (так называли тогда нынешние ликёро водочные заводы), всего около 150, все по единому плану, в едином стиле. И несмотря даже на удары военных времён — например, московский завод, нынешний «Кристалл», питерский «Ливиз» подвергались сильным бомбардировкам — эти заводы работают и по сей день.

Не забыли «смежников» — Россия почти с нуля бурно развила производство стеклотары. И опять Великая реформа дала пример воодушевляющего сотрудничества представителей многих профессий и творческих «каст». Дизайн бутылок разрабатывал сам Фёдор Шехтель! Этикетки рисовали Билибин, Лансере, Бенуа, Коровин, Врубель, Апсид.

Реформа *«Казённая продажа питий»* заменила «монополькой», упразднила то самое «производство» на задних дворах кабаков. НО... настоящие, добротные частные производители: Смирнов, Бекман, Шустов — получили государственные лицензии. И по мере того, как государственная «монополька» совершенствовала качество, логистику, наращивала объёмы (и следовательно, снижала накладные расходы), эти фирмы начали потихоньку закрываться. Здоровый, легальный процесс, конкуренция — никаких «наездов», «масок-шоу».

И в рамках этой титанической производственной работы была запущена государственная программа по сдерживанию крайностей пьянства. В трактирах — пристойный вид, посуда, обязательный ассортимент закусок и горячих блюд, раскладывались брошюры *Всероссийского общества трезвости*, обязательно наличие патефона. Даже *«Минимальный перечень грампластинок»* я видел в каком-то документе, прилагавшемся к Положениям, заведшим в России новый порядок.

Отголоски той бури заметили даже в Америке. Лишённые дохода и единственного ремесла шинкари Западного края дали такой всплеск эмиграции против средних уровней предыдущих лет, что из США посыпались статьи и письма: *«Судя по всплеску эмиграции, в России, наверное, дикая вспышка антисемитизма. Примите меры».*

Конечно, не простое дело отстранить от кормушки 140–150 тысяч семейств. Но... НЕТ, абсолютно НЕТ предела цинизму русского демагога! Оттянувшие до колена карманы кукишами государству (плюс взятками в различных формах), они ринулись обличать *«...государство, спаивающее свой народ»*, *«...пьяные бюджеты»*... А когда эти деньги уходили кабатчику за *сивуху, уксус на махорке*, всё было нормально. Но пробивались всё же и такие свидетельства: *«Спасиби, Царови, що выдумав цюмарнополію, через неи у мене осталось на зиму 20 карбованцивъ»* (журнал «Жизнь и искусство», Киев).

И наконец феноменальный финансовый успех государства. Водка стала давать **24% бюджета** страны.

Доход от «Казённой продажи питей» составил **285 млн рублей**, тогда как прямые налоги с населения — **98 млн рублей**...

Так Россия «сосредотачивалась» в конце XIX века, очищаясь, делаясь серьёзней, и собирая средства для своей самой великой стройки.

Витте в мемуарах писал, да и Россия это знала: осуществить эти Великие дела ему завещал царь Александр III. А можно сказать: *Александр III завещал сыну и самого Сергея Юльевича Витте*, результаты трудов которого совсем недавно, на рубеже 1990–2000-х годов «аукнулись» целой чередой 100-летних юбилеев. Железнодорожники отмечали столетие Транссиба и КВЖД, финансисты — «Золотой рубль», финансовую реформу Витте, создавшую одну из самых твёрдых валют того времени. Коммерческих училищ, пограничной стражи в России тоже не было «до графа Витте».

Трудности перевоза

Конечно, наивно надеяться одной книгой ввести в России Культ Дела, Культ Факта, но и уклониться от этой миссии невозможно. Сибирь и Дальний Восток стали лучшим полигоном для русских деятелей, подвижников. В ряду с Поярковым, Хабаровым, Невельским, Муравьёвым-Амурским, Чихачёвым фигура создателя Транссиба графа Витте поможет разглядеть кое-что и в объектах его трудов — стране, обществе.

Кажется, на наше восприятие результатов его великой работы повлияла ещё и... фигура Столыпина. Причём сам Пётр Аркадьевич в этом нимало не виноват, почти не найдёте вы у него критики виттевских реформ (а крестьянскую, отмену общины, он так и исполнил, «под ключ»). Гипотеза у меня следующая: всему виной некая попарность нашего восприятия. Образовательный штамп, своего рода. Вбрасываются пары: Пушкин–Лермонтов, Толстой–Достоевский, Суворов–Кутузов... Витте–Столыпин. И в этой устойчивой паре у мученика Столыпина всегда будет преимущество. Плюс звучание фамилии...

Получается интересно: злые языки нашёптывали малоудачливому сыну Александра III, что *«Столыпин его заслоняет»*, а фактически, на поле русской истории Пётр Аркадьевич заслонял-то своего предшественника — графа Витте. Но тут уже и безо всякой иронии: человеческий облик Столыпина гораздо более цельный, более притягательный. А граф Витте имел характер сложный, поведение порой вызывающее... Одна каноническая фраза сопровождает графа уже почти 120 лет: *«Он был плох для всех. Хорош же только для любезного отечества и женщин, которых любил...»*

Что же мы можем понять в себе, глядя на него? Вот образчик юмора рубежа XX века: учреждённую графом Витте пограничную стражу долго называли *«Матильдиными стрелками»*. Нет, Матильда Лисаневич, вторая жена Витте, в его дела не вмешивалась, просто тогдашнее общество жило от скандала до скандала. История, когда Витте выкупил Матильду Ивановну, заплатил её мужу за разрешение на развод 10 000 рублей, так поразила «высший свет и околосветские круги», что Витте стал восприниматься и обсуждаться преимущественно как «муж Матильды».

Вдуматься — кошмарная, но и знаковая картина: человек «за уши» втаскивает Россию в XX век, исполняет великие замыслы Александра III, вводит новый тариф, защитивший русскую промышленность... Побочное следствие тарифа: усилилась контрабанда — он вводит охрану границ... А общество, плоскодонная пресса, всё одно: *«Матильдины стрелки...»*. В общем, после всего этого мне как-то легко представить тех «великосветских дам... мыслителей Серебряного века», читающих, допустим, *«Мегаполис-Экспресс»* или смотрящих телепередачу *«Скандалы. Интриги. Расследования»*.

Как заметил Шопенгауэр, *«Для лакея — нет Героя»*.

Краткая его биография

Родился Сергей Юльевич в 1849 году. Голландская семья Витте переселилась в Прибалтику ещё во времена владычества шведов. То есть Витте быв, как уже отмечалось, *«завещан»* Александром III своему сыну Николаю, получается, был ещё и некоторым образом *«завоёван Петром I»*. Витте — довольно популярная в Германии и Голландии фамилия, каковую посили известные моряки, юристы, живописцы, учёные. Происходит от **витте** (иначе *виттен*) и от нижнесаксонского *witt* — белый — небольшая медная, первоначально серебряная монета, бывшая в обращении до конца XVIII столетия в Северной Германии, Дании и Швеции.

Жаль, сему мелкому, но *звонкому* факту истории пока не уделили внимания исследователи — какой бы составился афоризм: **«Русский золотой рубль — из голландской серебряной монетки».**

Витте получили потомственное дворянство в 1856 году. Православные. Отец, Юлий Фёдорович Витте, член совета кавказского наместника, женат на Екатерине Андреевне Фадеевой, дочери саратовского губернатора, сестре известного писателя, генерал-майора Р. А. Фадеева. Двоюродные сёстры Витте — основатель Теософского общества Елена Блаватская и писательница Вера Петровна Желиховская.

Учился Сергей в Первой кишинёвской русской гимназии. В 1870 году окончил физико-математический факультет Новороссийского университета (Одесса) со степенью кандидата физико-математических наук. Из-за денежных трудностей в семье отказался от научной карьеры и поступил на работу в канцелярию одесского губернатора. Далее служба в Управлении Одесской железной дороги. Начальник эксплуатации дороги Витте был отмечен за эффективную организацию перевозки русских войск во время Русско-турецкой войны. Уделял большое внимание развитию и техническому оснащению Одесского порта.

В 1879 году женился на Н. А. Спиридоновой (урождённой Иваненко), дочери черниговского предводителя дворянства. До этого, по собственным словам, «знал всех более-менее выдающихся актрис в Одессе».

Его работа *Принципы железнодорожных тарифов по перевозке грузов* (1883) принесла ему известность, используется и по сей день. Во втором её издании он затронул и политические вопросы, высказавшись за «социальную» и «бессословную» монархию, считая, что в противном случае «она перестанет существовать».

С 1886 года он — управляющий частного «Общества Юго-Западных железных дорог» (Киев). Добился роста эффективности и прибыльности. Реорганизовал тарифы. Его практика выдачи ссуд под хлебные грузы получила всероссийское распространение, содействовала экономическому росту.

Знакомство с императором. Сергей Юльевич в присутствии Александра III вступил в спор и отказал царскими адъютантам, требовавшим подать два мощных паровоза для разгона царского поезда. Вскоре, после крушения царского поезда в 1888 году Александр III убедился не только в правоте, компетентности, но и гражданском мужестве Витте, — начальник другой дороги побоялся отказать, и царская семья едва не погибла.

10 марта 1889 года Витте назначен начальником Департамента железнодорожных дел при Министерстве финансов. Потерю в зарплате после перехода на государственную службу ему возмещал лично император из своих денег.

В 1891 году был принят новый таможенный тариф России, сыгравший большую роль для развивавшейся промышленности. Став в 1892 году министром путей сообщения, Витте ликвидировал хронические скопления неперевезённых грузов. Провёл реформу железнодорожных тарифов.

Форсировал строительство Транссибирской магистрали. В 1896 году провёл успешные переговоры с китайским представителем Ли Хунчжаном, в нужный момент усилив российские аргументы взяткой мандарину — 500 000 рублей (сумма в разных источниках варьируется). Добился согласия Китая на сооружение в Маньчжурии Китайско-Восточной железной дороги (КВЖД).

Самый общий, исторический итог этого: наш Дальний Восток избежал участи отрезанной Аляски. Одновременно с Китаем был заключён союзный оборонительный договор.

Витте провёл важнейшую денежную реформу, обеспечив России с 1897 по 1914 год устойчивую валюту, «Золотой рубль». Витте — это ещё и российские коммерческие учебные заведения.

При активном участии С. Витте разрабатывалось рабочее законодательство, в частности закон об ограничении рабочего времени на предприятиях (1897).

В октябре 1898-го он обратился к Николаю II с запиской, в которой призвал царя «завершить освобождение крестьян», сделать из крестьянина «персону». Добился отмены круговой поруки в общине, телесных наказаний крестьян по приговору волостных судов, облегчения паспортного режима крестьян.

Витте считают «своим» железнодорожники, финансисты, пограничники. Я бы предложил задуматься «об отцовстве» и... российских пиарщиков — напоминаю его кампанию в Портсмуте.

В 1906 году он подобным же образом, с привлечением общественного мнения и прессы, провёл успешные переговоры с Францией, получив крайне нужный, в связи с революцией 1905–1907 годов, заём.

О великой его работе в сфере российских питий было сказано ранее...

И вообще-то говоря, отсутствие до сих пор в России памятника Сергею Юльевичу Витте — своего рода общественный симптом. Неумение в потоке событий разделить Дела/Сплетни, Свершения/Благопожелания. В одной в общем достойной редакции как-то меня опровергали: *«Как раз тут опубликовали мемуары... такого-то. Он свидетельствует, что Витте... и что Витте... и ещё о Витте...»*

Да и сам император, по воспоминаниям посла Франции в Петербурге Ж. М. Палеолога, с которым посол беседовал 3 марта (ст. ст.), согласился с тем, что *«большой очаг интриг погас вместе с ним»* (слова из телеграммы Палеолога своему правительству о смерти Витте), и добавил: *«Смерть графа Витте была для меня глубоким облегчением. Я увидел в ней также знак Божий»*.

А ведь так и получается: для вяло плетущегося к отречению и смерти Николая это было именно *облегчение.* И вообще, простите за такое сравнение, но все 23 года того царствования можно сравнить с... эдакими пошаговыми облегчениями, вроде как офицер (полковник, если уж быть точным) отстёгивает шашку, снимает портупею, срывает погоны, стаскивает мундир, и вот стоит, совсем уже облегчённый, приуготовленный к...

Шаги его *облегчения,* высвобождения от бремени правления и жизни были примерно следующие:

1. В самом начале царствования. *Ходынка.* О ней мы уже упоминали.

Большое облегчение, может, даже удалось и забыться... Это и стало первой точкой расставания Николая с Россией. (Плюс, конечно, гнев общества, подзуживание агитаторов.)

2. Сообщили: рабочие собираются идти к Зимнему, с каким-то Гапоном и письмом, вишь ты: «лично царю»!

Сидеть в Царском Селе, оставить коменданта, пусть он и разбирается.

3. Отставка Витте. Это — великое облегчение! Витте вместе с вдовствующей императрицей Марией Фёдоровной слишком часто ставили ему в пример царствование отца. Мария Фёдоровна понимала значение Витте и потому всегда была его сторонницей.

4. Посылка Витте на заглаживание результатов Русско-японской войны. Витте был *упреждающе против* той войны. (См. «Безобразов».)

По результатам Мукденов-Цусим японцы претендуют на весь Дальний Восток. Витте в Портсмуте явил чудеса изворотливости. Но кличку *«Полу-Сахалинский»* получил-то — Сергей Юльевич. Ещё облегчение.

5. «Заслонявший» монарха Столыпин убит.

6. Граф Витте умер. «... *Глубокое облегчение»*.

7. Ну и — ж/д станция Дно Псковской губернии. Отречение. Почти полное облегчение.

8. Екатеринбург...

В общем, речь тут не только о чёрной исторической и человеческой неблагодарности, но и в целом о навыке выделять дела, *результаты* из ворохов исторической, мемуарной макулатуры. Витте, кстати, тоже писал «Воспоминания», хорошо известна история, как Николай II в день смерти Сергея Юльевича гонял жандармов: найти, изъять, воспрепятствовать публикации! Наверное, для уже самого своего *глубокого своего облегчения*.

Но у Сергея Юльевича остались и другие *«Воспоминания»* — записанные сталью Транссиба и КВЖД, золотом рубля... ну и «монопольной водкой».

Эта актуальность и требует расставить все точки над i — в деле человека, строившего Транссиб и КВЖД, упорно отводившего царско-Безобразовскую по происхождению Русско-японскую войну, а потом в Портсмуте минимизировавшего её потери. И по этому поводу выпущено уже огромное количество мемуаров, вроде тех, где бумажными строчками опровергаются шпалы и рельсы Транссиба. Это и «Арии генералов»: — *Ах, Витте с его «Портсмутским миром» помешал нам... захватить Токио. Вот-вот, взяли бы... правда, если бы удержали Мукден...* Момент затевания той «маленькой победоносной войны» — вообще один из самых кошмарных в русской истории. Подробнее он рассмотрен в главе «Войны» «в разрезе» и «пошагово» увидеть: как? кем? почему? ломается государственный механизм.

Некоторые достойные люди, патриоты, приняли, однако, правила какой-то игры: «В монархию», или «В Николая II». Вроде, что для блага страны, правильного вида её истории, факты должны выглядеть так-то... Но уж так устроено в России: ни Сибирь, ни Дальний Восток, ни что ещё — долго не устоит на неправде. История Витте должна быть дописана, даже сквозь тернии наших дней. Далее я немного прокомментирую текст, суммирующий многие десятки подобных статей и книг, например Боханова. А этот — просто взят с самой ближней полки.

«Большая энциклопедия русского народа» (http://www.rus inst.ru):

«Обычно Витте приписывают все заслуги в стабилизации рубля и обеспечении стране твёрдой валюты путём введения золотого обращения, а также установления государственной монополии на продажу спирта, вина и водочных изделий. Приоритет его в этих делах и заслуги в их осуществлении далеко не бесспорны. Во-первых, введение золотого денежного обращения не было инициативой самого Витте. Денежная реформа втайне подготавливалась его предшественником И. А. Вышнеградским.

Что же касается государственной монополии на продажу спирта, то идея этого мероприятия принадлежала не Витте, а М. Н. Каткову, Витте стал только её исполнителем. За 1893–1903 гг. под руководством Витте построены тысячи казённых винных складов, лавок, заводов, специальных административных зданий».

— Браво, *«Большие энциклопедисты»*! Идея монополии — Каткова! Да знать бы вам, что «монополия» — это вообще не «идея», а просто одно из трёх положений тумблера переключателя: *«Госмонополия — Акцизная система — Откупная система»*. И «монополия-1894», пусть даже, по-вашему, катковская, оказалась **четвёртой в истории России!**

Тут вообще много парадоксов: в XVI–XVII веках в России **несколько раз вводили винную монополию, причем ни разу её за этот период не отменяя!** Смуты и кризисы сами по себе выбивали из рук государства это мощное оружие. То есть *«Тушинский вор», Иван Болотников, Степан Разин де-факто делали то, что другой крупный государственник, Егор Гайдар, сделал ещё и де-юре (отменил в 1992 году госмонополию).*

По разным обстоятельствам 4 раза «перещёлкивали тумблер». НО... в конце XIX века это сделать оказалось в тысячи раз труднее: выросший объём хозяйства, получение на баланс Польши, Литвы, Украины, Белоруссии, где алкогольный вопрос уже 400 лет как сплёлся с польским, еврейским...

Характерна и такая ошибочка «Больших энциклопедистов»: *«построены тысячи казённых винных складов, лавок... заводов»*. Полагали, наверное, что наряду со складами, лавками должны же быть и ликёро-водочные заводы. Но *«Казённые винные склады»* уже стоят в строке — просто так, как я уже говорил, тогда и называли заводы. ЛВЗ «Кристалл», например, тогда звался «Казённый винный склад № 1». А «Большие энциклопедисты» взяв, без знания дела, *«тысячи казённых винных складов, лавок...»*, подумали, наверное, что должно же быть и производство, и приписали *«заводы»*.

17 лет исследования виттевской монополии позволяют мне утверждать: его реформа сравнима (и сродни) выигрышу большой войны.

По вашей, «энциклопедисты», логике, можно аналогично «опустить» и космический вклад Королёва—Гагарина: Ведь ещё Жюль Верн написал про полёт в космос! *(Идея!)* Мало того, следующий приоритет окажется у акробатки Мэри из кинофильма «Цирк», она тоже говорила (пела даже): о *идее* полёта из пушки на Луну!..

И *«золотой рубль, втайне готовившийся Вышнеградским»* — из этой же оперы. А вот 24% госбюджета, вырванные у шинкарей и кабатчиков виттевской монополией, выигранная им «тарифная война» с Германией, без которых и *золотой рубль* остался бы такой же *«идеей»* — это уже совсем другое Дело.

Эх, господа «энциклопедисты»! Однако продолжим чтение их статьи «Витте»:

«Витте был убеждённым противником общины. В 1899 он способствует принятию закона об отмене круговой поруки в общине... Витте пытается создать механизм "добровольного" перехода крестьян от общинной к частной собственности... В 1904 Витте выпускает в свет "Записку по крестьянскому делу", в которой открыто нападает на общину. Возмущённый Государь неожиданно для Витте 30 марта 1905 закрывает Особое совещание», — *продолжает ябедничать «Энциклопедия»*.

Тут только бы и напомнить «энциклопедистам»: а кто выполнил-то эту *антиобщинную программу»?* Скажите, как его зовут? — Сто-лы-пин! Комический эффект в том, что подобные «частные» обвинения Сергея Юльевича строятся на общем, «концептуальном» противопоставлении: Витте—Столыпин! Как в детективах: *Злой следователь — добрый следователь»*. Далее:

«Витте был талантливым министром финансов. Можно согласиться с оценкой кн. Мещерского, что для усиления государственной власти ни один русский министр финансов не сделал так много, как Витте своей "системой хозяйства, основанной на идее сосредоточения всех ресурсов страны в одних руках". При нём финансовая система России превратилась в чётко слаженный механизм».

Здесь вы правы, но кто ж этот механизм сломал? Играя в игру *«Великий Царь Николай II»*, на этот вопрос не ответить.

«Витте считал себя последователем Ф. Листа, привлекавшего его своим учением о национальном хозяйстве и протекционизме. Витте выступал с критикой экономической теории К. Маркса».

Ну, эта ябеда запоздала лет на 25. В 1985 году ещё можно было её подколоть к «Записке в ЦК КПСС».

Транссиб

Но переходя к настоящим Делам Витте — Транссиб и КВЖД, обнаруживаешь, что, получается, о них мне почти что и нечего добавить.

Строительство Транссиба завершено 5 октября 1916 года с пуском моста через Амур близ Хабаровска и началом движения поездов по этому мосту. Его стоимость с 1891 по 1913 год составила 1 455 413 000 рублей.

Длина магистрали от Москвы до Владивостока — 9288,2 км (самая длинная железная дорога в мире). Регулярное сообщение установлено 14 июля 1903 года (используя отрезок КВЖД).

В 2002 году завершена полная электрификация. Сегодня мощность Транссиба (потенциальная) — 100 млн тонн грузов в год. 11 января 2008 года Китай, Монголия, Россия, Белоруссия, Польша и Германия заключили соглашение о проекте оптимизации грузового сообщения

Пекин–Гамбург. Как подсчитано, главным мировым грузопотоком по стоимости перевозимых грузов является линия Восточная Азия (Япония, Тайвань, Корея, Китай) — Европа. И это проект, по сути, открывает эпоху, когда Транссиб из главной российской может стать главной мировой дорогой.

Но характер моей книги (условно «История» — в популярном изложении) требует такого изложения фактов строительства... на которое я и наткнулся в абсолютно «готовом виде», прочитав документальный очерк писателя Валентина Григорьевича Распутина «Транссиб». Это часть, к сожалению, не с первого издания его книги «Сибирь, Сибирь...»? удостоенной Государственной премии, и, что характерно, этот «Транссибовский» очерк отдельно публиковался и в журналах, и входит в отдельные издания автора

«Началу работ, первым шагам в постройке Сибирской дороги император Александр III пожелал придать смысл и ореол чрезвычайному событию. Никогда ещё в истории России не принимались за столь громоздкое, дорогое и великое дело, которое включало в себя одновременно и прокладку пути, и переселение из западных областей в восточные на свежие земли миллионов людей. Никогда ещё Россия не приходила в энтузиастическое движение, обещавшее и выгоды, и подъём национального духа. Если этого не случилось, по крайней мере не случилось подъёма национального духа, то лишь оттого, что и внутренние, и внешние силы вскорости втолкнули Россию в полосу исторических несчастий, которых тогда или нельзя было ожидать, или они не казались неизбежными.

17 марта 1891 года последовал... рескрипт на имя наследного цесаревича Николая Александровича, прибывающего во Владивосток после морского путешествия по восточным странам:

"Повелеваю ныне приступить к постройке сплошной через всю Сибирь железной дороги, имеющей (целью) соединить обильные дары природы сибирских областей с сетью внутренних рельсовых сообщений. Я поручаю Вам объявить таковую волю мою, по вступлении вновь на русскую землю, после обозрения иноземных стран Востока. Вместе с тем возлагаю на Вас совершение во Владивостоке закладки разрешённого к сооружению, за счёт казны и непосредственным распоряжением правительства, Уссурийского участка Великого Сибирского рельсового пути"...

В 1892 году произошло ещё одно важное для Сибирской дороги событие: министром финансов был назначен С. Ю. Витте, человек огромной, иногда чрезмерной деятельности, горячий сторонник скорейшего сооружения магистрали. Ничуть не мешкая, он составил план строительства. Ещё до него вся трасса поделена была на шесть участков, а Витте предложил очерёдность их проходки. Первый этап — проектирование и строительство Западно-Сибирского участка от Челябинска до Оби (1418 километров), Средне-Сибирского от Оби до Иркутска (1871 километр), а также Южно-Уссурийского от Владивостока до ст. Графской (408 километров). Второй этап включал в себя дорогу от ст. Мысовой на восточном берегу Байкала до Сретенска на р. Шилке (1104 километра) и Северно-Уссурийский участок от Графской до Хабаровска (361 километр). И в последнюю очередь, как самая труднопроходимая, Кругобайкальская дорога от станции Байкал в истоке Ангары до Мысовой (261 километр) и не менее сложная Амурская дорога от Сретенска до Хабаровска (2130 километров)...

Первый костыль на западной оконечности Сибирского пути доверено было забить студенту-практиканту Петербургского института путей сообщения Александру Ливеровскому. Уж как сумели разглядеть в ничем тогда не проявившем себя студенте фигуру яркую, масштабную, рыцарскую, из тех личностей, которые обогатили и укрепили своим недюжинным талантом и профессиональной дерзостью всё многолетнее строительство, все его этапы от начала до конца, — как разглядели, уму непостижимо. Он же, Александр Васильевич Ливеровский, двадцать три года спустя, в должности начальника работ Восточно-Амурской дороги забил и последний, "серебряный" костыль Великого Сибирского пути... И он же заканчивал строительство уникального, в 2600 метров, Амурского моста, самого последнего сооружения на Сибирской дороге, сданного в эксплуатацию только в 1916 году...

Николай Георгиевич Гарин-Михайловский был назначен начальником изыскательских работ на Западно-Сибирской дороге в 1891 году. Первые изыскания здесь проводились раньше, от него требовалось лишь уточнить отдельные детали и дать окончательное заключение. Однако избранное направление трассы очень скоро удивило и насторожило инженера Гарина-Михайловского. От Барабинской степи её отправляли к Колывани, богатому торговому селу на Оби, там ей предстояла переправа в месте самом неподходящем, где река имела обыкновение разливаться по обеим сторонам вволюшку... Гарин-Михайловский принялся за разведку. Ниже по течению Обь становилась всё шире и берега её все болотистей. Надо было высматривать выше... и с помощью рыбаков и охотников отыскал переправы, лучше которых и желать было нельзя, а местом перехода через Обь выбрал село Кривощёково.

Позднее... он запишет в дневнике: "На 160-верстном протяжении это единственное место, где Обь, как говорят крестьяне, в "трубе". У Колывани, где предполагалось провести линию, разлив реки — двадцать вёрст, а здесь — четыреста сажен. Изменение первопечатного проекта — моя заслуга, и я с удовольствием теперь смотрю, что в постройке намеченная мной линия не изменилась!.. Я с удовольствием смотрю и на то, как разросся на той стороне посёлок, называвшийся Новой деревней. Теперь это уже целый городок...".

Этот "целый городок" вырос сначала в Новониколаевск, а затем и Новосибирск, самый большой в Сибири полуторамиллионный город, детище Транссиба.

А от Томска, самого звучного в то время города, где только что был открыт единственный в Сибири университет и заложен технологический институт, пришлось отвернуть к югу на девяносто километров и оставить его в стороне. Обиду эту Томск не может забыть до сих пор. К нему провели ветку от станции Тайга (и место для этой станции, и имя ей выбирал сам Гарин-Михайловский), но и вместе с веткой новая трасса, которую изыскал и отстоял Николай Георгиевич, оказалась короче прежнего, как он называл, "первопечатного" направления.

Судьба Томска, отставленного от столбовой дороги, так напугала градоначальников восточных городов, куда ещё не дотянулся Сибирский путь, что в Иркутске на обеде в честь прибытия нового министра путей сообщения М. И. Хилкова, где присутствовал и Н. П. Меженинов, руководитель изыскательских работ от Оби до Иркутска, местный генерал-губернатор Горемыкин выразился весьма откровенно, сказав, что "пусть изыскатели ослепнут, если они хотят пройти мимо Иркутска — авось слепые попадут в город". Что ответил на это Меженинов, воспоминания не доносят, но едва ли он мог обидеться, зная прежде всего тот же государственный интерес, из которого исходил Гарин-Михайловский. Иркутск, к счастью, из этого интереса не выпал.

На Северно-Уссурийской дороге повторные изыскания, произведённые О. П. Вяземским, также изменили, укоротили и удешевили новый маршрут, значительно (на 30 километров) отодвинув его к востоку от реки Уссури и вызволив тем самым из глубоких скалистых выемок и большей части заливаемых мест. Вяземский был решительным противником прокладки КВЖД и отказался работать на ней, но выправить это (маньчжурское) направление, слишком дорого обошедшееся России, ему оказалось не под силу.

Книгу свою об этом путешествии Нансен назвал уважительно и точно — "В страну будущего". Не однажды он восклицает в ней: "Удивительная страна! Удивительная страна!"

Ещё в то время, когда только-только прозвучало в мире известие о начале Транссиба, известный английский экономист Арчибальд Колькхун, сумевший сразу оценить его огромное значение, предрёк:

"Эта дорога не только сделается одним из величайших торговых путей, какие когда-либо знал мир, и в корне подорвёт английскую морскую торговлю, но станет в руках России политическим орудием, силу и значение которого даже трудно угадать. Сибирь — далеко не та бесплодная равнина, унылое место изгнания, какими обыкновенно рисуют её европейцы. Напротив, это богатейшая страна, с многими сотнями тысяч акров плодороднейшей земли, с громадным минеральным фондом, — страна, полное промышленное развитие которой может со временем положить начало новой экономической эры. Но не в этом, пока ещё отдалённом результате заключается главное значение Сибирской железной дороги, а в том, что она сделает Россию самодовлеющим государством, для которого ни Дарданеллы, ни Суэц уже более не будут играть никакой роли, и даст ей экономическую самостоятельность, благодаря чему она достигнет преимущества, подобного которому не снилось еще ни одному государству».

Касательно роли героя этого очерка Валентин Распутин приводит и пример справедливой, подлинно исторической критики:

«П. А. Столыпин решительно вызволил Транссиб из маньчжурского "плена" (КВЖД), вернув сквозной ход Сибирской дороги, как и проектировалось с самого начала, на российскую землю. В 1908 году десять членов Государственного совета, в том числе министр финансов Коковцев, министр торговли и промышленности Тимашев, сенаторы Витте, Горемыкин, Протопопов и другие, все фигуры влиятельные, опытные в утверждении своего мнения, решительно высказались против законопроекта Думы о строительстве Амурской дороги, обосновывая свою позицию дороговизной стройки и напрасными затратами на "этот пустынный край"».

Понимаете теперь всю разницу: критика с точки зрения интересов отечества, изучения уроков его истории и критика с точки зрения интересов хлесткой статейки, вроде упоминаемой в главе «Войны. Императоры» С. Брезкуна, где единственным аргументом является помещение фамилии Витте в ряд, через запятую с Рузвельтом («Увы, царь Николай прислушивался не к России, а к советчикам типа Рузвельта, Витте...»).

Да, Витте был неправ вместе с 10 другими членами Госсовета, возражая в 1908 году против строительства приамурского участка дороги. Но при этом Валентин Григорьевич Распутин признаёт выдающуюся его роль в появлении вообще в России Транссиба. И — существенный момент! — Распутин чётко разделяет проблему КВЖД в разные эпохи — до и после Русско-японской войны:

«И даже прокладку КВЖД по китайской земле едва ли можно поставить ему в вину: сквозной путь в грозовой обстановке накануне войны требовался немедленно, а северный, амурский вариант в условиях вечной мерзлоты со всеми её "цветочками" и "ягодками", какие никогда и нигде ещё не встречались, ускорить было невозможно, и с Амурской дорогой впоследствии намучились не меньше, чем с Кругобайкальским участком. Принимаясь за столь грандиозное и неизведанное предприятие, каким показала себя Сибирская дорога, конечно, нельзя было предвидеть всех сложностей, всех подножек и бед, которые раз за разом сваливались на строителей как наказание за вторжение в эти дремучие заповедные места».

То есть как действующий министр в 1892–1903 годах Витте был прав, пуская КВЖД. Ветку КВЖД, соединяющую Владивосток с Россией, Витте отстоял в Портсмуте — даже **после** проигранной Русско-японской войны. Она и оставалась спасением для русского Дальнего Востока весь период до 1916 года, когда по завершению моста через Амур пустили и русскую ветку.

Но как (утомлённый) отставник, член Госсовета Витте в 1908 году был неправ, переоценив исключительность своего детища, КВЖД.

Повторю эту простую географическую констатацию. В Читинской области, у города Сретенск Транссиб раздваивался: будущий Приамурский участок шёл до Владивостока по местности, зачастую горной, гигантской дугой огибая Маньчжурию, и кроме того, требовал постройки крупнейшего в России моста — через Амур у Хабаровска. Закончили его только в 1916 году. Другая ветка КВЖД, 1389 вёрст, шла через Маньчжурию до Владивостока прямой стрелой, хордой, и кроме того, что была на 514 вёрст короче, проходила в основном по степям (кроме Большого Хингана) и была готова уже в 1901 году. 1 июля 1903 года, за 5 месяцев до войны открыли Транссиб, ещё без Кругобайкалки, переправляя поезда через Байкал на специальном пароме, а зимой пуская рельсы по байкальскому льду. В воспоминаниях писатель Владимир Набоков признаётся, как его навсегда поразила фотография: шпалы и рельсы, уложённые на лед, паровоз, вагоны идут по Байкалу. Тонкий эстет, он понимал, какой подвиг стоит за этой фантастической картинкой.

И сразу же, день в день, 1 июля, под предлогом проверки пропускной способности Транссиба, началась переброска российских войск на Дальний Восток.

Вот для чего в главе «Войны. Императоры» я назвал Первой логистической — Крымскую войну. Англичане, построив первую (!) в Крыму железную дорогу Балаклава–Севастополь, просто завалили снарядами, уничтожили русскую артиллерию, и в последние дни осады достигли-таки стадии *бесконтактной (с русской стороны) войны*, уничтожали в Севастополе по 3000 русских солдат в день, не получая ответного огня, в точь как НАТО с Сербией в 1999 году... Вот это «мементо мори» и должно бы вспоминаться в первую очередь при разговорах о КВЖД, единственной дороге, связывающей Владивосток с Россией! Потеряй мы Приморье тогда — ни к чему и НЕ к чему было бы и вести Транссиб. Именно в те годы полковник Генерального штаба Н. А. Волошинов гордо писал: «*...Все державы с завистью смотрят на наш Владивосток*».

И чтобы вообразить всю глубину тогдашней интеллектуальной пропасти, надо узнать, что и за гениальный, спасительный ход с КВЖД Витте ругали — «пустил Транссиб по китайской земле, отдал в чужие руки».

Наверное, и «Дорогу жизни» в Ленинград эти «доброжелатели» ругали бы так: «*Неправильно. Дороги должны ведь прокладываться по земле, грунту. На льду машины могут провалиться, значит надо придумать что-то другое. Что? — Не знаем, но надо придумать...*». По счастью, Алексею Косыгину, прокладывавшему «Дорогу жизни», не приходилось даже и думать о возможности *такой* критики, уж «*его-то*» вождь знал, что делать с этими «Васи-

суалиями Лоханкиными». А у Николая (когда он поски-
дывал отцовых министров) они, можно сказать, рассе-
лись на коленях, сопровождая капризным агуканьем
каждую проносимую августейшую ложку, каждое движение.

Транссиб и КВЖД дали жизнь целой новой стране:
Желтороссией называли её в газетах начала XX века,
иронически обыгрывая созвучие с Новороссией. Но ещё
большей исторической, грустной иронией, обернулся
факт, что эта Желтороссия пережила на 12 лет и саму
Царскую Россию, что её столица Харбин оставалась после оставления Крыма главным русским, НЕсоветским
городом. «Конфликт на КВЖД», оккупация Маньчжурии Японией, война... Только китайская «Культурная революция» стёрла русский след в Желтороссии. И для
сравнения с вышеупомянутым виттевским транспорт-
ным договором: самые глобальнейшие, вечные Договора
сотрудничества СССР–КНР (где много «братства, един-
ства, взглядов», где констатировалась не только культурная, но и социальная общность «общественных стро-
ев»...), отнюдь не помешали и вооружённому погранич-
ному конфликту... Хотя, если не впадать в излишнюю
критичность, и эти советско-китайские договоры тоже
ведь работали, пока было настоящее общее дело — *сопротивление* тогдашней американской гегемонии.

Надеюсь, что в перекрестье этих двух тем — *«Витте»*
и *«Дальний Восток»* захвачен, как самолёт прожектора-
ми, важный пример русской истории и геополитики. Как
в начале сурового XX века, несмотря на все потери, от-
стояли — Контур страны, её важнейшую естественную
границу, тихоокеанское побережье. Пусть кому-то и
трудно оторваться от сюсюканья над красивыми картин-
ками с персоной в полковничьем мундире, с ласково-пе-
чальным взглядом, но перепроверив все факты, упомяну-

тые в этой части «Войны. Императоры. Витте», может и утвердится в понимании реалий той эпохи, и вообще — в критериях оценки исторических персонажей.

Наверняка вам попадались книги уже сложившегося жанра, назовём условно: «статистические данные эпохи Николая II», «Россия накануне революции»... Цифры, действительно вызывающие гордость, Россия в тот период была мировым лидером по темпам экономического, демографического роста. Но как их «поделить» между главными персонажами той эпохи? В какой-то степени правы и те, кто связывает тогдашний успех с именем Николая II. Это зависит просто от меры условности, как, к примеру, можно прочитать: *«Под Малоярославцем Кутузов победил Наполеона»*, или: *«Под Малоярославцем русская армия под руководством Кутузова победила»*.

В период 1909–1913 годов промышленность выросла на 67%, выше даже сегодняшних китайских показателей. Внешнеторговый баланс — устойчивое положительное сальдо, в 1909 году — 521 млн руб., в 1913-м — 146 млн руб. Золотой запас бил все российские рекорды.

Но попустить таким «оценкам», как: *«Он появился в тот момент, когда Россия бурно развивалась. Ежегодный прирост накануне Первой мировой войны был 12–15%, в ведущих отраслях до 20%. Это было русское экономическое чудо, заслуга в котором принадлежит Николаю II. Витте, Столыпин осуществляли **Его предначертания**, никакой самостоятельной политики у них не было. Они, так сказать, технически решали, но вектор, основные импульсы движения и смысл задавался Императором»* (А. Боханов. «Николай II»)... — это значит вообще удалить из русской истории пружинку смысла.

Россия и вправду развивалась успешно в 1894–1903 годах, когда работал Сергей Витте, «команда Александра III». И после революции 1905–1907 годов — трудами Столыпина. И обоих Николай сдал, «слил», сменил на «безобразовцев», «горемыкинцев», «протопоповцев» по причинам сугубо личного характера. Разбирать, доказывать можно по многим пунктам, здесь же были приведены «*...Его предначертания...*» в части восточной политики, японской войны, Портсмутского мира.

Глава 27

Во имя чего всё делалось?
(Собирательный образ «борца»)

«Но если так, в такой ужасной мере был неправ (слаб, бездарен) царь, то наверное, открывшие это, боровшиеся с царём были правы (сильны, даровиты)». Примерно так думали и будущие «герои февраля 1917 года». И конечно же ошибались. Забыли, бедняги, Третий Закон Ньютона, что на действие всякой силы возникает противодействующая сила, *равная* по величине и противоположная по направлению. Легковесность царя, легкость его ухода как раз и намекали на то, что его «сменщики», так легко получившие власть, тоже не бог весть какие политические тяжеловесы.

Если кажется неубедительной аналогия с ньютоновой механикой, пожалуйста, в других словах об этом же говорит популярнейший историофилософ XX века Арнольд Тойнби в своей знаменитой *теории «Вызов—Ответ»*:

«Своим ответом на вызов цивилизация/общество решает ставшую перед ним задачу и переводит себя в более совершенное состояние. Чем сильнее вызов, тем оригинальнее и созидательнее ответ.

Например, Рюриковичи **долго** росли, в **тяжёлой** борьбе победили Чингисидов, и эта победа имела действительно глобальный характер. Русь освободилась от орды вместе с ордой (в придачу): Поволжье, Урал, Сибирь».

Каков же был багаж борцов с Николаем, самодержавием? Ничтожество Керенского, Милюкова расписано тысячекратно. Интереснее среди авторов февральского **«Ответа»** на **«Вызов»** самодержавия посмотреть на самого способного и трудолюбивого.

Александр Солженицын. «Размышления над Февральской революцией» (глава, не вошедшая в основной текст ***Красного колеса*,** однако теперь широко распространяемая):

«Открытки с дюжиной овальчиков "Вожди России" спешили рекламировать их по всей стране. Размазню князя Львова "Сатирикон" тогда же изобразил в виде прижизненного памятника самому себе "за благонравие и безвредность". Милюков — окаменелый догматик, засушенная вобла, не способный поворачиваться в струе политики. Гучков — прославленный бретёр и разоблачитель, вдруг теперь, на первых практических шагах потерявший весь свой задор, усталый и запутлявший. Керенский — арлекин, не к нашим кафтанам. Некрасов — зауряд-демагог, и даже как интриган — мелкий. Терещенко — фиглявистый великосветский ухажёр. (Все трое последних вместе с Коноваловым — тёмные лошадки тёмных кругов, но даже нет надобности в это вникать.) Владимир Львов — безумец и эпилептик (через Синод — к Союзу воинствующих безбожников).

Годнев — тень человека. Мануйлов — шляпа, не годная к употреблению. Родичев — элоквент, ритор, но не человек дела (да не задержался в правительстве и недели). И достоин уважения, безупречен серьёзностью и трудолюбием один только Шингарёв (не случайно именно его поразит удар ленинского убийцы), но и он, земский врач, который готовился по финансам, вёл комиссию по обороне, а получил министерство земледелия!.. — круглый дилетант.

Вот — бледный, жалкий итог столетнего, от декабристов, "Освободительного движения", унёсшего столько жертв и извратившего всю Россию!

Так Прогрессивный блок только и рвался, что к власти, не больше! Они растерялись в первую же минуту, и не надо было полной недели, чтоб сами это поняли, как Гучков и признался Алексееву. Когда они прежде воображали себя правительством, то за каменной оградой монархии».

Прежде по поводу примечания Александра Исаевича (*«Все трое последних вместе с Коноваловым — тёмные лошадки тёмных кругов, но даже нет надобности в это вникать».*). Это, конечно, его деликатная речь о масонстве Некрасова, Терещенко, Коновалова. Лично мне кажется, что тот февральско-октябрьский *сумбур вместо политики* в итоге подрывает вообще саму идею тонкого, умного заговора, длительного расчёта, широкого плана, масонского всеведения, наконец. И та троица достойна ещё бы и строгого выговора *«по масонской линии»*, понижения, как там у них, наверное... на 3–4 градуса (расстрелянного Некрасова — посмертно).

Теперь перейдём к выделенному Солженицыным, да и многими ещё временному министру Шингарёву.

Справка. Андрей Иванович Шингарёв. Земский, общественный, политический и государственный деятель, специалист в области государственного хозяйства и бюджета от либеральной общественности, врач, публицист.

Один из лидеров партии кадетов, член Бюро «Прогрессивного блока», после февраля не побоялся возглавить Продовольственную комиссию («перебои с продовольствием» были детонатором той революции).

В. Д. Набоков писал: «...Став министром, Шингарёв сразу утонул в море непомерной, недоступной силам одного человека работы. Он мало кому доверял, мало на кого полагался. Он хотел сам во всё входить, а это было физически невозможно. Он работал, вероятно, 15–18 часов в день...»

Сегодня в Интернете есть сайт, посвящённый Андрею Ивановичу Шингарёву. У Милюкова, проверял, — нет. Это, конечно, не аргумент, но легко можно найти достаточно подтверждений солженицынской оценке: Шингарёв, наверное, самый достойный, способный, трудолюбивый и последовательный из всех «героев февраля». И именно его и министра Кокошкина питерская гоп-матросня, ворвавшись в тюремную больницу, убила. Что называют Началом Большого Террора, а по правде — просто Анархии. Комиссары не давали никаких указаний, но спросить с убийц побоялись.

Непосредственно к теме этой главы я отношу тюремные записки Шингарёва. Итак. Январь 1918 года. Петропавловка, затем Мариинская тюремная больница. Пишет достойнейший из «борцов за светлое будущее», когда приметы этого «будущего» видны уже всей России. Учредительное собрание полетело вслед за Временным правительством. Министры под арестом, караульные солдаты вымогают у родственников деньги на покрытие своих «издержек», в том числе за перевоз Шингарёва и Кокошкина из Петрапавловки в тюремную больницу. Получают, *«добавить бы надо»*, получают, а потом убивают их. И вовсе не потому, что как-то отличали роль Шингарёва от, допустим, уцелевшего Милюкова, а просто по мере физической доступности, объявили это «местью за 1905 год». (Помните стрельцов и князя Ромодановского?) Итак — кредо Шингарёва.

«Если бы мне предложили, если бы это было возможно, начать всё сначала или остановить, я бы ни одной минуты не сомневался бы, чтобы начать всё сначала, несмотря на все ужасы, пережитые страной. Революция была неизбежна, ибо старое изжило себя. Равновесие было нарушено давно, и в основе русской государственности, которую недаром мы называли колоссом на глиняных ногах, лежали тёмные народные массы, лишённые государственной связи, понимания общественности и идеалов интеллигенции, лишённые часто даже простого патриотизма. Поразительное несоответствие между верхушкой общества и основанием, между вождями государства в прошлых его формах, а также вождями будущего и массой населения — меня поразило ещё в юности,

Вот почему я всегда стоял за эволюцию, хотя она идёт такими тихими шагами, а не за революцию, которая может хотя и быстро, но привести к неожиданной и невероятной катастрофе, ибо между её интеллигентными вожаками и массами — непроходимая пропасть. Теперь, когда революция произошла, бесцельно говорить о том, хорошо это или плохо. Правда, многие, и я в том числе, мечтали лишь о перевороте, а не о революции такого объёма, но это лишь было проявление нашего желания, а не реальной возможности. Теперь, когда революция произошла в таких размерах и в таком направлении, какого тогда никто не мог предвидеть, всё же я говорю — лучше, что она уже произошла! Лучше, когда лавина, нависшая над государством, уже скатилась и перестаёт ему угрожать. Лучше, что до дна раскрылась пропасть между народом и интеллигенцией и стала, наконец, заполняться обломками прошлого режима. Лучше, когда курок ружья уже спущен и выстрел произошёл, чем ожидать его с секунды на секунду. Лучше потому, что только теперь может начаться реальная созидательная работа, замена глиняных ног русского колосса достойным его и надёжным фундаментом.

Вот почему я приемлю революцию, и не только приемлю, но и приветствую, и не только приветствую, но и утверждаю. Если бы мне предложили начать её сначала, я, не колеблясь, сказал бы теперь: "Начнем!"».

И как вам? Ещё раз к вопросу о литературоцентричности нашей истории: наиболее способный из «февралистов», мотор Временного правительства подводит итог 50-летней примерно борьбы с самодержавием, выражаясь в образах, ряд которых прямо упирается в учебник литературы.

Ну что ж! Более наукообразный, с цифрами даже, трактат Милюкова по аграрному вопросу мы уже рассматривали (глава 13), видели и зияющую там логическую дыру (о российском малоземелье). Потому, мне кажется, будет полезно вчитаться и в кредо Шингарёва. Самое ценное, на мой взгляд, — итоговый, обобщённый, собирательный портрет «борца» и все доводы, которые им руководили в 50-летней борьбе:

«...Колосс на глиняных ногах, старое изжило себя. Лучше, что лавина, нависшая над государством, уже скатилась и перестаёт угрожать.Лучше, что до дна раскрылась пропасть. Лучше, что курок ружья уже спущен и выстрел произошёл, чем ожидать его. Лучше...»

Тут, наверное, несчастного Андрея Ивановича вызвали на допрос или на прогулку, или принесли передачу, и этот поток образов, сравнений пресёкся.

Что бросается в глаза, так это — может и неосознанно, но подразумеваемый, стоящий за кадром Рахметов из романа Чернышевского «Что делать?». Тамошняя, романная сцена «обращения» важнее всех его досок с гвоздями. Рахметову пару дней что-то (в романе не уточняется) рассказывали, и он в итоге: *разразился слезами благословения тому, что должно прийти, и проклятьями тому, что должно уйти.* Нарочно не выверяю цитату, полагаясь на школьный 40-летней давности урок литературы по *«роману, перепахавшему В. И. Ленина».* И весь дальнейший пафос Чернышевского (сны Веры Павловны, тот самый монолог *«...*Будущее светло и прекрасно. Любите его, стремитесь к нему...» и т. д.), всё — покорное принятие инструкций из рук каких-то там *Гостей из будущего».* Наличную 120-миллионную Российскую империю легко перечеркнули, или просто заслонили — Образом, Гипотезой, Видением.

Не здесь ли залегают психологические корни нашего «борца»? Всё ради Будущего, держаться за наличность, наличную реальность — убого, презренное дело. Да, скорее всего здесь. Ну, может, если попробовать копнуть ещё чуть глубже, узнать: а откуда это безоговорочное предпочтение Будущего, презрение к Настоящему? Тут ещё одной ступенькой вглубь от Чернышевского окажется, по-моему, Лермонтов... Ещё раз прошу извинить за сей «литературный бал», ведь у нас в «исходнике» всё же — политический анализ влиятельного министра Шингарёва.

А лермонтовская ступень этого нисхождения (или восхождения, ненужное зачеркнуть), это не менее знаменитые строки:

Любить... но кого же?.. на время — не стоит труда,
А вечно любить невозможно.

То есть Будущее для революционеров — форма Абсолюта. То, что не «на время»... В XVIII веке просветители подточили основы веры. Известна и избита фраза Вольтера «Если бы бога не было, Его надо было бы придумать». А по-моему, его ученики периода Великой французской революции продолжили: «А если бы бог был, Его надо было бы переделать». Чем они и занимались со всем революционным азартом. «Верховное существо», т. н. «культ Верховного существа» повлиял на очень многих в той Европе, но уж никак не на русских. Трясущаяся по парижским улицам тележка с загримированной бывшей проституткой и семенящий рядом Робеспьер — «Богиня» и Главный Жрец на национальном празднике, май 1794... Поклонялись тогда, навешивали венки и на «защитницу свободы» — гильотину. Трудновато было пленить *этими* красотами потомков князя Владимира, выбиравшего веру, в том числе по благолепию византийского богослужения. Но вот абстрактное, никем не видимое, нефактурное Будущее смогло набрать себе адептов, стало религией, Идеалом, сравняться с которым могла даже и не тщась любая конкретика, наличная фактура сегодняшнего дня, получившая теперь прозвище «гнусная рассейская действительность». *«Буря бы грянула, что ли? Чаша с краями полна!»* — ещё одни знаменитые строки (Н. Некрасова), на которые равнялись самые конструктивные программы, самые деловые и конкретные предложеня той эпохи, с чем и брались (не с «Капиталом» же!) за револьверы и бомбы.

Эта наивная, но упорная «абсолютизация», приводящая к забвению, презрению сегодняшней фактуры жизни и борьбе только «за Великое Будущее», по-моему, просто великолепно схвачена и спародирована Маяковским: *«...Мысль одна под волосища вложена. "Причесываться? Зачем же?! На время не стоит труда, а вечно причёсанным быть невозможно"».* Тоже, формально говоря, футурист, но уже совсем другого пошиба. Из числа преодолевших тот вековой наив, мельхиоровый декаданс, и своё будущее, футурум, воспринимавших, грубо, материально новые, более мощные паровозы, тракторы, новые стройматериалы (из этих футуристов, как известно, вышли конструктивисты). Абстрактные грёзы о Будущем для них и были невозможным прошловековым старьём...

То был почти и весь багаж полувековых борцов с царизмом (виноватого в их глазах тем, что он был «сегодняшним») за Будущее (правое по определению). Любая, даже полезная мера правительства — лишь наращение массы будущей лавины (*«Лучше, что лавина, нависшая над государством, уже скатилась и перестаёт угрожать»*).

Как было рассмотрено ранее, объективно угрожающим, нависающим, даже, может, лавиноподобным было лишь аграрное перенаселение, малоземелье. И крайне симптоматично, что этой-то реально нависающей лавины ни борцы за Будущее, ни защитники Настоящего и не видели. Точнее, видели совершенно в неправильном свете: то, что они всерьёз полагали решить эту проблему раздачей помещичьих земель (которой, розданной до пяди, всё равно не хватило даже убывшему начиная с Первой мировой на 3–4 миллиона крестьянству), как они обхаживали крестьянских делегатов ещё в Госдуме первого созыва, прекрасно показывает, что единственная реальная «нависшая лавина» рассматривалась ими как один из десятка вопросов революционной, а затем и «Госдумовской» тактики.

Теперь можно и вернуться к популярной *теории* **Арнольда Тойнби**. Итоговой парадоксальной виной Николая II была его легковесность (вот уж точно: *«Мене, текел, фарес»*!), бездарность и лёгкость «вызова самодержавия» в его исполнении, приведшая к тому, что и «Ответ» оказался таким... — да что уж тут упражняться в уничижении! — оказался, в общем, таким, как «в феврале 1917» — хуже образа, сравнения всё равно не придумать.

Глава 28
«Парашютный Пакт»

Сказавшему «А» трудно ответеться от условного микрофона, испытующего ожидания: *Ну, давай, не тяни и с "Бэ"!* И если уж претендуешь на «объективные критерии», мерку оценки политиков, то давай, прилагай её и к современной ситуации, делай обобщения, не прячась в безопасное прошлое.

Это я напоследок возвращаюсь к нашей беседе на страницах газеты «Московский комсомолец», постоянно переходившей от вопроса «Что делалось?» (тогда, при царе Николае) к «Что делать?» (теперь, при «тандеме», при «Единой России», «Болотной площади» и т. д.). Дабы подтвердить насущную актуальность истории, воспроизведу один фрагмент. Вопросы задавал заведующий отделом политики Михаил Зубов.

«— *Не повторяет ли современная российская власть ошибки 1905 и 1917 годов?*

— Нет. Ей, как мне кажется, стилистически ближе ошибки другой эпохи. Это "временный" министр князь Львов, ликвидировав всё местное управление в стране, ве(ре)щал в 1917 году: "*...А назначать никого не будем. На местах выберут. Такие вопросы должны разрешаться не из центра, а самим населением. Будущее принадлежит народу, выявившему в эти исторические дни свой гений. Какое великое счастье жить в эти великие дни!*" Нынешняя же власть скорей проигнорирует "народный гений", чем будет им так наивно восторгаться. А что опаснее: наив или цинизм правителя? По-моему, вся сумма нашей истории говорит, что первое. Тем более что случаются ведь у нас и горбачёвы, наивные... аж до цинизма.

Лидер партии октябристов Гучков однажды признался начальнику штаба Алексееву, с которым они вместе "отрекали царя": *Мы-то воображали себя правительством, что будем работать по-прежнему за каменной оградой монархии*. Вот чего точно нет у нынешних: Да, пусть возмущаются "циничной рокировкой тандема", но мы-то при этом полагаемся 100% на свои собственные силы.

— *Насколько большой была роль иностранного влияния на протест в начале XX и начале XXI веков? Или, напротив, больше вреда приносит шпиономания?*

— Строго говоря, есть разница: в 1905, 1917 годах японские (американцами одолженные) и германские деньги на наши революции можно толковать, как спецоперации в период военных действий. Осуждать их — напоминает те правила, что если наш, то *«разведчик»*, а если их, то *«шпион»*. Другое дело в том, что... допустим, найдись у России лишних сто миллионов золотом в 1905-м, для встречной *революционной работы* в Японии... да их просто НЕКОМУ было бы вручить! Монолитность, сплочённость вокруг императора. Вернулись бы денежки... если их только не... по дороге туда-обратно, знаете, случается такое.

Сегодня провели... стандартизацию процедуры получения нашими НКО западных денег. При том, что стандарты стали весьма похожими на западные, протесты против "подобного тоталитаризма" — это, конечно, симптом. Но ведь кроме легальных есть и другие каналы финансирования... У Горбачёва, например, вся борьба с пьянством свелась к победе над *легальной* водкой, и результат памятен.

В романе "Война и мир" Толстого был афоризм: *Да, Москву в 1812 году сожгли москвичи. Но не те, которые остались, а те, которые её покинули. Брошенный большой деревянный город неизбежно должен сгореть.*

И я бы сформулировал: проводником западной политики в России становятся НЕ те пособия, гранты, что приходят с Запада в страну, а те миллиарды, что уходят на Запад. *"Ибо где сокровище ваше, там будет и сердце ваше"* (Евангелие). Здесь я прерву свои критические замечания практическим предложением. *"**Парашютный Пакт**"* — вот что я предлагаю заключить властям и оппозиции. Бороться с зарубежными счетами бесполезно. Как известно, еще Алексашка Меншиков держал свои (коррупционные) деньги в лондонском банке, немало тем огорчая царя Петра. А ведь с тех пор средства коммуникации, электронных переводов только выросли. Смартфоны там, система "Банк-Клиент", Web-money... как историк могу поручиться: не было их у Меншикова.

Условия *"Парашютного Пакта"* просты: на 15 лет верхний эшелон власти вместе с семействами сдаёт загранпаспорта. И не может получить новые. Загранкомандировки чиновников — по разовым документам. Пусть из-за этого "волюнтаризма" конкурс у них подсократится: не 850 человек на кресло, может, 250 останется... Но и вожди оппозиции — тоже. Митинг протеста? — пожалуйста, хоть на Красной площади! Можно даже и в Кремле митинговать, — я там возле Царь-колокола вполне удобную площадку видел. И свободный доступ оппозиционеров, руководителей всех партий к федеральным телеканалам, хоть ты Удальцов, Жириновский, Яшин, хоть сам Немцов, но... тоже, только подписавшим "Пакт", сдавшим загранпаспорта. А то мне в связи с работой над этой книжкой пришлось много эмигрантских мемуаров читать. Тех самых Милюково-Керенских... Париж-1920, Нью-Йорк-1927... Прямо скажу: вредная, тяжёлая работа. А ведь всё тогда, как и сейчас: "работаем, требуем, выступаем — только ради своего народа, страны"!

Одна из главных крыс русской истории Безобразов спровоцированную им японскую войну встретил в Швейцарии, а сдох аж в 1930-м, в Бельгии — можно сказать, заявил, прочертил тенденцию, ныне, правда чаще связываемую с Лондоном.

— *А почему "Парашютный"?*

— Да это я в гражданской авиации подметил одно странное правило. 300 пассажиров из лайнера в случае чего не выпрыгнут. Так они там, прдставьте! — и пилотам, бортмеханикам — тоже парашютов не выдают! И от того взаимное доверие на борту, ответственность... как-то растут, по-моему. И без возможности выезда и привлекательность и даже сам смысл загрансчетов потихоньку увянет. Скажете: абсурд, митинг в Кремле! А ведь 600 лет там народ частенько собирался, а абсурдом тогда считалось другое, что высшие силовики, генералы имеют заграничные даже не счета, как тот "Алексашка", а целые бизнесы, сети фирм.

— *Чем отличались протестные политические партии начала XX века от оппозиции XXI века?*

— Ну, разве... тогда на политической карте была большая "терра инкогнита", крестьянство. Власть, оппозиция вели хоровод вкруг него. Считали: крестьянство оплот самодержавия. Царь избирательными законами стремился дать им как можно большее представительство. Далее, изумлялся граф Витте: "Крестьянство в значительном числе явилось, но оказалось... имеет одну лишь программу: "дополнительный надел землёю". Правительство (отказало)... и крестьянство пошло за теми, которые сказали: "Первое дело мы вам дадим землю да в придаток свободу", т. е. за кадетами (Милюков, Гессен) и трудовиками".

У кадетов, конечно, и полмысли не было: где взять эту землю, но... интрига завертелась, "думская работа закипела". Не хочу свести всё к "цинизму думцев", да и интрига

Милюкова—Гессена была длительней, и большая часть интеллигенции искренне "верила в народ"...

Сейчас такого "кита", объекта манипуляций и долгих наивных упований нет. Интервал между *верю — разуверился* короче короткого замыкания. Значит... эти новые "верю", идеи надо подбрасывать в топку чаще. Отсюда и все эти политологи, и "креативный класс"».

Антицарь

Завершая описание тяжелейшего и даже... обиднейшего периода нашей истории, я пересмотрел ещё раз цитированные и упомянутые книги и обнаружил, как мне кажется, определённый парадокс. С «космополитами» спорить об этих событиях просто бесполезно, там один подразумеваемый рефрен: «Так им и надо!». То есть *«космо...полит»*, значит — взгляд гораздо шире, *«космически»* шире, чем — узко-национальный... Только из их *«космоса»* почему-то собственная страна всегда и вычеркнута.

Но многие авторы безупречно патриотического направления идеализируют царя Николая из *сугубо патриотических же побуждений!* Дескать, если снять (закрасить) «пятна» крови, грязи, клеветы, наляпанные, либералами, революционерами, то и общая картина России станет светлее, чище, красивее...

Но ведь тут получается определённый фокус: *чем лучше царь, тем хуже народ,* его свергший, или даже просто не защитивший. Продолжайте далее развивать эту тенденцию и вы сведёте — из патриотических побуждений! — русский народ к *«иудеям, распявшим Христа»!*

Это прежде всего касается авторов типа Боханова, чьи труды по приторности и бессмысленности уже приходилось сравнивать с *«тортами в виде книги»* (полиграфическая красота, глянцевость, позолота, подарочность этого издания довершают сравнение).

Этот парадокс бьёт так же и по нашей Церкви — помните недавнюю 2008–2011 годов волну толков/кривотолков после публикации приветствий РПЦ Временному правительству «на второй день после отречения царя»! В статьях той «волны» часто цитировалась известная оценка февраля 1917 года Солженицыным: *«В дни величайшей катастрофы России Церковь и не попыталась спасти, образумить страну»*. Что, наши клирики должны были или воевать с Временным правительством «за Николая», или уйти «в пустыню, катакомбы», скорбеть о 1917 годе и далее?

Видите, живой, действующий институт сегодняшнего общества попрекают во имя... *«Горбачёва конца XIX — начала XX века»!* Воистину: *«мёртвый хватает живого»*.

Император Николай II отрёкся от престола за себя и за сына в пользу своего брата — великого князя Михаила Александровича. Но Михаил Александрович не отрекался от престола, 3 марта он передал вопрос о будущей форме правления на усмотрение Учредительного собрания, а до его созыва призвал всех граждан подчиняться Временному правительству. Бывший царь Николай реагирует в дневнике: *«Мишин манифест кончается четырёххвосткой для выборов Учредительного собрания. Бог знает, кто надоумил его подписать такую гадость»*... Легко найти и ещё десяток цитат, просто размазывающих Михаила, который *отрёкся от престола, не имея на него права, загородил возможность и всем другим достойным претендентам, фактически упразднил монархию*... «Странный и преступный манифест, которого Михаил не имел права подписывать, даже если бы был монархом... Акт безумия и предательства» (Василий Маклаков).

Но к моменту, когда они передавали престол, как гранату с выдернутой чекой, важнее вспомнить один объективный, количественный параметр: Михаил отнял у страны — сутки, Николай — 23 года.

Итак, с 3 марта Россия фактически стала на распутье (через 2 месяца после убийства Распутина). На первом при новой власти заседании Святейшего синода, 4 марта новый обер-прокурор Синода Львов объявил, что теперь Церковь примет меры по успокоению населения и сформирует в обществе представление о законности смены власти. С 7 марта в переписке Синода дом Романовых стал именоваться «царствовавшим», то есть бывшим. Вместо молитв о царствующем доме в тропаре утрени (утреннее богослужение) звучало: «...*Спаси Благоверное Временное правительство наше, ему же повелела еси правити*».

9 марта в послании Синода «К верным чадам Православной Российской Церкви по поводу переживаемых ныне событий» провозглашалось: «Свершилась воля Божия. Россия вступила на путь новой государственной жизни. Да благословит Господь нашу великую Родину счастьем и славой на ея новом пути».

Но в действительности-то Церковь продержалась за царя Николая дольше других, это становится ясно, если вдуматься в ситуацию, сложившуюся еще с 1906 года. Вслед за «дарованием» обществу — Госдумы, царь должен был вернуть Церкви — Патриаршество. Ведь многовековая соединённость Церкви с государством после 1906 года привела к юридическому, даже философическому абсурду: теперь принимала решения, законы, в том числе касающиеся Православной церкви, Госдума, орган, в котором были и представители вообще других вероисповеданий. Десятилетние колебания ещё и в этом вопросе, увиливания, выкручивание рук и мозгов абсолютно лояльному клиру, словно это были переговоры с враждебной страной, с Бисмарком или Вильгельмом, разоблачали Николая II перед страной не менее

Ходынки, «безобразовской шайки», Цусимы, «Кровавого воскресенья»...

Одна только теоретическая уловка и остаётся: «на Руси тогда были *только* царь и его враги масоны» (революционеры, евреи...). Правда, для этой *сольной* победы масонства надо вывести из «списка действующих лиц» русский народ (когда только он исчез — в 1881 году? 1861? 1812? 1801?).

В серьёзных монархических книгах, вроде *«Романовы. Подвиг во имя любви»* Долматова, действующий народ всё же есть: там он требует выдать царя на расправу, и комиссарам-«расстрельщикам» довелось прежде подвального расстрела несколько раз с огромным трудом спасать семью Николая от самосуда, как, например, на екатеринбургском вокзале.

Есть народ, есть, зафиксировано народное мнение и у Василия Розанова: «...*Старик лет 60-ти, и такой серьёзный, Новгородской губернии, выразился: "из бывшего царя надо бы кожу по одному ремню тянуть". Т. е. не сразу сорвать кожу, как индейцы скальп, но надо по-русски вырезать из его кожи ленточка за ленточкой».*

Наверное, розановский собеседник, незнакомый с Уголовными кодексами, всей той фантасмагорической шкалой библейских мучений просто хотел измерить всю свою обиду, изумлённое возмущение перед фактом: вот была страна, а вот — Ходынка, Ленский расстрел, 9 января, одна война, вторая... и — нет страны! Наверное, хотел сказать, что есть, или должны быть (!) две параллельные Шкалы: Преступлений и Наказаний. Но... царские наказания начинаются только с отметки «Свержение», ведь самодержавного монарха, даже чисто теоретически, нельзя подвергнуть вообще какому-либо *промежуточному* наказанию. Арест, например, ограничение законом свободы *того*, чья свободная воля и есть высший закон, если вдуматься, невозможен даже логически!

Вот и остаются для восходящих ступеней Преступлений все эти «полоски кожи». Но, думаю, тот бы мужичок после первого же надреза, первой капли крови Николая смутился бы, да и отправил бы бывшего монарха в монастырь, как Василия Шуйского...

Самое важное Слово, над которым бы ещё думать и думать (!), сказал Иоанн Кронштадтский: *«Нам дан царь благочестивой жизни»*. Сегодня это Слово пробуют разменять на пятаки политических оценок и лозунгов, но если вдуматься... святым Иоанном сказан был максимум, что можно сказать хорошего о Николае, не покривив душой: благочестива *жизнь*, о политике — ни слова. Прекрасный муж, отец, дядя, племянник (особенно кузен и племянник, — дядьям, великим князьям и полслова поперёк сказать было его проблемой). Точно и Горбачёв: при всех его политических преступлениях — идеальный муж и папа. А вот у создателей империй — семейных *неблагочестивых жизненных* поступков, вторых браков, жён-монахинь, жён-самоубийц, погибших в казематах или в плену детей...

Нельзя требовать от Николая силы Александра III, размаха Петра I, но у нас ведь был и очень недооценённый монарх Фёдор Алексеевич (шесть благословенных лет собирания сил) и Фёдор Иоаннович: кротость, физическая немощь, благочестивая жизнь и... *благочестивая* политика! У нас, слава богу, не Калифорния! — обходились и без губернаторов-«терминаторов», суперменов.

Но потому так и неприкаянна эта фигура: среди Святых он — «Наполеон», гордо засунувший руку за полу... власяницы, главком 1916–1917 годов. А среди полководцев — «Святой», механически выдающий резолюцию «На всё Божья воля» в ответ на любое военное донесение...

В феврале 2011 года на ТВ шёл документальный фильм об этом важнейшем периоде русской истории. Авторы: М. Ширяев, М. Смолин, Н. Смирнов, Н. Симаков — прекрасно и убедительно разоблачили механизм тогдашней пропаганды раздувавшей цифры русских потерь, и то, как этот механизм давил на русское правительство. Но и у них тот же удобный штамп: «твёрдость Николая II» и «мягкость Витте». Но эти фэнтэзи, лубки, сказки не только приторны, в перспективе они весьма вредны. Чем?..

Видите ли... Племена, живущие охотой, собирательством, скотоводством, могут позволить себе витание в мифах, счастливое бытие среди нимф, эльфов, добрых и злых духов, фавнов... Но государству, имеющему заводы, железные дороги, электростанции, просто-таки опасно вдруг говорить, что 2×2= (может, где-то, по погоде и настроению) и 5, и 7.

А основа строительства, «прямой угол» — от 40 до 150 градусов...

Опасно настолько подрывать фундамент, власть Факта, Точность. Говоря в этой ситуации о «твёрдости Николая», вы лишаете Россию вообще самого понятия **Твёрдости**, критериев твёрдости. Как там твёрдость-то меряют? По «шкале Бринеля»? Но если... пластилин и алмаз, сталь и дерматин — всё одно, всё равно, из чего же завтра в России гвозди, подшипники, орудийные стволы прикажете делать?.. А уж идею Справедливости опасно подрывать даже и в самом простейшем, таитянском человеческом сообществе!

И психологический феномен даже не в том, что сегодня, в XXI веке Брезкун, Боханов, Мультатули и т. д. пишут о твёрдом Николае и предательском Витте. Главный феномен в том, что уже и тогда, буквально через полгода генералы, министры забыли свой страх и просьбы о мире, ещё через несколько лет появились вполне грозные мемуары... чуть-чуть не дошедшие до Токио. *«Япония была на грани истощения и кризиса»?!* Перечитайте протокол Царскосельского совета (где и духу Витте не было!): *«Сахалин и Владивосток могут быть взяты, тогда условия японцев будут ещё тяжелее».* Умницы Муравьёв, Извольский и Нелидов отказались ехать в Портсмут, а Витте, заключив 5 сентября 1905 года «Портсмутский мир», фактически отвоевал половину уже сданного Сахалина — и получил ту обидную кличку.

Но, ладно, он-то, Витте, умер, а перед его «мемуарными победителями» — новая война, новые испытания! А дух чёрной неблагодарности, безответственности, дух эдаких малолетних хулиганов, избежавших поимки, спихнувших дело «на дядю»... это всё осталось в запасе до 1917 года. И *тот*, в штабном вагоне, записавший: *«Всюду обман, трусость и измена...»,* загляни тогда случайно в зеркало, мог бы продолжить: *«...и тут тоже».*

Этот штабной вагон, этот... «Форос на колёсах» (если вернуться к бросающимся в глаза сходствам Николая II и Горбачёва) и оказался местом, где закончилась история трёхсотлетней династии Романовых. Не особо умножая подобные сопоставления, аналогии, нужно всё же признать, что история СССР весьма похожа на ускоренную примерно в 4 раза историю Романовых. Тоже от Смуты — до Смуты. (Тут надо не забыть, что: 1) смуты бывали и в западноевропейских странах, 2) страны прочего мира, кроме Японии, уступают и России по длительности периодов устойчивого, безсмутного развития.)

Похожи и стоящие под огнём яростной критики «отцы-основатели»: Сталин и Пётр I. «Кровавым маньякам» припоминают ужасы частной жизни, жену в монастыре, жену застрелившуюся, царевича Алексея, Якова Джугашвили, казнённых соратников.

И такие же безупречные семьянины — «отцы-разрушители»: Николай II и Горбачёв.

Я несколько раз упоминал *книги А. Боханова,* не цитируя какие-либо фрагменты. Технически сложно показать, что весь том, по сути — детская «Игра в царя». Даже не «В *доброго* царя», а вообще «В царя»: «*...А давайте все вместе зажмуримся и представим, что 1917 года и дальше в России вообще не было. А царь, наоборот, был*». Единственно «цитабельным» показался нижеследующий момент, стилистически совершенно приблизившийся к газете «Правда», когда она была под контролем Горбачёва–Яковлева: «*Если говорить, скажем, о Кровавом воскресенье, то это, конечно, была великая провокация. Государь **не имел к этому никакого отношения, его вообще в Петербурге не было...** Что касается личности государя — ну, **он не мог отвечать за всё. Местные власти в Петербурге проявили** свою нерасторопность, доверились этому попу-провокатору Гапону, за которым стояли совершенно определённые террористические группы*»...

Но нет, это точно А. Боханов, книга «Николай II», хотя конечно, поменяй пункты на «*Тбилиси, Вильнюс*», подставь «*регламент, консенсус, товарищи*» — и можно подписывать: *А. Яковлев, М. Горбачёв*... «Дежавю»

Похожи отношения и с «модернизациями». Пока в Европе заимствуется «голая техника», оборудование — успех, мировые рекорды в темпах промышленного развития. Сталинские пятилетки, выход петровской России на первое место в мире по производству чугуна и близко к тому по меди, тканям (считая парусину)... Когда же вместо инженеров «завозили» гувернёров, бонн, философов (лично и в виде книжной продукции) — сразу хаос, смятение в умах. И главное — неуспех. В отличие от «Фодзона», успешно скопированного на ГАЗе, «продукция чикагской школы» (либерально-монетаристские теории) у нас барахлит. Да и взять шире. Почти не работают, страшно выговорить — многие «свободы». Суд присяжных, адвокатура (*«аблакат — наёмная совесть»*), до сих пор несущие на себе кроваво-грязное пятно «дела Засулич», сегодня имеют всё... кроме доверия народа. Свободы *печати, собраний, партий*, в три-четыре года от момента провозглашения обратившиеся в отдел информационного и организационного обеспечения *той* приватизации и *тех* залоговых аукционов.

Что же и кто же остаётся тут — свободный ещё и от «свобод»?

Ответ Сперанского

В молодости царь Александр проехал в компании с Михаилом Сперанским почти всю Европу. Что и говорить — контраст. *«Дистанции огромного размера...»* И на обратном пути, подъезжая уже к Петербургу, царь спросил: *«Ну, Михал Михалыч, и как тебе?..»*

Ну, всё же было ясно. Наблюдали-то из одного окошка! Ответить так — выйдет, что ты не патриот. Ответить сяк — неискренен с царём...

Мне всегда казалось, что именно честность ответа Сперанского дала ему запас монаршего доверия, уважения, так что, пройдя сквозь все интриги и опалы, он, сын бедного дьячка, в окружении князей и графов... ещё и через 25 лет заседал в Государственном совете, судил декабристов.

— *Ваше величество*, — ответил тогда Сперанский, — *у них законы лучше, а у нас люди лучше*.

Думаю, что, говоря *«законы»*, Сперанский имел в виду не конкретные «Кодексы», тома на полках, «Своды», а шире — *«порядки»*...

Только не сочтите это за пропаганду придворной ловкости или практический совет: дескать, если судьба догадает вам проехаться по Европам вместе с Путиным или Медведевым, то вы уж смекайте, как надо отвечать!

Нет. Сперанский, мне кажется, высказал настоящий Объективный исторический Закон, парящий неизмеримо выше всех сотен марксовых, до- и послемарксовых томов. Я только чуть-чуть подправлю и разовью формулировку Михал Михалыча далее:

При хороших законах (порядках) — могут жить... и плохие люди.

При... таких как у нас — могут (вы)жить только хорошие люди.

То есть я этим не утверждаю, что люди **там** — плохие или хуже наших.

Смысл моей формулировки следующий: само выживание **там** ещё *не* доказательство человечческих качеств. «*Там*», в отличие от «*у нас*», — людей мог поддержать ещё и заведённый Порядок.

Собствешо, их законодатели, общественные деятели, государствоустроители к этому и стремились — к организации жизни, независимой от разных эфсмерпостей, вроде души.

У нас же люди должны поддерживать Закон (Порядок), в общем, *то*, что при случае самих их вряд ли поддержит. Что говорит не только о знаменитой «русской жертвенности», но и о другом извечном нашем признаке (свойстве) — верс в то, что где-то, когда-то всё равно разберутся: кто поддерживал по мере сил, а кто лишь облокотился, прислонился к России.

Оглавление

Литературно-художественное издание

Все тайны истории

Шумейко Игорь Николаевич

РОМАНОВЫ
Ошибки великой династии

Ведущий редактор М. П. Николаева
Корректор И.Н. Мокина
Технический редактор Е.П. Кудиярова
Компьютерная верстка Н.Н. Пуненковой

Подписано в печать 13.05.13. Формат 84x108/32. Усл. печ. л. 20,10.
Тираж 2500 экз. Заказ №1878.

Общероссийский классификатор продукции
ОК-005-93, том 2; 953000 – книги, брошюры

ООО «Издательство АСТ»
127 006 г. Москва, ул. Садовая-Триумфальная, д. 16, стр. 3, пом. 1, ком. 3.

Отпечатано в ОАО «ИПП «Правда Севера».
163002, г. Архангельск, пр. Новгородский, 32.
Тел./факс (8182) 64-14-54, тел.: (8182) 65-37-65, 65-38-78
www.ippps.ru, e-mail: zakaz@ippps.ru